斩龙

著

I

女风水师

凤凰出版传媒集团
江苏文艺出版社
JIANGSU LITERATURE AND ART PUBLISHING HOUSE

图书在版编目(CIP)数据

斩龙．1/红尘著．—南京：江苏文艺出版社，2008.1
ISBN 978-7-5399-2769-5

Ⅰ.斩… Ⅱ.红… Ⅲ.长篇小说－中国－当代 Ⅳ.
I247.5

中国版本图书馆CIP数据核字（2007）第195671号

斩　龙Ⅰ——女风水师

著　　者：红　尘
责任编辑：黄　欢
文字编辑：席姗姗
封面设计：Z2工作室
责任监制：卞宁坚　江伟明
出版发行：凤凰出版传媒集团
江苏文艺出版社
集团网址：凤凰出版传媒网　http://www.ppm.cn
经　　销：江苏省新华发行集团有限公司
印　　刷：三河市南阳印刷有限公司
开　　本：787毫米×1092毫米　1/16
字　　数：220千字
印　　张：19
彩　　插：1
印　　次：2008年2月第1版，2008年2月第1次印刷
书　　号：ISBN 978-7-5399-2769-5
定　　价：26.00元

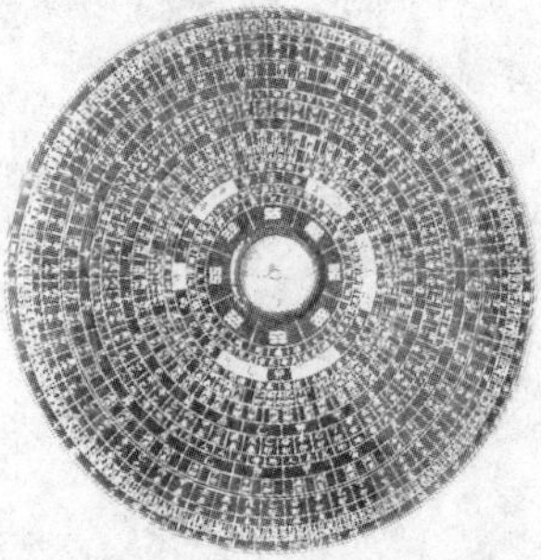

ZHAN LONG

人物介绍

绿娇娇

故事的主人公，身负家传绝学阴阳风水术的少女，终日一袭绿衣，游荡于陈塘风月间经营自己小小的算命生意。这是个美丽的女孩，也是个贪财、狡猾、好色、不良嗜好一大堆的女孩。在自己独居的家宅被官府中人蓦然席卷之前，她的生活一直都维持着空虚而平静的状态。……至少，她是这样认为的。

安龙儿

绿娇娇使计用诈自江湖卖武班子中买来的少年，天生异相一头黄发，忠诚正气沉默坚韧，一切都在绿娇娇的计算中，除了……他在风水学方面的超人天赋。最初，绿娇娇只是想把这个小孩放在身边当作棋子使用，但人算不如天算，在漫漫而危险的旅途中，她发现自己一手培养起来的安龙儿，已经向着一代玄学大师的方向，越来越接近。

杰克

自花旗国漂洋而来的浪子商人，亦是手握连发洋枪百发百中的神枪手。金发、高大、英俊的他以一身洒脱的牛仔装扮第一次出现在了绿娇娇面前，那个时候，简单爽朗的杰克怎样也不会想到，自己将被这个神秘的女孩子牵扯进怎样一场惊心动魄的冒险中……

安清源

大绿娇娇十余岁的兄长，于朝野为官，亦负绝顶风水术。兄妹多年难得一见，而于佛山城内蓦然发生的一场邂逅却让绿娇娇不禁对他的来意半信半疑。安清源同自己的妹妹一样，背负了一个风水家族代代相传的秘密。

国师

身分莫名的男子。为了挽救摇摇欲坠的清廷，减少天下战乱，他带领着国师府一众玄学家在不为人知的风水领域，不择手段地与天运对抗。他所拥有的玄学功力，让绿娇娇深深意识到自己的对手强大得难以想象。

洪宣娇

洪秀全之妹，拜上帝会女子宣道会的主办者之一。大方爽朗、英气勃勃，通兵法怀天下，善武勇强智谋，这是个希望建立起一个“人人平等”的世界的女子。她与绿娇娇的过命交情决定于一场惊天动地的风水变节之中，那个时候，她用黄金万两，买下了大清江山！

孙存真

全真派修玄者，使棍，擅武，亦通风水之术，是朝廷四处借调的人才之一。

这是一个没有脸的人，一个被命运摆布，而又摆布了命运的人。在直面了绿娇娇、而又被利用自己的朝廷辣手追杀时，他作出了一个需要莫大勇气的决定——放弃自己的八字。从此他在天道之外，在宿命之外。从此，他是《斩龙》这部故事中最自由的存在。

孟颉

通风水，善谋略，温文儒雅且极懂得察言观色的中年男子。身分是清城一个小小贪官的随行师爷。至少看起来是这样的。

翠玉

杰克路遇的妓女，一个与绿娇娇颇有几分神似的女孩。当命运欺上头来时，她不开心，她会反抗；当宿命无法改变方向时，绿娇娇伸出手，为她改变了宿命的质量。

目录

第一章 陈塘风月

秀丽壮阔的珠江穿过广州，来自世界各地的商船在江面上游弋如鲫，川流不息。

白鹅潭上停着上百只花艇。花艇是木造的双层大船，每层可以摆下十几围大饭桌。

花艇代表着广州的浮华，是广州最穷奢极侈的烟花之地。每晚在花艇上美女如云，达官商贾不惜在这里千金耗尽，流连温柔。花艇里三层外三层地靠在岸边，船舷接着船舷，船船相通有如迷阵。

绿娇娇走到珠江边上，跳上密密麻麻的跳板，熟练地左右穿插在各船的甲板之间。

绿娇娇人如其名，身上穿的衣服总是绿色，在花花绿绿的大船里走动，很融合环境也让人眼花。

此刻她走到其中一条花艇的前甲板，甲板前开着半圆的大拱廊，拱廊上一块云纹黑匾写着“天德”两个金字，是这艘花艇的名字。

天德停在船阵的最外围，离岸最远，离江心最近。从泊船的位置来说，这里的风景最好不过。

站在船上，可以看到广州江面上最广阔的天空，三条河道在这里交汇，水流却平静缓和，白鹅潭的中间停着一艘更大的商船，一看就知道来自西洋，经历过无数风浪。

绿娇娇手拿一把小团扇，遮住斜射过来的阳光，抬头看上花艇二楼。

“兰姐，兰姐在吗？娇娇来啦——”

绿娇娇的声音娇嗲而造作。

“唉，我在这里——”一个中年女人的声音殷勤地回应绿娇娇。

下午的花艇最平静，客人们玩了一晚上，醉的醉，困的困，在天亮前后都会离开。

船上的姑娘们被客人折腾了一晚上，白天要好好睡觉，准备迎接另一个喧嚣无度的夜晚。

只有厨子们在准备晚上的酒菜，佣工阿嫂在收拾残局，船主在清点一晚上的收获，好好考虑一下有什么新玩意儿可以安排给客人玩。

兰姐是“天德”的船主，船上的事情全由自己一手操办。此刻她从二楼走下来，像欢迎恩客一样亮出灿烂的笑脸。

“娇娇姐你来啦，哎呀，真是辛苦你了，还要你亲自来走一趟。”

一边说着，一边走到绿娇娇身边，挽起她的手，那亲热劲儿像见到多年没见的亲姐妹。

绿娇娇的亲热一点儿也不比兰姐少，双手也牵住兰姐的手说：“兰姐可真是漂亮，这双眼睛都会说话了，看得娇娇都心跳跳呢。”

“哪里呀，哪比得上你年轻可爱，娇娇小小的还长得有前有后，要是你晚上来我们船上坐坐，还不让那些公子哥儿挤沉我们‘天德’啦。”

兰姐职业化地打起风月场所的哈哈。

绿娇娇低着头，用扇子掩着自己的笑脸，以示有点儿不好意思。

兰姐嘴上不停，人也不闲着，马上招呼绿娇娇上二楼，到窗边的桌子旁坐下。绿娇娇选了一个背光的位子。佣工大嫂冲好茶。夏天的南风轻轻吹过，茶香很快溢满花艇。绿娇娇放下扇子，端起茶杯轻轻吹一下热茶，呷了一口，杯沿上印出一个红唇印。

“好香的龙井茶，谢谢兰姐。”

兰姐说：“这是一位浙江布商送的，我自己也很喜欢呢。”

绿娇娇说：“兰姐最近生意很不错，财帛方面没什么好烦恼的。”

兰姐笑得很开心："是呀，上个月新请了几个琵琶仔，歌艺很不错，更难得舞跳得好，其中一个叫绮翠的小姑娘，在小盆景茶几上跳舞，一双小脚配上紫纱长裙子真是噱头十足。"

"那兰姐是要问男人的事喽？"绿娇娇问道。

兰姐笑眯眯地眨眨眼睛："呵呵，绿娇娇名不虚传啊，果然是神算。"

"哪里，人之常情而已。"绿娇娇谦虚了一句。

兰姐接着说："有个恩客出手很大方，这个月常来这里，叫什么姑娘都不喜欢，可偏偏老找我喝酒。"

绿娇娇说："这位恩客大约有五十岁了吧？"

"是哟，你什么都能猜到呀。我们可能年纪差不多，也谈得来，谈着谈着就说到了成家的事，吓我一跳呢。老实说我对他印象挺好的，不过我也几十岁的人了，出身也不好，想的事多啊。"

"而且你很担心遇上老千，骗财骗色。"

"所以嘛，才请娇娇姑娘来算算，看这事是虚是实。"

兰姐说完喝了口茶，看绿娇娇的反应。

绿娇娇说："那送你这茶的应该就是那位客人喽？"

兰姐的笑容有点幸福地承认了这事。

"那请兰姐报出你的生辰八字吧。"

"嘉庆十一年十一月初九，亥时生。"

"大姐是十一月亥时？那大姐今年行年四十岁，从小到大奔波不少地方了，理应不是广东人。"绿娇娇脱口道。

兰姐不自觉地应了一句"对啊"，眼神里现出惊奇。

绿娇娇脸色平静下来，双手同时掐指运算，尖削苍白的脸在下午耀眼的水影里显得冷若冰霜。

兰姐话音刚落，绿娇娇抬起头，脸上重新挂起媚笑。

"兰姐广府白话说得好，但是老家在西北，家里还有老人孩子呢，一个女人能这样把持一个家，真是不容易。"

兰姐一听这话，表情凝住了。绿娇娇看在眼里，突然问："你老公二十年前就瘸了，伤的是左脚还是右脚？"

兰姐双眼睁得比先前任何时候都大，喃喃地对绿娇娇说："伤的左脚，一直没有治好……我从来没有对人说这些家里事……姑娘你可真是神仙啊……”

兰姐再也笑不出来，一转脸望向窗外江心。

一阵尴尬的平静后，兰姐先开口说话：“我也知道家里有男人，钱也没少汇回去，年年都有两次庄票汇到乡下。可是这么多年了，我在外面做什么都不能跟家里说，还不能回家……唉……”

兰姐长长地叹一口气，停了一下，低下头小声地说完下句：“哪里有脸回家呀……”

绿娇娇伸手握住兰姐的手放在桌上，一边拍着一边对兰姐说：“家里有你汇钱回去，把孩子们拉扯大是他们的福气。孩子没有缘分在你身边，是他们的命。你做得已经够多了，想想自己，天经地义。”

兰姐在风月场上多年了，已不再是感情丰富的人。所谓“婊子无情，戏子无义”，有感情的女人，根本不能在欢场上生存。但听完绿娇娇的话，她眼眶一下湿润了，双手更紧地握着绿娇娇的手。

绿娇娇可不会感动，她天天都见这些事情，说麻木也好，说习惯也罢，她只知道这个世上，苦命人比好命人多，但是好命人的钱好赚。

那些安慰只是套话，能套出钱的话。

绿娇娇看情绪酝酿得差不多了，用手摇着兰姐的手说：“兰姐，我平时答事只收一两银，今天给你答事，我收五两银子。”

兰姐一听到银子涨价，连忙回过神，花艇东家的本能又发挥出来。

“哟嗬，我怎么有这么大的面子呀？娇娇姑娘能给个加收的道理吗？”

绿娇娇说：“兰姐，我这是给你报喜啦！你的生意从下个月起还要做大，到秋天时赚钱是现在的一倍，你是大老板啦，我收少了丢你的脸呀。”

兰姐一听，笑得眼睛眯成了一条缝儿。

“是啊是啊，这也是我本来想问的事情。我和旁边的蓝色花船谈过，他们愿意把船卖给我，价钱一定不会低，我正在想这么干会不会亏本，你这么一说我就放心了。这五两银子，值得值得。对了，我这船叫‘天德’，新船改名叫‘月德’，你看好吗？”

绿娇娇说：“新船改名字可是要另收润金的呀。不过兰姐爽快，是个发财的人，我也不能小家子气，以后给我介绍些生意就是了。”

兰姐赶紧点头，绿娇娇继续说：“天为阳，月为阴，天德月德是阴阳之合，本来最好不过。天德的牌子用黑底金色，阳中取阴对你还是旺财的，但那艘蓝花画舫起名月德的话，就要改个黄红色，以求阴中取阳，达到阴阳平衡，才好发财。”

兰姐听了，很高兴地说：“活神仙说行，一定就可以了。那位……”

绿娇娇也笑着说：“兰姐不要心急，太阳还没下山呢。请不要见怪，你能先付润金吗？”

兰姐求测心切，连忙说行，转身走入账房里拿出五两银票交给绿娇娇。

绿娇娇说了声“多谢”，双手接过银票时，向兰姐慢慢地欠一欠身，然后收好银票，抬起头把没有说完的话说下去：“你今年命中偏官透出，无制成杀，但偏偏桃花同现，成桃花带杀的凶局；而你今年生意不错，刚想做大门面，流年里财星大旺，财星催动杀星，则财越旺，杀越旺……”

说到这里，绿娇娇停顿了一下，她很清楚兰姐有话要问。

“什么意思，我听不懂，能讲明白些吗？”

兰姐从一些字眼里，从绿娇娇的语气里，听出了不对劲儿的感觉。

绿娇娇接着说：“简单说就是你财运很好，但是财运会引来杀身之祸，而这杀身之祸，和男人有关。”

兰姐大眼睛一眨一眨地在琢磨绿娇娇的话。

绿娇娇继续说：“你钱赚得越多，越危险。”

亮晶晶的冷汗从兰姐的额头冒出来，她一时想不出有什么要问的。

“你提到的恩客有可能是老千，一般是先拿心，进房了再套钱。”绿娇娇说，“一般的花艇姑娘没什么钱，千不千也罢，给钱买就行了，可像你这样的老板娘却最是老千喜欢的下手对象。如果他就是老千，花了这么多钱，不得手不会罢休。”

绿娇娇又停下来，手里转着茶杯，在等兰姐的下一句话。

“那怎么办？”这是兰姐必然会问的一句，尽管声音有些不自然。

绿娇娇说：“兰姐你是好人，听姑娘们说你对她们也不错，我会帮你的。你能开花艇，也不会没有大爷照看，但是远水解不了近渴，事挑起来了，争斗起来对谁都不好。我想这样吧，你请那位恩客打个茶围，不要收钱，在桌上放三只杯子倒上茶，排成直线，茶壶嘴对着第一个杯子，然后过去收了多少钱都原数奉还，你先喝中间一杯，然后再重新斟满，请他喝茶。行内人自然就明白了，一般说他也会喝中间那一杯，然后收钱离开，以后都不会再上这里找你。”绿娇娇一边说，一边在桌上摆出这个茶杯阵给兰姐做示范。

“为什么呢？”兰姐又问。

绿娇娇连忙说：“这就不能告诉你了，呵呵，请不要见怪。”

兰姐对绿娇娇佩服得五体投地：“姑娘年纪轻轻就精通算命，还有这样的江湖经验，真是神人啊。”

绿娇娇的笑容妩媚如初，她微微点头说：“雕虫小技而已。”

离开花艇，太阳已经西沉。

兰姐安排佣工大嫂送绿娇娇上岸。到了岸上，绿娇娇从钱袋里掏出一小串铜钱放到佣工大嫂的手里：“谢谢阿金嫂，这是你的一百文钱，以后还请多关照娇娇。”然后微笑着欠一欠身行了个礼。

阿金嫂收了钱乐呵呵的，嘴里忙说：“一定一定，娇娇大姐慢走啊，呵呵……”

金色的霞光，映出绿娇娇孤独的影子，在窄窄的长巷里更显清瘦。绿娇娇的手里吊着一壶酒。今天晚上，陪伴她的只有这壶酒。

入夜，绿娇娇的家四周灯火通明，人声鼎沸。

平康通衢一路都是大寨。“大寨”是当时广州人对高级大型妓院的俗称。

黄昏后的平康通衢，从路口就有大寨的龟公开始迎客。一旦有客人到，各妓院的龟公们马上会恭迎上前，分清楚客人想到哪一间妓院后，就会开始大声传报：

“张公子到——”

“宁大官人到——合和酒家准备款接——”

“罗府客人齐大人到——桂花楼恭迎贵客——”

声音拖得很长，一层接一层地喊进去，形成嚣张的声浪，直抵花筵地点。如果有最尊贵的客人，还会像过年一样，在门口点起大串的炮仗，炸个满堂红。

二楼的姑娘也会趴到栏杆上，等自己的恩客到来。一旦远远见到自己的恩客，就会挥手大声招呼公子的大号，莺声燕语嘈杂而热闹。

一队队花客在招唤声的引导下大摇大摆鱼贯而入，男人的虚荣感则被刺激到了极限。

万花馆也在平康通衢之上，楼高三层，是这里数一数二的大寨子，姑娘们才艺出众，相貌也长得漂亮；老板姓肖，是性情风雅之人，调教出来的姑娘除了吹拉弹唱，还有会吟诗作对的，使得万花馆在平康通衢里别有风格，很吸引有钱的文人集中玩乐。

万花馆旁边是馨兰巷。从巷口进去，走过万花馆侧面的山墙，就是绿娇娇的家。

这是一间小巧典型的西关平房，绿娇娇住在这里已有三年。

晚上绿娇娇可以在床上听到万花馆里面的全部声音——

传唤声、招呼声、厨房的摔锅声、弹琴唱曲、妓女们的浪笑叫床、豪客们的高谈阔论、龟公老鸨打骂妓女……所有声音组成一个大网笼罩着绿娇娇一年前买下来的家。

绿娇娇的家有三个房间，走出去是天井，就是一片露天的平地，中间还有一口井。

这口井对绿娇娇的家最重要，女孩子如果为了打水洗衣天天在巷里进出，并不是一件安全的事情。也因为有这口井，这栋房子在馨兰巷的售价几乎最贵。

从天井再走出去是一个客厅，打开木门，从客厅可以看到馨兰巷。

绿娇娇三年前来到这个城市，马上就选定了这个地方住下。

对她而言，人多的地方才适合一个独居的女孩子出入；女孩子多的地方，自己才不显眼。

而城市里，人多女孩子多的地方除了妓院没有别的选择。在这里，绿娇娇还可以很容易地找到大量的顾客。

一个女孩子要开馆给人算命，无异于找死——天天上门闹事寻欢的流氓和找便宜蹋码头的江湖中人，绝对会比客人多。再说了，开命馆是要交税的，绿娇娇可不想犯傻。

尽管做风水先生很赚钱，但是一个女孩子要做风水先生，是完全不可能的事。风水先生的生意包括老百姓的生老病死，有些场合女人连进都不能进去，也不能看，雇主压根不会请一个女人做风水先生。

绿娇娇想安全地赚到钱，最好的办法就是在女人堆里找生意。

平康通衢位于广州西边的陈塘，离白鹅潭也就一二里之遥，走路过去不过一炷香的时间。

一炷香的路程，连上白鹅潭上的花艇，所有经营大都是风月场所。那个年代，这片众生相被称为陈塘风月。

一个女孩子要在这里找到女顾客，是再容易不过的事情。而且，这里的女顾客往往手头上都会有些钱。

妓女们很多是卖身为奴，上茅厕都有用人大嫂看守着，出门的机会少之又少。实在很有必要走出大门的话，也都是数条大汉严阵以待的架势。

也有些自由妓女本身是东家，和店东合股投点钱，有生意一齐做，年底再分账。这种妓女一般年纪不轻，因为年轻的姑娘还没有存到钱，有两个钱又年轻的话也不用做妓女。有点钱，还要做妓女的人，都铁了心这辈子不嫁，年轻漂亮的自然很少，在陈塘这种高级场所的老妓女更少，达官贵人不会在一般的半老徐娘身上花钱。

还有一种年轻漂亮又自由的妓女，也叫“先生”。这种妓女可不是受迫害的底层女性，她们素质很高，仰慕的恩客很多，而成为各妓院之间重金争夺的赚钱资源。请一个“先生”入门，有如接过来一个格格，“先生”入门后，就会带来一大批花客。这种妓女想不自由都难。

因为这样，想算个流年问问事情的姐妹多得很，却不是每个姐妹都可以走出门口上命馆求测，那可以上门给女孩们算命的绿娇娇正好对上客路。

一个浓妆艳抹的女人出入花巷，只要自己愿意，可以在白天毫不起眼。只要没有男人知道绿娇娇的家，她的生活总是平静的。

除此之外，还有一个原因是最重要的——绿娇娇觉得只有烟花之地，才是自己待的地方。与妓女为伍，才是自己应有的结局。

绿娇娇侧躺在天井的竹床上。

月光斜照进天井，照不到暗处的绿娇娇。

晚上点灯没有必要，绿娇娇的家在万花馆的辉煌灯光下，光线足够。而点了灯的家，并不利于女孩子独住。

唯一忽明忽暗的小亮点，是绿娇娇放在床边的烟灯。

来到广州不久，绿娇娇就抽上了鸦片，鸦片可以给她片刻的宁静和忘却。不过，也给绿娇娇增加了银子的负担。

鸦片很香，让人舒服又解乏，但却是越抽越要抽的东西。

刚开始是一天几泡烟，后来是一天十几泡烟。绿娇娇不会抽便宜货，起码也要云南上好的陈年熟烟，一两银子一两烟，也就只能抽一两天。如果有英国船运来的印度货当然更好，但也更贵，上好的货色一两烟膏要二两银子。

银子啊……银子！

绿娇娇心里喜欢这种忙着想银子的感觉，这样想别的事会少一些。为钱发愁，在她而言是单纯而快乐的。

绿娇娇深深地吸一口烟，静静地躺在竹床上等烟劲上来。

人开始变得轻松，天空也开始发亮，星星渐渐有了颜色，自己空洞的感觉就是四周的事物都很实在。过去的过去了，未来的还没有来，这一刻的虚无最幸福，这样沉沉睡去才不会有孤独感。

半夜醒来，绿娇娇格外地清醒。

万花馆的声音小了一些，该上房的客人都上房了。月光移到了天井的另一侧，洒到绿娇娇的身上。

她提起桌上的高粱酒给自己倒上一杯。

广州人很少喝高粱酒，这里难得有酒量好的人。

绿娇娇酒量也不好，喝高粱酒容易醉，醉倒就可以睡去。

一杯，两杯，三杯……

绿娇娇在醉倒之前，脑子里不停地在想一件事——明天她要去买一个人。

第二章 私生活

梳洗后的绿娇娇清纯单薄，不施粉黛的样子一看就是十七八岁。

今天不适合穿艳丽的衣服，也不适合涂脂抹粉。一身水绿色窄衣使绿娇娇显得楚楚可怜，再编上一条长辫子，像个大户管事丫头的样子。

一身素衣的绿娇娇走出家门，刚好邻家的大哥也要出门，照了个正面。

“哇，娇娇，今天特别漂亮，啧啧啧……”这位大哥边说边上下打量着绿娇娇。

“幺哥好，要回衙门啦？”绿娇娇熟络讨好地问着安。

幺哥名叫邓尧，因为尧字和幺字谐音，街坊叫着顺口就成了幺哥。这人在衙门当捕头，三十岁上下，长得粗粗壮壮，五短身材，穿一身灰色长衫更显得矮实。幺哥为人老实，虽然是个公差，但是平时对邻居却客客气气没有架子，挺能互相照应。

在绿娇娇搬到馨兰巷后不久，幺哥一家四口就搬到了这里。四周住客有一半是妓女龟公、妓院佣工，但幺哥却从来不会开些下作玩笑调戏妓女，也不会仗势欺压龟公用人。

对于同这种不惹事的公差做邻居，绿娇娇一点都不介意，起码家里不会来小偷。

幺哥说：“我呀，天天回衙门，小丫头说的全是废话。今天你去哪里玩呀？”

绿娇娇“咯咯”地笑出声来：“不是玩，我今天到天字码头接个侄子，他从肇庆坐船下来，来信说是今天，早点去看能不能接到吧。”

幺哥听了很关心：“哦，有什么要帮忙的尽管跟我说。接到了带侄子过来我家玩。”

绿娇娇连忙应答道：“好呀，见到我侄子你要封个红包给他呀，利利是是。”

幺哥笑呵呵地说：“好，好，你早去早回。”

绿娇娇向幺哥挥挥手走出了馨兰巷。

绿娇娇从来不会在平康通衢找生意，这里的喧嚣只为她提供藏匿的保护。

如果门前大寨的客人和妓女知道绿娇娇是在寨子里讨生意，出入就会惹出许多眼光和麻烦，住得也不会安稳。所谓“兔子不吃窝边草”，绿娇娇深谙此道。

不过，要没有人注意这样一个小美人，是不可能的事。

在风月场所花枝招展并不是最吸引男人的打扮，今天绿娇娇素面朝天，一袭轻爽的青衣，刚走出巷口就引来寨子楼上龟公们的一阵口哨声。

绿娇娇和往常一样，不会看一眼平康通衢的任何人，只是若无其事地直走直过。

走到珠江岸边，绿娇娇叫了一辆黄包车，黄包车夫待绿娇娇坐稳，回头问道：“请问小姐要去什么地方？”

占卜神术《梅花易数》以动数起卦，在算卦的当时以动着出现的物象为卦数，也要有问才可起卦，绿娇娇正等着这一问。

黄包车夫跑动而来，正是动象。绿娇娇看了看黄包车夫背上的号码，背心上写着“顺兴”，“顺兴”是这个黄包车码头的名号，名号下有两个数字：“一四”。

绿娇娇暗中起卦运算：一四数起得天雷无妄卦，天卦金克地卦木，有人失有人得，西方胜东方败。嗯，乘金气从西向东去，克木得利。

“大哥，你向东走吧，去永汉南，别走江边。”绿娇娇精于数术，五行遇水可以解金木相克。她不想走江边，江边的大水会把这次的事情搞砸。

黄包车夫大声回答：“行，那就走大德路吧。”于是“噔噔噔”地轻快上路。

车夫大哥好不容易载个美女，坐得车上清香扑鼻，拉起车来特别带劲。而且美女也没多重，跑起来跟拉空车一样，一会儿就跑到了永汉南。

绿娇娇下了车，也不问价，付给车夫十文钱。

车夫接过钱一看，马上说：“小姐，这么远的路要十五文钱呀。”

绿娇娇脸上堆起笑说：“大哥，我次次来这里都是十文钱，你就收个行价吧。”

车夫一脸认真：“怎么可能？我们拉车的都有规矩，不会骗你的钱，这路程没收过十文钱的。”

绿娇娇不笑了，撅着嘴从香荷包里摸出两个一文钱往车夫手里一塞：“十二文，小气。”说完转身就走。

永汉南再向南走就是天字码头，全广东的客船都在这里进出，这里一向是人山人海的地方。

几年前林则徐大人为了示范禁烟，在这里来了一次大规模的真销烟，烧得热闹非常。

为什么是真销烟呢？原来衙门一向都有表演销烟的习惯，每收一批走私的鸦片，马上就销一批。销烟时烟箱如山，烈火冲天，陈兵列阵呐喊，群众围观鼓掌。

烧完之后很多穷得不行的烟鬼冲上来，想在地上揩点烟油顶顶瘾，但是什么油都揩不到。后来才知道，搬出来烧的都不是烟。

林大人的真销烟后，也没留下大烟油，因为都是用石灰烧，烧完了渣子就放水冲到珠江里。不过这次真销烟之后，鸦片越来越多，品质也越来越好，天字码头越来越旺，有人说这是火烧旺地，抽鸦片的、不抽鸦片的都很感谢林大人。

绿娇娇走上一间茶楼，在二楼找个位子坐下。从这个位置可以看到楼下十字路口和四周的全部地方。

楼下是一大片市场，人来人往排满摊贩，剃头刮脸、算命测字、修鞋补衣、生食熟食、补药毒药、华洋杂货……什么都有得卖。

在十字路口的一角，还有一个卖武的摊子。

卖武摊子外面围了三层人，摊子中间有六个小孩，其中一个小女孩正在表演九节鞭，鞭快得没影子，连绿娇娇坐在茶楼的二楼上都可以听到钢鞭的咻咻破风声，可见鞭上力道之猛，赢得观众阵阵喝彩。

摊子里面排着兵器架，架上有刀枪剑棍等长短兵器。兵器架旁边竖着一杆三角大蓝旗，旗上写着斗大一个“标”字。旗下的箱子上，四平八稳坐着一个中年人，看样子是带着小孩们开摊的班主。中年人身材高大健壮，一身武行短衣打扮，脚上紧靴扎着裤脚，上身露出半边胸臂，脸上没有胡子，却可以看到浓密发黑的胡子茬儿。

绿娇娇一个一个地端详场中的孩子。女孩不用看了，她只看男孩。

这里面有三个男孩，都是十二三岁上下。

一个穿着黑衣服，长得精致帅气，光看脸一不小心还以为是女孩子。几个人里属他最高，样子还像小孩，可是长得有大人一般身量。

另一个穿着绿衣服，五官端正，浓眉大眼，颇有大将之风，最特别的是居然长了一头黄发，男人们都留着长辫，他却在脑勺后垂着一条只有筷子一般长短的小辫子。

第三个是敲锣打鼓的小胖子，胖得结实，不过穿红衣服就显得太胖了。一脸忠厚老实，天生一副笑脸，嘴巴好像合不拢似的，老是在呵呵笑。

女孩子表演完九节鞭，一阵大锣大鼓之后，换男孩子上场。

两个小男孩一齐出场，黑衣服拿着单刀，黄头发拿着长枪，看来要表演刀破枪。

刀枪一下子拉开阵势，表演马上开始。

两个男孩的走场虎虎生风，刀枪贴身而过，险如剃头，刀刀往狠处招呼，枪枪向要害扎去，刀枪碰撞的声音有如打铁，声声震人心魄，这种功夫在卖艺圈子里难得一见。

好功夫自然赢得喝彩，两个男孩表演完，在叫好声中已经有人往圈子里扔钱。

班子里的孩子没有闲着，捡起地上的散钱，在摊子背后的墙上竖起一个草人。

这次是黄头发的男孩出场，身上从两肩跨过捆了几圈黄绳子。他向观众拱拱手，半蹲下一顿脚，“啪”的一声在地上震出一圈尘土，身形居然借势跃在空中——人轻飘飘地在空中一个转身，身上捆着的绳子突然松开，绳子的一头连着一支钢镖。

钢镖刚刚从黄头发孩子的腰间飞出来，人未落地，孩子已经一脚把钢镖踢出，向着墙边草人的头劲射而去，草人头“轰”的一声，猛然散开。

“哗”——人群不约而同发出一声惊呼。

绿娇娇眉头皱了一下，这对她一会儿要做的事可没什么好处。

黄头发孩子演练的兵器叫绳镖，属于软兵器的一种，只是一根一丈三尺长的绳子连着一支钢镖头，因其体积小、携带方便，古代的镖师通常会作为暗器和后备武器带在身上。

黄头发男孩手向后一抽，长绳一端的钢镖马上向他的右肩位置飞刺过来。男孩退了半步，右肩向后让过钢镖，右手臂曲让绳子在肘上绕了两圈，随即向前就地一滚，钢镖绕着他的身子不停转动。

男孩一抬头已经蹲在地上，钢镖有了新的动力，又向草人飞去。这次，钢镖飞向草人的左手，又是“轰”的一声，草人的左手应声断下。

观众的惊呼声更大了，同时出现了连绵不断的掌声。

有精彩的表演，人群越围越多，每一次钢镖飞出去打中目标，人群都齐声大叫——“好！”

当草人的手手脚脚被打完，地上又散着不少碎钱。绿娇娇坐在楼上，仔细数着地上钱的数目，暗中盘算着这个卖武班子一天的进项。

喝完一壶茶，班子里又表演过其他节目，小胖子出来表演了“胸口碎大石”，大个子班主演练了三股叉和喉贯金枪，还“哇呀呀”地劈了几块青砖，楼下卖武摊子的表演也快要结束。

男孩子们出来排队拱手行礼，女孩子托着盘子向大家收钱，人群“哄”地散开，全部走光。

孩子们收拾家什，大个子班主最后劈完青砖，手还在发麻，叉着腰在喘粗气。绿娇娇远远端详着他的脸，想从他的面相中看出些什么。

看了一会儿，绿娇娇心里有数，便埋单走下茶楼，径直走向大个子班主。

“这位大叔有礼了，我叫娇娇，我师父是灵虚道长，吩咐我来和你谈点事。”来到正在收摊儿卖武班子跟前，绿娇娇向大个子班主一欠身说道。

大个子班主眼前一亮：这个标致的小姑娘，文弱之中又带着脱俗，班主是武行中人，没什么机会和斯文人打交道，见绿娇娇如此有礼，倒有点不好意思起来。

“呵呵，不客气！我叫蔡标，姑娘有什么事吗？”蔡标一边呵呵笑着，一边不太自在地摸着自己的额头，像在擦汗。

“原来是蔡师父，蔡师父有礼了。”绿娇娇再行了个礼，马上接着说，“你父亲刚去世不久，仍在七七四十九天以内，你还在守孝，你的血光之灾近在眼前，也将不久于人世了，我师父是来救你的。”

“啊？！”

蔡标顿时愕然，脑子里不停在转发生了什么事、面前的是什么人、来找他是什么目的。

蔡标的反应完全在绿娇娇意料之中，这证明面相反映出来的情况是真实的。第一刀已经刺中了要害。

蔡标猛地回过神来，脸色煞白，正色对绿娇娇说：“蔡某家里有丧事村里人都知道，你不要胡说什么我会死的事。我走了几十年江湖，什么坑蒙拐骗都见过，姑娘想干什么直说，不要整鬼搞怪。”

绿娇娇平静微笑着安慰蔡标：“蔡师父，你不用担心，我师父不会骗你的钱。我师父是江西龙虎山的得道仙家，路过这里看到你面带死气，血光之灾近在眼前，才吩咐我来告诫你。”

蔡标紧张地前后左右望了一下，问绿娇娇：“你师父呢？”

绿娇娇说：“师父是隐世高人，他就在附近，有缘分的话他会见你，现在我帮你就行了。你能赏脸到对面的茶楼喝杯茶谈一下吗？”

蔡标见娇娇一副知书达礼的样子，仔细看下来，小姑娘皮肤白白嫩嫩，长着尖削的清水脸，说的广府白话还有点外江口音，倒不像是本地的老千；又想到老千一向只会向富户下手，他一个卖武的，也没什么钱给人家骗，心里戒备去了几分，却仍是半信半疑——万一这小姑娘说的是真话，自己岂不是白丢一条性命？喝杯茶听听是什么事倒也无妨，要是因为不相信而搞出大事的话，可就后悔莫及了。

于是蔡标安排几个小孩在围墙下休息着，自己跟绿娇娇走上十字路口旁边的茶楼。

蔡标为了看到孩子们，怕他们走散了，选了窗边的位子，这也是绿娇娇心目中要选的位置。

两人坐定后，绿娇娇再离开桌子，走到厨房吩咐店小二，先给坐在楼下围墙边等蔡标的三个女孩三块白糖糕，女孩子都喜欢甜一点的零食，刚好一人一块；男孩子会喜欢顶饱的东西，萝卜糕最好，但是三个男孩子却一共只给两块萝卜糕，这样，就有一个男孩子会吃不到点心。

绿娇娇心里明白，在孩子们最饿的时候给他们一个考验，就能看出真实的性情。而黄头发的孩子相貌最为正气，最有可能将萝卜糕让给其他孩子。她正在期待着自己的判断得到证实。

店小二准备糕点去了，绿娇娇坐回来盯着蔡标的脸，带着一如既往的恬静微笑，一寸一寸地看下去，不放过任何一个细节。

蔡标从没被人这样盯着看过，而且看他的还是一个漂亮的小姑娘，大眼睛美丽得让人不敢正视，少女的香气就在身边，幽幽地扑到鼻子里，搞得他双手都不知该往哪里放，浑身不自在。

在绿娇娇眼里，这张脸会说出蔡标的一切秘密。

蔡标的左边额角低陷下去，这个部位叫“日角”，是代表父亲的位置，日角低陷是一个很明显丧父的信号，加上额头正中的“天庭”部位罩着似消未消的青气，和日角低陷配合起来，近期丧父已是必然，所以刚才一开口，先说必中的事情，力求一举镇住蔡标的心，下面的话才好说下去。

蔡标眉毛浓密粗大，但是尾端散乱，有兄弟分离之事，左眉骨的后半截更有少许刮痕，像是被剃刀不小心划过，再也长不出眉毛的样子，再加上印堂二十八岁流年位的左方有轻微的侧陷，可以断定二十八岁有兄弟去世无疑。

眼眶下的泪堂部位代表子女，丰满光亮的话往往会子女成群，也很争气，而蔡标的泪堂虽然没有黑气，却过于饱满，已经有点像肿胀的样子，左边的泪堂显得比右边低和暗弱一些，这样会使婚后子女单薄，而且很难生得男儿。

蔡标带这么大群小子出来卖武讨生活，而这几个男孩却没有一个长得像蔡标，相信也不是蔡标所生，只生女不生男是没错了。没有男丁，在那个年代等同于绝后，说起来是很忌讳的事情。

绿娇娇请人上来喝茶，话头当然要由她打开。刚才的开场已经很精彩，她现在要做的只是乘胜追击。

“蔡师父，请问你今年贵庚？”

“四十二，怎么啦？”

绿娇娇用好奇的眼神看着蔡标的脸说：“灵虚道长让我给你看看，你是不是在二十八岁那年死了一个兄弟？”

蔡标说：“是啊。”

绿娇娇又说：“你老婆很凶，你是入赘到女家的过门女婿，你膝下一直没有男丁，就算是女儿也不过一两个。”

蔡标有点不好意思：“嗯，是这样啊，我就一个女儿。”说着看了一下楼下的孩子们。

绿娇娇也注意了一下楼下，刚好看到孩子们拿到糕点，正在嘻嘻哈哈地分食物。

果然，黄头发的男孩子把萝卜糕让给其他两个小男孩。那个耍九节鞭的女孩子则走到黄头发男孩的身边，分了一半白糖糕给他，引起大家的哄笑，搞得男孩子很不好意思，更是抵死不要，羞红了脸坐着被取笑。

分白糖糕的女孩子长着可爱的苹果脸，圆脸形和大眼睛都有几分像蔡标，应该是蔡标的女儿，正在追打着取笑她的男孩子。

绿娇娇看到了自己想看的情形，于是叫了店小二过来，吩咐再送六个大叉烧包下去给孩子们，这次一人有一个大包，绿娇娇想看看黄头发男孩的吃相。

蔡标说：“姑娘说得都很准，但这些都是村里人知道的事，你能说说我这几天发生什么事了吗？”

说完，刚好店小二提着大水煲走过来，打开茶壶盖冲水。

有人问事，又有人来给以动象，正好可以运用梅花易数。

茶壶属兑卦，兑卦为喜庆之事，壶中加水正主有偏财进账。店小二站在桌子的西南方坤卦宫，冲完水离开时站不稳，脚碰了一下桌子，桌子移动了一下，正应家宅不宁，西南有损。

绿娇娇的梅花易数用得出神入化，这点小问题难不倒她。

“蔡师父，你还是有些顾虑吧？灵虚道长早知你会这样问。道长对我说了，你这几天刚刚得了一笔偏财，但是家里西南面的墙倒了。”

“墙倒了压到什么了？”蔡标马上追问。

“唉，压到茅厕了，一屋子都臭哄哄的。”绿娇娇笑嘻嘻地回答。

“真是活神仙啊！蔡某佩服。”蔡标完全信任了这个小姑娘。

“我几天前赌天九，一连坐了九次庄，这辈子都没试过这么好运气，一晚上就赢了十几两银子；那个茅厕也是，墙一倒下就往粪坑里砸，现在都没修好。道长真是高人啊，来来来，蔡某给姑娘斟茶。”

蔡标连忙给绿娇娇殷勤倒茶，绿娇娇亮出招牌动作，微笑着用团扇掩住樱桃小嘴，很腼腆地表示不好意思。

这回轮到蔡标着急了，迫不及待地问下去：“姑娘，道长不是说我有血光之灾吗？有说是什么事吗？”

绿娇娇并不急着回答，她正看着楼下的孩子在吃叉烧大包。

三个女孩子不是目标，她只关心那三个男孩子。

黑衣服的俊俏男孩边吃边玩，摸这搞那，人人在他身边都不得安宁。这种人心神不定，不是绿娇娇要的人。

小胖就是太胖了，绿娇娇不讨厌小胖子，可是她要找的人不能胖，什么吃相倒无所谓。

黄头发的孩子把包子拿倒过来，像托着一个碗似的，小口小口地吃，眼睛垂下看着前面的地，不主动和其他孩子打闹。绿娇娇对这个吃相很满意，她要的就是这种性格，这种人听话不惹事。

绿娇娇看完小孩们的吃相，回过头对蔡标说：“是呀，道长说了，你父亲本来不应该这么早死，但是你身边有白虎星，今年犯太岁冲撞了白虎，白虎星发作，于是到处伤人。你父亲原本挺过今年秋天就会没事的，但是给白虎星一克就过不了中秋。白虎星五行属金，到了中秋会更加凶猛，人家都说‘金秋’就是那意思，到时就不止是克死老人了……现在快到八月，你是一家之主，三七二十一天之内，大劫难逃啊……”

蔡标傻在那里直冒冷汗。

绿娇娇看在眼里，心里十分高兴，胡说八道就是比认真计算痛快。

看蔡标无话可说，绿娇娇指了指楼下问：“那几个男孩是你的亲戚吗？”

蔡标说：“那小胖子是我们村的人，阿爸得天花死了，妈带着他也没什么奔头，就出来跟着我混口饭吃；那个黑衣服的小子是我买回来的，他爸赌钱输得精光，把孩子卖了还债——他也真像他爸，一天到晚没个正经。黄头发的小孩是几年前红毛鬼子打进广州城时让我领回来的。他爹妈让鬼子给打死了，他自己一个人到处讨饭，我开摊时看到他在地上捡东西吃，七八岁的小孩这样也真是可怜，就收留他在班子里，让他学点功夫赚口饭吃……白虎星是他们吗？”

绿娇娇一本正经地看着楼下，然后转脸盯着蔡标的眼睛，阴森森地说：“白虎星是黄头发的小子。”

绿娇娇进一步说出个人看法：“这小子天生命硬，这种白虎命上边顶掉下边踹掉，就是他身边的长辈小辈全都得死光了，他才能活下来。白虎星四年克一次，上次是把自己的爹妈克死了，现在又到四年期限，已经在发作了，你一看这头黄头发就知道不是正常人，真是危险人物……”

蔡标也看着楼下的孩子，看了一会儿，叹一口气说：“唉……我总不能把他赶走吧，说什么也相处几年了，教他不少东西，他也算是挺乖的孩子，练功做事勤快……而且他在场子里，也是挺能赚钱的角色。”

“你父亲都被他克死了，你不要为了几十文钱和自己的命过不去呀蔡师父……”

“唉，赶孩子走的话，怎么说得出口……”蔡标苦着脸皱着眉头，从话语里听出蔡标是个善良的人。

绿娇娇对付好人自有一套办法，她对蔡标说：“蔡师父，白虎星命硬，硬不过我师父的法术。这样吧，我带这灾星上山，在山上有师父镇着他发作不了，也给他一条生路。”她顿一顿瞄了一眼蔡标，看到蔡标仍是面有难色，便又笑笑：“蔡师父养这灾星几年了，饭钱也花了不少，我们收了他，回给蔡师父一个红包，再给你一道灵符化煞，送走了灾星再给你旺一旺，保你下半辈子福气连绵。”说着从贴身衣襟里摸出一张五两银票，给蔡标看了看。

银票是山西日升庄的老票，字号老信誉高，银子成色好还保证足秤。

蔡标很识行市，一看票满心欢喜，随即答应下来。他开摊子收的都是碎文钱，一个月头也赚不了五两银子，还得养一大帮人；人家说破财挡灾，他这回是赚钱送灾星，哪有不高兴的道理。

绿娇娇也高兴得很，恨不得跑到天字码头大笑三声，只是现在不能笑到脸上，硬憋回去了。

现在一个几岁小孩都得卖十两银子，像这种会做事有力气的小孩更贵，十几两到几十两银子都是有可能的，现在只用五两银子就可以买下一个好使好用的男孩，要不是自己要用人，转手卖出去都有钱赚。

绿娇娇又从香荷包里摸出一道折成三角的黄纸灵符，问店家要了一个红包，把银票和灵符一起放进红包里，交到蔡标的手上。

蔡标开心地说："哎呀，太谢谢姑娘了——啊不是，感谢道长救命之恩啊……啊不是，谢谢道长也要谢谢姑娘，呵呵……"

他并不知道，这五两银子是绿娇娇给好心人的回报，如果自己为了一己私念赶走孩子，那可就一文钱都拿不回了。

两人交易完，走下茶楼，天色已经开始暗下来。

蔡标走到孩子们中，把黄头发男孩带到绿娇娇的身边，摸着他的头说："黄毛仔，你收拾好自己的东西，今天就跟这个姐姐走吧。蔡叔养不起你了，你以后不要回来了，要听姐姐的话。"

黄毛仔惊愕地抬起头。

凌晨四更的广州城，平静黑暗。人到了天快亮的时候，睡得最熟。

喝了点酒眼前迷迷糊糊的更夫，提着灯笼在空荡荡的街道上慢慢地走着，他要打更报时，也要巡街看火，木屐缓慢地敲着地面——

"嗒……嗒……嗒……嗒……"

甲功坊里一所大屋忽然传出女人的尖叫声："啊——救命啊！杀人啦！救命啊……"

同时又响起了男人的号叫。街坊们都被吓醒了，连忙披衣服走出来看发生了什么事。

从郭大人的家里冲出来一个上身全是血迹的女人，她披头散发，身上穿着单薄的衣裤，明显是睡觉时穿的衣服；手上拖一个满身是血的七八岁小男孩，跌跌撞撞地向巷口冲出去。

这个女人一边跑一边尖叫着喊"救命"，小男孩上身没有穿衣服，不停地流着血，下身只有一条拖得快要掉到地上的短裤，身体软软地被拖着，脚下拖过之处是一条血路。

这个女人跌跌撞撞冲到甲功坊的巷口，一头撞上赶过来的更夫。更夫没留意有人从转角冲出来，被一头撞到鼻子，两个人一齐摔到地上，孩子、打更的梆子和铜锣扔了一地。

更夫捂着鼻子，大声问："什么事，出什么事啦？"

女人神情慌乱得像疯子一般："杀人啦！杀人啦……"一直在喊这三个字，爬起来又想夺路而逃。

更夫这下不迷糊了，顾不得捂鼻子，一嘴叼起挂在胸前的铜哨子使劲地吹起来——这是呼叫官差到场的最强烈信号。

赶过来的街坊们围上来的时候，才发现孩子已经死去，男孩的胸口像被刺刀捅过，一个深深的伤口还在一阵阵地涌出暗红色的血。

刚才这个女人拖着的小孩，只是一具喷着血的尸体。

更夫叫人拿来绳子绑住女人，找块布塞住女人的口，自己在别人家门口捡了一根正在晾干的拖把防身，跑到郭大人的家门口去。

郭大人的家是一间西关大屋，进了大门还有个照壁和大天井，可见是富裕人家。

更夫慢慢地摸进大门，头伸进照壁往里面一看，看到一张血淋淋的脸出现在自己面前。

更夫"啊"的一声惊呼，踉踉跄跄倒退着跌出大门，滚到门边的墙角，眼睛惊恐地瞪大着，双手用力拧着拖把，靠着门喘大气。

"原来啊，那个郭大人已经死了。"邓尧神神秘秘地对绿娇娇说。

绿娇娇问道："死了的话怎么会和更夫的脸碰上呢？不是应该倒在地上吗？"

邓尧和绿娇娇坐在天井里乘凉。邓尧家的格局和绿娇娇家差不多，但是住了四口人，家具水缸都常用，和绿娇娇家相比，显得有生气而热闹。

邓大嫂坐在东厢小房的门槛上，边摇着葵扇听邓尧对绿娇娇讲今天早上发生的奇案，边照看着厢房里的两个孩子。

有福气的邓尧夫妇生了一男一女两个小孩，女孩五六岁，男孩才三岁，走路都还有点晃晃悠悠。

黄毛仔乖乖地坐在旁边的竹凳上听大人说话，手里拿着邓尧给他的红包，眼睛很安分地看着面前三尺铺在地下的大麻石。

邓尧说："那个郭大人手里拿着马刀，先把自己的小孩捅死，然后要杀自己的老婆，老婆吓醒了拖起小孩就跑。他找不到老婆，转身就把看孩子做饭的用人也一齐捅死，然后他在厅里用马刀往自己的脸上砍，砍了十几刀，越痛越要砍，最后力气不够了，所以人就靠在照壁上等死。"

"血流得一地，都浸过地面了。疯了，衙门的人都说这人疯了。"邓尧一边给绿娇娇斟茶，一边自顾自地说着话。

绿娇娇扇子摇得很快，听这样的奇案心情当然会紧张："衙门那边肯定郭大人是自杀的吗？会不会有人害他呀？"

邓尧说："这个郭大人呀，是盐课司的官，这可是管盐的肥差，银子捞不少，还是个正八品，活得好好的，不像我们做捕头不入流，人不人鬼不鬼的，他这种官自杀不是发疯是什么？平时这种人除了收点买路的例钱，也不会招谁惹谁，广州的盐商不像上边的马帮，都是正经生意人，没人为那点钱杀人。再说了，刀都砍崩了拿在手里，老婆作证，这事没假的。"

绿娇娇说："哎呀真是吓死人，这种事可千万别让我碰上，晦气晦气。"

邓尧把脸凑到绿娇娇跟前说："你幺哥肯定不会发疯，不过你住那边靠着万花馆，那边疯子多，会不会扔些什么手手脚脚到你天井里就难说了哈哈……"说完大声笑起来。

绿娇娇夸张地叫了一声，一手捂胸一手用团扇拍邓尧的头说："啊——吓死我了，大嫂管管你男人的嘴呀。"

邓大嫂也笑着说："老幺你不要吓唬小女孩，几十岁的人还这样。"

大家开心地乐成一片。

第二天早上，绿娇娇起床后抽完两泡大烟，过足瘾了，厚厚地涂脂抹粉，穿上绿底大红花褂子，神采奕奕地带黄毛仔出门。

绿娇娇给黄毛仔起了个名字，叫安龙儿。

安龙儿走在绿娇娇身后。一手提着一个篮子，篮子里有茶壶茶杯，果脯瓜子；另一手打着洋伞遮住绿娇娇。

绿娇娇头也不回地问："记得自己叫什么吗？"

安龙儿回答说："记得，叫安龙儿。"

绿娇娇又问："记得自己是谁吗？"

安龙儿回答说：“我是你侄子，你是我姑姐。”

“什么是姑姐呀？”东西都在安龙儿手上，绿娇娇只拿着一把薄纱团扇和一个香荷包，手上从来没有这么轻松过，心情大好。

“姑姐就是我爸爸的妹妹。”安龙儿跟在绿娇娇的后面，好奇地打量着西关的街道。

安龙儿跟着蔡标卖艺，一般只出入在广州城的东面，西城从来没有来过。平时出门，来来去去就是常去的十个八个市场，打逢下雨天不开场卖武，一个月也就出门二十天左右，看惯了东城的沉实民居和官府军营，现在才见识到西城打扮得红红绿绿的烟花柳巷，还有很多东城不常见到的漂亮女人，看得眼花缭乱。

绿娇娇像平时一样，出门就向白鹅潭边走去。到了排着花艇大阵的江边，她走向聚着很多佣工阿姐的一棵大榕树下。

这些女工都是风月场所的用人，绿娇娇和她们混得很熟，知道她们和大户人家的打工阿姐有很大不同。

给大户人家打工的阿姐都是领月薪的打工仔，但是风月场里的佣工阿姐往往还是小老板，和老板合伙开花艇或是花馆，她们和妓女们很熟，一方面照看着客人的吃喝清洁，一方面也给妓女们拉皮条，从中抽佣，和东主分账。

每天早上，佣工阿姐们都会出门买菜，之后有些空闲时间都会聚集在江边聊天，交流一下花边新闻和八卦情报。她们是最了解风月场上情况的，什么妓女收不到钱，哪个嫖客有花柳性病，一天之内就会在这里传开。

绿娇娇和这些人是生意关系，她每天到这里收一次风，这些大姐会给绿娇娇介绍给妓女算命的生意，而绿娇娇则会给她们佣金。因为绿娇娇小神婆在风月行里名气不小，一对一的女性上门服务，润金当然收得贵，但是付佣金也爽快大方，佣工大姐们都很喜欢和绿娇娇打交道。

“娥姐……带了新簪子真好看哪……”绿娇娇招着团扇，远远地就向娥姐打招呼。

娥姐穿着一身女佣工常穿的灰衣，看样子三十多岁，身材成熟，风韵犹存。她向绿娇娇招着手，叫旁边的大姐看着地上的菜篮子，扭着屁股向绿娇娇走过来。

“我的娇娇啊，又有生意介绍给你喽……你就好啦，天天十几两银子入口袋，难为我们这些粗人，做死做活的也没几个铜钱。”娥姐说起话来像倒豆子一样噼里啪啦。

绿娇娇天天听这种话，按台词得这样回：“娥姐，你财源八方，赚了钱还不用分佣呢，每天得藏起多少私己钱呀，小心给姑爷仔全骗去了，哈哈哈……”

娥姐走到绿娇娇身边：“唉，金丽的那个小梅花想找你算个流年，看你什么时候有空去，她说这两天下午都在房上等你呢。”

“是翠花街尾的金丽阁吧？”绿娇娇确定一下有没有记错。

“对，就是那里。这个小梅花能唱能喝，一口气可以喝一斤陈酒，还会唱大喉，听客人说她叫床可好听呢，呵呵……”

绿娇娇说：“娥姐叫床有没有人说好听呀？”

娥姐装出生气的样子，用手作势要拍绿娇娇的头说：“想死呀你，娥姐你都敢开玩笑！这小孩是你生的？”

娥姐看着安龙儿。

绿娇娇说：“这是我侄子，刚从乡下来。龙儿，叫娥姐。”

安龙儿手上提满了东西，不能做出什么动作，向娥姐鞠了个躬：“娥姐好。”

娥姐说：“乖。”

阿姐们聊天沸沸扬扬，人头都聚到一堆去，只看到大榕树下七零八落地放着菜篮子，几十个女人围成一圈在唧唧喳喳。绿娇娇叫安龙儿在外边坐着等，自己也走过去八卦一下。

她给自己倒了一杯茶，和娥姐走进了女人堆里。绿娇娇身材娇小，站在大姐们后面什么都看不到，于是挤到到最中间，叉着腰和大姐们一起听一个胖大姐大声说话。

“‘咚’的一声就往水里跳啊，我们吓得不行，连忙救人。和那客人一齐来的男人还有我们艇上的厨子都往水里跳想救他，但是怎么都摸不到。人跳到水里，像块大石头似的，气泡都不冒一个就直往下沉，真是见鬼了。”

“那时候是半夜啊，船在江中间走，正要开回这边上岸……”

“要是他一个人来玩，在我们船上跳江死了，我们全都得杀头，这种有钱人死了，我们死十回都赔不起，好在他有人陪着一起来，可以作证不是我们杀人，不然怎么都说不通，肯定判我们个谋财害命，全部砍头……”

有个瘦女人问胖大姐：“是不是想不通啊，无端端也会这样？真是奇怪了。”

胖大姐说：“正在喝酒他突然就开始闹，掀翻了两台桌子，还喊着说要杀人，到处打人，又要找刀子，我们以为他喝醉酒了发疯，找人按住他就撑船回白鹅潭，可他咬人啊，有一个人的手都给他咬去半块肉了，他挣开全部人的手，自己一头就跳到了珠江里……”

“前天晚上一上岸就报了官，但是昨天官府来人问了一次，到现在也没有再来。”大姐们七嘴八舌地议论这事，都说这人发疯了。

绿娇娇觉得奇怪，怎么和邓尧给她讲的事好像是同一时间发生的？

绿娇娇也插嘴问胖大姐：“跳水死掉的是谁呀？是熟客吗？”

胖大姐说：“不算是熟客，但是也来过我们船两三回，是做海味生意的，姓郭，郭老板。”

“姓郭？”绿娇娇心里打了一个寒战。

好奇心是道术中人最重要的天性，每一个学道术的人好奇心都比平常人大十倍、百倍，不惜为自己的好奇心付出一切代价。

得知跳珠江自杀的嫖客也姓郭，绿娇娇毫不例外地好奇心大作。她走出阿姐们围成的人圈，对安龙儿说：“你小子真走运，一来我家就有戏看。跟我来，带你看风水去。”

说完叫了一架黄包车，直奔郭大人自杀的凶宅——甲功坊。

到了甲功坊巷口下车，两人一边走进甲功坊，绿娇娇一边对安龙儿说：“每个地方、每条街、每个屋子都是活的，都有自己的运气，有时好，有好坏。这就是一条运气不好的巷子，你从巷口的牌坊可以看到，两条柱子下的圆石墩自下而上地发黑。”

绿娇娇又指着地面说：“石板路的中间，也有一道黑气从头传到尾，这是因为这条巷子运气弱而阳气不足，住在这条巷子里，最旺最弱的人都可能因为这样而出事。”

安龙儿有点不明白：“娇姐，为什么最旺的人也会出事？”

“‘独阳不生，孤阴不长’，什么事情太过头了都会走向另一面。就像很热的天气过后总会下雨，一个运气太旺的人，可能会突然死去，不然就会让身边的亲人不断出事，所谓‘阳尽阴生’就是这个意思。”绿娇娇一边随口和安龙儿着说话，一边左右看着甲功坊两旁的民居门口。

绿娇娇走到一户紧锁的大门前，对安龙儿说：“这就是郭大人的家。”

“这里很多大户人家，娇姐怎么知道就是这一家呢？”安龙儿不解地问道。

“因为门口写着……”绿娇娇看着门口两个小狮子。

她招呼安龙儿过来看：“你看左边石狮头上有黑斑一样的霉点，而这些霉点长在狮子头的右边后脑勺。这房子坐南向北，向南的狮子右边后脑勺就是西北乾宫，乾宫为父，左边的狮子是青龙位代表男性，这一家要出事的都是男丁。”

安龙儿似懂非懂地点点头。

“但是也不至于发疯杀人这么严重吧……”绿娇娇喃喃自语，站在郭家门前四处打量。

郭家大门的右边对巷，一户人家的门楣上，一个酱油碟子大小的八卦镜照向郭家大门。她走过去仔细看这个镜。这种八卦镜在街头巷尾都有得卖，是很平常的坊间拜神用品，镜像是新放上去不久的，并没有钉在门楣上，而是随意用铜线吊在屋檐下，镜心正巧对着郭家大门，看起来有点歪，其实是用铜线精心固定着方向。

绿娇娇看屋里有人，于是往里喊人，喊出一个六十多岁的阿婆。

绿娇娇问阿婆这镜子是不是他们家自己挂的，阿婆说不知道这事，他们家一向没有挂镜子。

于是绿娇娇跟阿婆打个招呼后，就叫安龙儿爬上门楣取下这块镜子。

绿娇娇把镜子拿在手里，马上翻过来看看背面。在镜子的背后，用暗红色的朱砂画着一些由曲线连接着的小圆圈，组成了奇怪的符号。

绿娇娇一看就明白，这是一个用风水杀人的连环局，这个杀局叫做……鬼镜照堂。

她意识到，有精通风水的人在杀人，而且下手很重。自己在江湖中没什么恩怨，犯不着惹事上身，于是急忙转身，带着安龙儿离开甲功坊。

在甲功坊的巷尾，一个男人靠在白兰树下，用破草帽盖住脸好似在睡觉，然而从草帽的破缝里，却有一道冷冷的眼光，看着绿娇娇离去的身影。

"搞什么鬼……搞什么鬼镜照堂，搞得满城风雨。"声音低沉而烦躁。

说话的是个高大的男人，下巴下面蓄着山羊胡子，身穿长袍马褂，手拿一把折扇，腰间挂着荷包，一身上下都是商人的打扮。他站在一座小山上，对着一个坐南向北的坟墓，墓碑上写着"郭公守成之墓"。背后站着四个同样是商人打扮的男人。

山羊胡子继续说："事情是要办，你们能不能低调一点？用什么不好，非得用个让人癫狂的鬼镜照堂？嗯？"

四个被骂的人之中，有一个回答说："现在是七月，用上个月的鬼金羊退神照杀的话，见效快呀……你也没说要布什么局……"

话没说完，山羊胡子头也不回反手就是一掌，"啪"的一声，响亮地打在了回话的人脸上。

山羊胡子吹胡子瞪眼睛地转过身，正对着这个人，口水直往他脸上喷："保田镇里姓郭的四户，摆满月酒癫狂互杀，全镇哄动；在城里发达的郭家两兄弟，癫狂杀人血流满地，全城哄动；现在乡下要抹平，城里要抹平，是不是要我把你的脑袋也抹平了？！"

山羊胡子用手掌往那人的脖子上比划了一下，吓得被骂的人全身发抖。

全部人都静下来。过了一会儿，山羊胡子黑着脸对那四个人说："这次的事，我在官府那边打点过。以后用什么方法，先通过我这边！"说完狠狠地甩一下袖子，转身下山。那四个被骂得唯唯诺诺的人跟在后面。

山羊胡子猛地转过身，对那四个人大声喝道："跟着我干什么？给我把你们那个鬼镜照堂的铜镜挖出来带走，王八蛋！全是王八蛋！埋得一山都是……"

晚上在天井里，绿娇娇依然躺在竹床上抽大烟。不过现在有安龙儿给她斟茶换烟，她的大烟抽得越来越有滋味。

鸦片烟有非常浓郁的香味，绿娇娇抽的云南老烟是国货里的上品，香味更是幽远，如果不是隔壁万花馆有更浓的大烟味飘过来，附近几户人都会知道绿娇娇天天晚上在家里狂抽鸦片。

她断断续续地和安龙儿说着话："鬼镜照堂是天星风水里的邪门玩意儿。本来风水这东西和钱一样，无所谓好坏，就看你是正着用还是反着用。"

安龙儿来到绿娇娇身边这几天，天天所见都是非常新鲜的事物，绿娇娇对他说的任何话，安龙儿都会努力记下。

“镜子后面画的是鬼金羊的符咒，天上有二十八星宿，鬼金羊是其中一个星宿，上个月的主星。你现在不懂，以后就懂了。”绿娇娇懒洋洋的声音，让安龙儿听了觉得很舒服。

“镜子光挂着是没用的，可是背后用朱砂画上符咒的话就厉害了……”

安龙儿在细细地听着，没有说一句话。

“而且啊……”绿娇娇撑起身子，软软地丢过去一句，“看还有酒没有，给我倒一杯……”说完又倒在竹床上。

“而且这镜子放到了最凶的方位去，那个方位就是西南方的鬼金羊位，在这个月是最凶的。符和镜，方位配准时间，同时发出退气的凶力，所以一下就要了郭大人的命。”

安龙儿给绿娇娇倒上一杯高粱酒，摆上一碟广州的油炸小面点“猪耳朵”。

“不过……不过也不该要了小孩子的命呀……小孩也逃不过的话，就是祖坟被破了，有人要郭大人断子绝孙……”绿娇娇抽了烟喝了酒越来越迷糊，可是嘴里还在碎碎地念着，“还有跳珠江自杀的郭老板……应该也是拜同一个祖坟的人……全家死光了……”

绿娇娇说完就迷迷糊糊地睡着了。

安龙儿看绿娇娇睡着了，坐在月光下盯着她的脸端详了一阵，收拾好烟枪和酒杯，然后走进房间里拿出一床薄被子给绿娇娇盖上。

绿娇娇的安全期到了，早上抽大烟的时候，她给自己算了一卦。

人活着总想有点新鲜和惊喜，有的事不想知道结果，当然可以放任自流，走一步看一步，只要有种扛下来就行了；可是有的事早一点知道结果，算一卦可保万无一失。

比如今天，就得保个万无一失，绿娇娇还没有到想失的时候呢。

装着铜钱的杯子“咣当”一声扣在茶几上，六个大钱排出来一个“咸”卦，绿娇娇冷笑一下，心想：卦象利小女人，不利大女人被克失利。我是小女人而已，大女人就委屈一下吧。

绿娇娇在头上插好浅红色的头花，坐在客厅里端着茶杯喝茶，茶几上放着一个手掌般大小的罗盘，绿娇娇给站在一旁的安龙儿训话。

“早上起床不用挑水，你很走运，家里有个井，不过每天要保证水缸里有水……”

“起床后烧水，温着水等我洗脸，我洗完脸给我冲茶……”

“喝完茶我要抽大烟，你在旁边候着，倒水点灯就行了，不要在我眼前晃来晃去，眼花……”

“双数日子跟我出门找人，单数日子你自己在家……今天不算，一会儿我有别的事要办……”

“白天自己在家，不许出门，中午自己做饭吃不许用厨房的腊肉，只能吃斋，晚上我回来了才能吃肉……”

“我不在家的时候做清扫，倒马桶洗衣服，还有把那箱书都读了……对了，你识字吧？”

安龙儿说：“读过两年私塾。”

“你家还挺有钱的，私塾都读得起……”绿娇娇接着训下去，“那个木箱里的书，一个月看一本，五天考一次试，考试不合格当天没饭吃，打后四天只能每天吃一碗白饭，没菜没肉。要是偷吃的话我吊起你打一顿再报官捉你坐大牢……”

“每个月看完的那本书就交给我，大考一次，不合格的话就吊一天，打一顿，两天没饭吃。”

安龙儿记得西厢房间的墙角有个书箱子，其实也不是很大的箱，搬过来刚好可以当成凳子坐下一个人。

“娇姐，我看不懂的地方可以问你吗？”安龙儿问道。

绿娇娇放下茶杯没好气地说：“字不懂可以问我，看不懂什么意思不要烦我，你全背下来，背出来给我听就行了。”她从茶几上拿起罗盘，“箱里有本书叫《罗经解定》，把这书看完了就会看懂这个罗经了。”

安龙儿看到罗经上有十几圈密密麻麻的文字和符号，伸手想接过来。

绿娇娇一手收起罗经，扬起下巴对安龙儿说：“你不是用这个，小罗经你还没有资格用。西厢房里有个大的，自己找出来看。一年之后，就是明年中秋，就考这个罗经，一年后还看不懂的话，我马上把你卖猪仔去金山，这辈子你也别指望回省城了……”

当年广东有许多人卖身去美国开发西部，有淘金的也有修铁路的，这种卖身打洋工的叫做“卖猪仔”。那个时候，去美国都统称去金山，卖猪仔到金山后的华工苦难深重，十有八九都是有去无回。

安龙儿不知道什么叫卖猪仔，不过这辈子回不来可不是一件好玩的事，他收回双手，应了一声“哦”。

“晚上我会带你出去买菜——你会做饭吧？行，不用说了，会不会也得做，这么贵买你回来，这点事都不干还得了……”

绿娇娇要出门了，对安龙儿说：“我现在出门，我回来时你要把家里打扫了。”

“是，娇姐。”安龙儿早就习惯了被吩咐做事。

绿娇娇出门后，顺手把门从外面锁上。安龙儿果然从西厢房翻出一个圆圆扁扁的大罗经，居然有锅盖一般大，上面写着字的圈圈有三十几层，比绿娇娇手里的小罗经多得多。

绿娇娇今天不是去给妓女算命，她提着香荷包摇着薄纱团扇，出了平康通衢就走向珠江边，向左转就是一条由单边洋房排出来的繁华大街——十三行。

十三行商铺林立，每天车水马龙，人来人往，中国南部地区的进出口贸易商行都在这里集中，是货真价实的财富中心。

绿娇娇走入一间门面不是很大的商行，商行门口上方有一块招牌，上面写着“伍日发行”。

商行有上下两层，因为楼底高，走进去感到特别阴凉。一层有五六张桌子，三个职员都在忙着，但是却显得悠悠闲闲，与街外的热闹很不相称，一个在打算盘，一个在看书，还有一位掌柜模样的老人家在给一盆花浇水。

浇水那位老掌柜一见绿娇娇走进门，连忙招呼：“绿小姐来啦，公子在楼上呢。”

绿娇娇点头笑笑说：“麻烦你叫一下好吗？”

老掌柜抬头就喊：“伍公子！伍公子！”嗓门还挺大的。

从二楼楼梯口走出来一个穿洋装式样白衬衣的男青年，看起来二十多岁，中等身材，脸色白净，一看就知道是养尊处优长大的富家子弟。这位男青年是这间商行的少东，名叫伍俊生。

为了做进出口业务，伍俊生跟老板伍日发出过两次洋，回来之后就喜欢上了洋装，在商行的时间都以方便华洋业务为名，穿着从大英帝国带过来的洋服。

伍俊生一见绿娇娇，喜形于色，连忙走下楼梯，边走边说："绿小姐来啦，最近生意还好吧？"

绿娇娇微笑着点一点头，风情万种地道了一个万福："公子有礼了，托公子的福。"

"绿小姐请到楼上谈好吗？"伍俊生语气迫不及待。

绿娇娇上了楼，走进一个房间。伍俊生随后走进来，反手把门关上，另一只突然抱着绿娇娇的腰，一转身把绿娇娇压在了门板上。

"娇娇，想死我了，怎么这么久也不过来呀……"伍俊生压低声音，一头贴在绿娇娇的脖子里，用力地闻她身上的香气。

绿娇娇顺从地软着身体，放松地将头侧向一旁，闭上眼睛，长长地、上气不接下气地"嗯"了一声，以示回答。

伍俊生一手拉起绿娇娇长及大腿的深绿色竹纱褂子，从后面穿入她的背后，摸到光滑的背，然后用手抱住绿娇娇的后背一收紧，把绿娇娇的胸贴紧自己。

绿娇娇被这样一紧胸部，不自觉地又"嗯"地一声吐出一口气。伍俊生另一只手轻轻扶起绿娇娇的头，就要向微张着的嘴唇吻下去。

绿娇娇闭紧了嘴把脸扭向一旁，横了伍俊生一眼说："轻点，衣服坏了我可出不了这门。先放手……"

伍日发行的二楼可以看到对面的沙面岛，沙面岛是珠江上的一个小绿洲，这里以后成为英法租界，从沙面岛再对出就是珠江。

从楼梯上二楼，是一条走廊，走廊一排三个房间，全是老板办公和休息的地方，平时商客都会在一楼洽谈交易，只有很重要的客人才会在二楼接待。

最前面望江的房间，是老板的账房，摆放着精致的雕木家具，除了办公的大桌摆在正中，靠墙还横摆着光滑的酸枝木大床，以备抽鸦片之用。

两个人赤裸着身体，在床上缠在一起。

绿娇娇的身体纤细而丰满，全身像潮水一样起伏着，嘴里轻轻地叫着："轻一点……慢一点……"透过彩色玻璃窗花的阳光斜斜地洒在她身上，一闪一闪地跟着她的身体摇动。

身体里充实得快要胀破，每一寸肌肤都被另一个身体紧紧包裹着，只有这样才有一点踏实的安全，只要闭上眼睛，一切就好像从来没有发生过……

绿娇娇无论趴着，还是侧着，双手都紧紧地抱着自己，不能让自己受伤，让自己的灵魂和肉体在冲击下永远离开那个地方……

侧身躺在床上的绿娇娇，从肩到腰，从臀到腿，连接出一道优美的弧线。她身上卷着一块暗红色花丝巾，这是伍俊生从京城给她带回来的礼物。

绿娇娇抽着大烟，静静地闭着眼睛。伍俊生从身后贴着她，腿夹住她的腿，嘴吻着她的后颈和头发，手在绿娇娇的颈和肩上慢慢游移。

绿娇娇的心飞到了另一个地方。打开窗子看出去，那一条江和珠江一样秀美，那一片河中央的绿洲和沙面岛一样，宁静地守候在岸边……那里，绿洲上有一座楼，和这里一样可以看到天际远远流动的江水，远远飞来的白鹭，还有两个人……

"风月无边风月楼……白鹭留情白鹭洲……"绿娇娇不自觉地呢喃着。

"什么？"伍俊生没听清楚。

"你老婆最近没过来吗？"声音很细，有气无力地拖得很长。绿娇娇没打算回答伍俊生。

"她一般不出来，也就是初一十五出来对对账。我父亲去了上海，家里就由她照看了。"伍俊生是个乖孩子，一五一十地告诉绿娇娇。

这个回答在绿娇娇意料之中，她只不过是随便说句话岔开问题。

伍俊生的手游移到绿娇娇的大腿内侧。这个男人的手很细很滑，绿娇娇更喜欢的是，这个男人温柔听话得像个妓女，完事之后也不会倒头就睡，可以让女人舒服到心里去。

"娇娇，嫁给我吧。老婆现在还没有生孩子，我和父亲说说，他一定会同意我们的亲事。"

伍俊生是诚恳的。从第一次见到绿娇娇，她的美艳、她的身体、她对他的若即若离，都让伍俊生神魂颠倒。如果绿娇娇同意的话，他甚至可以给她平妻的身份，娶绿娇娇过门。

按大清律例，妾要侍奉和从属于原配发妻，死后不列入宗族牌位，所生子女称为“庶出”，不能接手家族遗产。平妻的地位比妾高，所有待遇都可以等同于原配妻子，生出孩子也被视为“嫡出”，可以成为家族的正式继承人。所谓“三妻四妾”的家庭架构，除了原配发妻，另外两个位置就是颇有地位的平妻。

绿娇娇失神地睁开眼睛，又闭上。如果要嫁给这男人，她还会和他在这里偷鸡摸狗吗？她喜欢这个男人还有一个原因，就是他有老婆。

伍俊生见绿娇娇没反应，手向上摸到她尖尖的小下巴，又说话了：“我过几天去一趟佛山，你和我一起去吗？我们可以好几天待在一起。”

绿娇娇说：“远……累……不去……你回来给我带两包盲公饼吧……”

“你家在哪里？我可以去看你吗？老是要你走过来，我怕你累着了。”伍俊生试探着问。

“哼……”绿娇娇冷笑了一下，深深抽了一口烟，等烟劲过了，才回答他说，“别做梦了，我一个大家闺秀，难道还要贴上床等你来搞？”

绿娇娇知道伍俊生的担心，轻轻拍两下他正在摸上乳房的手，接着说：“我迟些再来，放心吧，不会有事的。”

伍俊生的担心不无道理。在大清律例中，“凡和奸，杖八十；有夫者，杖九十；刁奸者，杖一百。”也就是说，婚前性行为被人发现报官的话，打八十大棍；两方都有夫妇的婚外性行为，打九十大棍；有一方单身，另一方已婚的话问题最严重，打一百大棍。

以一般人的抵抗力，别说八十棍，即便是真打三五棍都会昏死过去。当然，花够了银子的话，衙门方面还是可以“假打”的。但最麻烦的是从此都要背上个罪名，一辈子抬不起头见不得人。对于伍俊生这种正当商家，名誉等同于金钱和地位，去持牌经营的妓院玩光荣纳税的妓女，天经地义，但要是绿娇娇这边被闹出事情，后果是很严重的。

如果绿娇娇愿意收伍俊生的银子，那在出事之后可以把绿娇娇定性为私娼，全部责任都可以推到绿娇娇身上。问题是绿娇娇从来不收钱，只会要一点小礼物，而伍俊生却无论如何舍不得这飞来的艳福，开心之余还是颇有心理压力。

绿娇娇要的就是——玩火。

第三章 神枪手

广州督军府的小偏厅大门紧闭，厅里的桌子上铺着一幅地图，有两个人站在桌旁细细查看。

一个中年男人长得高挑斯文，脸色白净，双手背在身后，静静地看着地图，微微点着头；另一个就是在郭家祖坟前骂人的山羊胡子，手上提着笔，正在地图上圈圈点点。

高个子说：“章大人，整个广东都被你走遍，这几年辛苦了。”

章大人停下笔抬头看着高个子说：“不敢当，这是秉涵的分内事，还请国师多指点。”

原来斯斯文文的高个子是当朝国师，山羊胡子是国师府副使，因为国师府是直属皇帝的秘密机构，章秉涵这个副使名头虽然不大，级别却是不小。

国师对章大人说：“这几年在广东，你跑不了少地方，也完善了这张广东龙脉图，章大人功不可没。经章大人的手击破的几十个名穴，基本上都位于龙脉的主气，大体上也没有犯什么错误，只不过……”

“请国师教导。”章大人看着国师的脸。国师沉吟着，顿了一会儿继续说："广东省和别的地方不同，这里有九条龙脉，这九龙形成号称莲花帝座的风水大局，从气运计算来说，现在正是开始起运的时间，江山劫数迫在眉睫。运不起则已，广东的龙气一但受天运驱动，南帝就会出现，大清江山可就……"说到这里，国师看了章大人一眼。

章大人也放下笔，正身对着国师说："我们在京城时已经知道这一点，现在还会加派人手。"

国师说："章大人，我担心的问题不是你们的事办得不好，而是我们这样做下去，是否来得及赶在龙气发动之前，把位于真龙正穴上的祖坟全部破坏。九条龙脉，一个大省，地方不小啊……"

"而且……"国师细细地分析着，"龙气是自然之气，破而不死，一段时间后便会死而复生。广东龙脉多，地域广，你今天破一个祖坟，明天就会有新坟葬下，我们有多少人？能看得住哪一个？"

"国师说得有理，国师有什么吩咐呢？"章大人问。

"双管齐下。"国师用两只手指，重重地点了一下桌上的地图说，"治乱世，用重典。"

·

安龙儿独自在家，按绿娇娇的吩咐，先要收拾好这个地方。

外厅和天井，洗洗刷刷很快就清理好了。再进去是一排三间房子，绿娇娇住在东厢房，安排安龙儿住在中房，西厢房放满杂物。

安龙儿有点不明白，为什么老板不睡中间的房子，而给他一个下人睡。一般来说，中间的房子看起来更像主人房。

绿娇娇的房间用一把小锁锁着，不能进去。

自己的房间没什么好清理，才搬进来几天，四壁空空也算是窗明几净，但对于习惯和一群孩子同住的安龙儿来说，却显得太冷清了，他宁可吃得差一些，和大家一起练功卖武。

西厢房杂物多，无非就是一些备用的桌子椅子，和放着冬天用的棉衣被子的大柜。其中一个小箱子像一张单人凳一般大，里面放的就是绿娇娇要求他看完的书。

打开箱子，里面有几十本书，安龙儿算了一下，一个月看一本，看两年也就看完了。他不明白这个老板为什么要他读书。

蔡标捡他回来，教他功夫是为了卖武。安龙儿从被捡的第一天就知道自己跟着蔡标要做什么，可绿娇娇却从来没有说过要他读这些书干什么。

仔细看看，原来这几十本书都按一二三四编上了号码，号码是用笔手写在封面上的，应该是绿娇娇给他安排的看书顺序。

一号书是《易经》，二号书是《三命通会》，三号书是《滴天髓》，四号书是《玉照定真经》，五号书是《洞中波月记》，六号书是《撼龙经》，七号书是《青囊赋》……

每一本都不同名字，幸好每一本都不是很厚。

安龙儿明白了，这些都是风水算命的书，可能绿娇娇以后要他去给人算命吧。

随手翻了一下，基本上看不懂。绿娇娇说了，不懂不要问她，只要背下来就行。可要是自己不懂的话，以后又怎样给人算命，为绿娇娇赚钱呢？安龙儿百思不得其解。

也许按绿娇娇的规定顺序看，自然就会懂吧。现在太阳还没有下山，安龙儿搬个小凳坐在天井，乖乖地开始看第一本《易经》。

绿娇娇并没有马上离开伍日发行，伍俊生邀请她一齐到西堤的法国餐厅吃晚饭，绿娇娇闲来无事，乐得换换口味。

一身洋装的伍俊生陪着一身旗袍褂子的绿娇娇，两人走出伍日发行，向西边走去。不远处就是法国餐厅，门前的装饰充满异国风情，式样不同不说，连建筑用的材料都全是石头。门前的牌子上写有中、法、英三国文字，中文写着“四季餐厅”。

餐厅里清幽宁静，格子桌布和透亮的玻璃杯显得华丽而厚重。餐厅里复杂精致的蜡烛台上点着蜡烛，映得墙上的西洋工艺品和油画忽明忽暗。如果不说这里就在喧商闹市的十三行旁边，真有种世外桃园的感觉。

绿娇娇随伍俊生来吃过几次西餐，对这里并不陌生，而且还很喜欢这里的环境。

伍俊生喜欢带绿娇娇来这里，多过于带自己的老婆。自己的老婆出身名门，可是见多识广之后却显得越来越傲慢，这对于一个生意人来说可是大忌。绿娇娇却很会为人处世，就算有些难堪的场面，她也会容忍下来，或是漂亮地化解尴尬。

他们走入四季餐厅，里面已经零零星星坐着一些客人。

酒吧那边有个穿洋装的人举起杯子向他们打招呼，伍俊生也热情地迎上去。

一个二十多岁的年轻白人展开双臂迎向伍俊生："伍先生，很久没有见你，一定是发大财了！"

伍俊生和这个白人青年拥抱了一下："嗨，杰克，想不到你又回到了广州。来，我给你介绍一下——"

伍俊生把绿娇娇让到前面："娇娇，这位是杰克，他是美国人，和我们商行做过几次大生意，大家都赚了不少钱；杰克，这位是绿娇娇小姐，她是……呵呵……"

伍俊生看了一眼绿娇娇的表情，绿娇娇似笑非笑，于是说："她是我女朋友……"

杰克向绿娇娇伸出手，微笑着一欠身。绿娇娇礼貌地伸出手去轻握一下，想不到杰克却接住绿娇娇的手，以贵族的礼节轻轻地吻了一下手背。

绿娇娇有点意外，但是并不介意，她知道每个国家都有不同的礼节。

杰克定睛看了一会绿娇娇，摇着头微笑："绿小姐，你是我见过的最美丽的中国女人。"

绿娇娇常常被街上的流氓吹口哨，但是从来没有被人在公众场合这样赞美过，脸上一红，笑着低下头，忘记了这时团扇要遮在嘴巴旁边。

伍俊生很明白美国人的坦率，连忙打圆场说："谢谢你杰克，娇娇会很开心的。来，我们一齐坐吧。"

三人坐下后，点好菜，杰克开始滔滔不绝地讲故事。杰克的广东话说得很好，逗得绿娇娇和伍俊生不时哈哈大笑。

绿娇娇坐在杰克对面，有足够的时间端详他的脸。按绿娇娇的习惯，是希望在杰克的脸上找到他过去的秘密，但是中国人的脸和白人的脸实在相差太远，中国相学的口诀要套在一个白种人的脸上，明显不够用。比如相学里认为的高鼻子，对白人来说是低鼻子；相学里认为眼窝深陷是金壳眼，不利婚姻子女，但是白人大部分都是这个样子，而且还以有眼窝为美，认为这样的眼睛最深邃有神……

当时在中国的白人并不多，绿娇娇也是第一次和白人这样近距离接触，没有看相的经验更没有总结。如果不知道杰克的生辰八字，对绿娇娇来说，短时间内，这个人是一个谜。

而绿娇娇却被杰克的神采吸引住了。

杰克长得比大部分中国人都高大，绿娇娇本身就娇小，站起来才到杰克的胸前。杰克身材匀称，高大却显得很协调，一头短金发凌乱地竖在头上。那时的洋人都会把头发用发蜡梳得服服帖帖，杰克的头发却像一个流浪汉。

脸庞瘦削的杰克长着一双褐色的眼睛，睛神自信而有力。他穿着礼服，却闲散地敞开领口，神情轻松地靠在椅子上，一只手搭着另一张椅背，像搂着一个透明的姑娘。

从杰克的话中，绿娇娇大概知道他在美国西部淘金赚了一笔钱，于是就跑到中国来做进出口生意。他从中国运茶叶和丝绸到美国，从美国把钟表和一些机械工具入口到中国，眼下政府很鼓励使用西洋机器，他的生意做得挺顺。杰克想赚够了钱回美国买地盖大楼，再卖出去赚钱。

杰克在说话时，眼睛不时看向绿娇娇。出于女人的直觉，绿娇娇知道这种眼神代表对她有意思。

这样的情况绿娇娇并不惊奇，她很了解自己的命运，她命带桃花，命里从来不缺男人喜欢。家乡的风水注定了她的命运，这不是人力所能改变的力量，她注定不是一个三贞九烈的节妇。

绿娇娇的八字水多，她的本命日元有如汪洋里的一叶孤舟，一生漂泊无定，在强大的宿命面前，做什么都是徒劳，能保住自己活下去、活得开心一点，就已经是最大的心愿。

杰克说完西部淘金历险，又说起和大清官员们打交道的困难；说完在中国民间游玩的趣事，又说起美国的风土人情，三个人很快度过了一段愉快的晚餐时光。

到了结账的时间，杰克向绿娇娇发出邀请：“绿小姐，你想和我们一起去骑马吗？”

伍俊生有些吃惊。他以为这种邀请、这种关系，杰克应该先请他，再带上绿娇娇吧。

绿娇娇注意到了伍俊生的反应，但她毫不介意，尽管她刚刚才推掉了和伍俊生一起去佛山的邀请。

绿娇娇笑着对杰克说：“好呀，我不会骑马，你可以教我吗？”

杰克很开心：“噢上帝，真是太荣幸了。三天后你方便吗？”

绿娇娇对杰克的真诚有直觉的信任，这一次不用起卦也不用掐指算算能不能行得通，便爽快地答应："好，三天后早上辰时在这里门口见面。"

杰克说："这么美丽的小姐不应该来等我。你住在哪里？我去接你。"

绿娇娇低头笑笑，用团扇遮住嘴巴说："请不要介意，家父不喜欢洋人。"

杰克说："噢，是这样，那就按你的安排。对了伍先生，你有时间一起来吗？"

伍俊生的表情非常复杂。他看着杰克的脸想了一会儿，深深地吸了口气说："过几天我要去佛山办事……"

绿娇娇坐黄包车回到馨兰巷，已是三更时分，不过这时的平康通衢正是热闹的时候。花客们酒至半酣，街上两边的花馆里莺歌燕舞，人声喧闹。

绿娇娇就喜欢馨兰巷这一点，一个女孩子半夜回家走进灯火通明的巷子最安全。

开门进入前厅，安龙儿正坐在前厅的地上玩，地上摆着一把小竹签，还有一些小竹签在地上排成各种卦象。

他手里拿着一本《易经》，另一只手正在变换地上用竹签摆成的卦象。绿娇娇仔细看了一下安龙儿排出的卦象，卦象完全没有排错，他在演示的正是"抽爻换象"。

"抽爻换象"是易卦的运算过程，同样是风水里的主要构成技术。一日之间看到安龙儿可以自己完成这个层次的演卦，绿娇娇大吃一惊。

安龙儿看绿娇娇回来了，马上站起来："娇姐，你回来啦？我给你倒杯茶。"说完走进厨房提出一壶开水，在前面的茶几上冲茶。

绿娇娇看着安龙儿后脑勺的黄头发，心里在嘀咕：这小家伙是什么人哪，哪来这么有悟性的小孩？

今天也折腾够了，绿娇娇把香荷包往茶几上一放，然后把自己摔在了椅子上。

杯里的茶烫得要死，绿娇娇看了一眼，对安龙儿说："有热水吧？给我端盆温水泡脚，要温水，不要太热。"

安龙儿应了一声，又啪嗒啪嗒地跑去端泡脚水。

绿娇娇泡着脚叫安龙儿站过来："你过去学过《易经》吗？"

"没有。"安龙儿摇摇头。

"你觉得这些书好玩吗？能不能看懂？"绿娇娇试探着问。

安龙儿笑着说："有些字不认识，不过现在知道每一个卦都代表着很多东西，一个卦也可以变成其他的卦。卦象的变化很好玩，我看着书就可以跟着演卦了。"

绿娇娇想试一试安龙儿到底明白到什么程度，于是蹲在水盆里，用手把地上的竹签摆出一个坤卦，问安龙儿："你可以把坤卦的公孙子息卦全部演变一次吗？"

安龙儿说："我试一下。"然后蹲在地上，把绿娇娇用十二根短竹签排成六排的"坤"卦，从最下边的一行开始，把两支短竹签换成长竹签，演变出一个"复"卦，正确变出第一个公孙子息卦。

安龙儿两手一边麻利地抽换长短签，一边念念有词："地雷复，地水师，地山谦，雷地豫，水地比，山地剥……好了。"

演卦完全正确，绿娇娇有点接受不了现实。她真是没打算买一个神童回来，本来只求这小子听话、记性好，把书里的东西背个五六成就可以了，可现在安龙儿对玄学的天赋和悟性大出绿娇娇意料之外，甚至有点破坏她原来的计划。

绿娇娇得弄清楚这小子的底细。她坐回椅子上，脚继续泡在水盆里，端起茶杯问安龙儿："龙儿呀，你什么时候生日？"

安龙儿回答说："六月初六。"

"今年的六月初六都过了，明年再给你做个生日吧……你是哪一年出生的？"

"道光十二年。"

绿娇娇一如论命时的平静微笑："嗯，记得你妈说你是什么时辰出生的吗？"然后喝了口茶，等安龙儿报出时辰。

只要安龙儿报出他出生的年月日时这四项，这个小孩的秘密马上可以全部揭开。

安龙儿回答："我不知道……"

绿娇娇一听，马上被呛得"噗"的一声把刚喝到嘴里的茶喷了一地。

一个八字没有时辰，只能大概算出一些早年的经历和命局的气势，但是不可能准确地算出时间和事情，也不可能完全了解一个人的天赋和性格。

一个八字可以让人全面地了解自己的一生、天赋和吉凶，也可以让有心人从八字里找出弱点，甚至用道术加以伤害，所以人们向来不会轻易把自己的八字告诉不信任的人。

安龙儿问："娇姐你没事吧？"

绿娇娇呛得一时说不出话，很努力地咳嗽了几声，摆摆手表示没事。

安龙儿接着说："我爹妈没有告诉我出生的时辰，所以我也不知道。"

绿娇娇缓过气来，抹着嘴把话头岔开。

"龙儿，你会骑马吗？"

安龙儿说："没骑过马，我在班子里骑过标叔的骡子，就是用来拉大车的骡子。"

绿娇娇总算得到一点安慰，好好地喝了一口茶："骑过骡子也好……"

三天后，绿娇娇一早带着安龙儿出门，因为这天约好了杰克去骑马。

安龙儿背后挂着一个藤箱，藤箱的侧面挂着一支手杖，手里举着一把伞，遮住走在前面的绿娇娇。

现在家里有个劳动力，绿娇娇把想吃想玩的东西都往安龙儿的藤箱里扔，手里摇着团扇，身后跟着小厮，充分证明当时用五银两子买回安龙儿是物超所值。

安龙儿身上带了根手杖，这是绿娇娇特地从西厢房翻出来给他的。这根手杖一头尖，另一头的把手处有几个圆孔，是风水师专用的量地工具。

绿娇娇知道安龙儿武行出身，如果有什么危险的事发生，让这小子做做保镖挡几下还是比什么都没有的好。今天和一个陌生人出去玩，再信任也要多个心眼，带根手杖权当是防身武器。

两人坐黄包车转出珠江西堤，远远就看到四季法国餐厅门口站着两匹高头大马。

绿娇娇在车上就高兴得笑出声来，对安龙儿说："快看快看，好大的马呀！"

他们在四季法国餐厅门前下了车，看到杰克站在两匹马的前面。

今天的杰克没有穿礼服，而是穿着衬衫和蓝布厚裤，绿娇娇发现原来杰克的屁股紧紧实实的，很是好看。杰克头上斜斜戴着一顶牛仔帽，把瘦削的脸遮住一点，衬得很有男人味；长马靴上马刺闪闪发亮，好像是从没有用过的东西；最显眼是杰克在腰间斜挂着的一支手枪，枪柄上的弧线精致得像一件工艺品，华丽而有质感。

杰克见到绿娇娇马上跑过去："绿小姐，终于等到这一天了，我在这之前，没有一天睡得好。"

绿娇娇笑得很开心，侧头看着杰克："为什么睡得不好呀？"这分明是找话头了。

杰克哈哈大笑说："我天天想念你，再见到你真是很荣幸。"

绿娇娇指一指安龙儿说："这是我侄子龙儿，一个人在家没事，就带他一起出来玩，龙儿叫杰克哥哥。"

安龙儿本来不知道绿娇娇带他出来干什么，更想不到会出来见一个洋人，惊讶之余也显出很不高兴的神情，因为他的父母就死于洋人的枪下。

安龙儿不情愿地叫了一声："杰克哥哥好。"

杰克却显出比安龙儿大得多的兴趣和热情，走到安龙儿身边，摸了摸他的头发，兴奋地对绿娇娇说："你看，龙儿和我一样也是金色的头发！"然后拍着安龙儿的肩，伸出一只手来说："你好龙儿，叫我杰克，认识你很高兴。"

绿娇娇开心地把这一切看在眼里。

安龙儿犹豫地伸出手，受到杰克用力的一握。他真是想不到，世界上还有不杀人的洋人？

杰克了解过安龙儿会骑骡子，于是把其中一匹马交给他，让他登上马鞍试骑一下。

安龙儿收起油伞架在背上，踏地跃起，一脚在法国餐厅的花栏上轻轻一点，人借力跃起空中，漂亮地一转身，干净利落地坐上在他头上一尺的马鞍上。

杰克看见安龙儿这副身手，禁不住吹了一声口哨："噢，太漂亮了！龙儿的功夫真好啊！"说着给安龙儿调短了马鞍上的脚蹬，让他双脚可以踩住马鞍，嘱咐道："龙儿，马跑得越快越平稳，人要半蹲在马蹬上，眼睛看着你要去的方向，明白吗？"

安龙儿点点头，在马上试了一下这个动作，觉得像练武功时的马步。

杰克对龙儿眨一下眼做了个鬼脸："就这样，你做得很好。"说完转身摊开双手，对绿娇娇说："我们可以放心了，龙儿是个真正的男子汉，他不会落后的。来，我们上马吧……"

杰克把绿娇娇扶上另一匹马，自己坐在绿娇娇的身后，双手牵住缰绳，同时护着绿娇娇。

一声长啸，两匹马载着三个人，向广州城西郊绝尘而去。

从广州西郊出城，是大片的田野，在田野中间有宽阔的官道，两匹大马一前一后沿着一条直线向前飞奔。

再向前奔去是一条九曲十八弯的运河，商船在河上静静地行走，马沿着河岸边跑下去，四周仍然是广阔的稻田，这里是广东的鱼米之乡。

绿娇娇背后靠着宽阔的胸膛，两边是保护着她的有力双臂，前面是高速扑来的田野风光。热风从她脸上呼呼地刮过，闭上眼睛时有如腾云驾雾，她从来没有过这种异样的体验。

马果然跑得越快越平稳，马跑得稍慢一点，马鞍就显得颠簸，还是飞奔吧……绿娇娇不断地对杰克说："快点……快点……再快点……"

绿娇娇的长发一直掠在杰克的脸上，体香传到杰克的鼻子里，杰克听着绿娇娇在飞奔中对他说的话，心里一阵狂跳——在这样的近距离接触下，杰克完全可以想象她身体的温柔和野性。

因为马有跟群的习惯，这两匹马一公一母本是一对，安龙儿骑的是母马，只要公马向前跑，母马就会跟随，所以安龙儿基本上不用指挥马儿，只要好好地坐稳就行了。骑马其实比骑骡子更容易，马跑得平稳，马背上也有马鞍，再加上安龙儿的武功根基很好，所以很快就习惯了这种马背上的运动。

沿着运河飞跑到一大片青草坡地，大家下马休息。

杰克把两匹马赶到河边喝水吃草，自己和绿娇娇坐在河边的树荫下，安龙儿在绿娇娇身后，靠在树干上看着马儿喝水玩闹。

绿娇娇从马上下来，激烈的飞奔让她一脸绯红。缓过气之后，她发现杰克一直在看着自己。

她别过脸叫安龙儿："倒杯茶给我。"

安龙儿从藤箱里翻出茶杯，给绿娇娇递上茶。绿娇娇又叫："烟。"

她面前马上又出现烟枪，还有一只点上烟灯。

杰克有些惊奇："你也抽大烟吗？"

绿娇娇说："嗯……中国人谁不抽大烟呀？你的马是你自己的吗？"

杰克讨厌抽大烟的人，但看着绿娇娇抽烟的样子却觉得怜爱，颓废中显出贵族气质的绿娇娇，和他以前见过那些抽大烟的人完全不同。

他回答绿娇娇："我给几个八旗军官带了一批洋酒，他们没钱给我，要给我鸦片抵账，我不要鸦片，就要了这两匹马。"

杰克用看小孩子的眼神看着在河边喝水的马，从口袋里掏出一个酒壶，拧开盖自己灌了一口，然后对绿娇娇说："要试试吗？这是俄国出产的伏特加。"

绿娇娇听说有酒，非常乐意喝一口，"嗯"了一声就从草地上撑起身子，接过酒壶也灌了一口。

绿娇娇从来没有喝过外国酒，这一口下去，从嘴巴辣到脑门再冲下胃里，她很大声地"哇"了一声，然后龇牙咧嘴。

杰克看到绿娇娇的样子，哈哈大笑地在地上打着滚道："哈哈哈……好喝吗？"

绿娇娇挤着脸大声喊叫："好冲！好喝啊！"

"好喝就再来一口！"杰克说着就捉住绿娇娇要灌她喝酒，两个人顿时打闹成一团。安龙儿依然靠在树干上，似笑非笑地看着。

闹够了，绿娇娇叫安龙儿把藤箱拿来，她在箱子里翻出一包油炸的小面点"牛耳朵"，打开后递给杰克一小片："来，尝一下吧，用来下酒挺对味的。"

杰克接过来往嘴里一甩，点头"嗯"了一声。

绿娇娇说："家乡的牛舌头更好吃呢。"

"是牛的舌头吗？听起来很可怕。"杰克一边嚼牛耳朵，一边皱起眉头看着绿娇娇。

"牛舌头也是用面粉做的小点心，甜甜的……"绿娇娇笑着看向远方。

杰克又问："你家乡是哪里？不是在广州吗？"

绿娇娇没有回答，低头拨弄了一会儿地上的草，抬起头问杰克："你有家人在中国吗？"

杰克说没有。绿娇娇又问："那你要两匹马做什么？"

杰克又看向那两匹大马："它们一只是公的，一只是母的，它们分不开，我就一起要了……”说着笑容不自觉地浮在脸上。

杰克看到安龙儿一直静悄悄地站在远处，不加入他们的谈话也不去玩，于是大声打招呼：“龙儿，我给你表演个节目！绿小姐，你捂住耳朵，会很响的。”

绿娇娇马上捂着耳朵侧过身子看有什么事。

“龙儿，扔一块石头到河里——”杰克大喊。安龙儿听了捡起一块石头向河心扔去。

杰克走向河边，看着石头飞到头顶的斜上方，“嚓”地一下从枪袋里拔出枪来，向着石头就是一枪，石头应声而碎，巨大的响声惊起一群麻雀。

绿娇娇兴奋莫名，大声尖叫着鼓掌。

杰克看到绿娇娇开心，又叫安龙儿：“龙儿，一起扔两个石头！”

“嗖……嗖……”两块石头同时飞向空中。

“砰！砰！”两声枪响，两块石头再次粉碎。

绿娇娇更兴奋了，从草地上站起来，根本不捂耳朵，她喜欢这种雷鸣一样的声音。

这次是三块石头一齐飞出去，杰克右手抬枪，左手在枪身后的扳机上闪电一样快速拨动了三下，三声枪响连成一片，天空上扬起一阵尘埃，三块石头全部粉碎。

绿娇娇尖叫着跑向杰克，双手捉住杰克的手，红着脸问他：“枪法好神啊！好厉害哦！这是什么枪，这么厉害？还可以连打这么多次……”说着手就要向枪摸过去。

杰克连忙背过身举起枪说：“嗳嗳，别摸别摸……这样会烫手，先等等再玩。”

安龙儿和绿娇娇相处多日，却从来没有见绿娇娇开心地笑过。现在看到她笑得很开心，虽然自己不喜欢洋人，更不喜欢洋枪，但是也跟着绿娇娇笑起来。

杰克叫绿娇娇回到树荫下，坐下来把枪膛里的子弹壳退出来，把枪放到绿娇娇的手上。

这是一支线条优美的左轮手枪，枪管很长，枪身厚重而雕刻精细，在当时是世界上最新式的枪支，还没有投入批量生产。那年代清朝军队的火枪全部是从枪管前端装火药子弹，塞好后还要用铁枝子往枪管里捅捅压压，才可以打出一枪，更没有可以连发的机关；左轮手枪的设计，可以连发不会卡弹，在当时对全世界来说都具有划时代的意义，由西部牛仔首先大量使用，其后多年才在美国南北战争中批量生产投入实战。

清朝军队火枪装备本来就不多，就算有也是像火铳一样的旧式鸟枪，更别说这种世界上还没有量产的新式武器，绿娇娇一见当然双眼发光，喜欢得不行。

绿娇娇这么喜欢他的枪，大出杰克意料。他本来只是想露一手让女孩子开心一下，没想到效果这么好。

绿娇娇拿着枪摸了又摸，还双手抬起枪假装射击，神情快乐得像小女孩刚买到一个洋娃娃。

杰克说："想试试开枪吗？"

绿娇娇看着杰克，眼神非常诚恳地不停点头："好哦好哦！"

杰克接过枪，右手一抖，把左轮手枪的弹仓轮子翻出来，迅速地装好六发子弹，然后拉着绿娇娇的手，把她带到静悄悄的运河边。

帮绿娇娇拉开击发锤后，杰克像骑马的时候那样，在她身后双手环绕着她，把枪交到她手上，再用双手连上绿娇娇的手和枪一起握住，瞄向没有人的河心。

绿娇娇的手很小，杰克真是怀疑她自己开一枪的话，会不会连枪都飞掉了。

杰克在绿娇娇的耳边说："看着你要打的东西，然后把枪管放在你和那个东西中间，开枪前先吸一口气，然后在这口气还没有吐出去的时候扣扳机……"

"砰"的一声巨响，枪随着后坐力跳起，河面上跳起一束水花，绿娇娇也"啊"地发出一声尖叫，然后是"咯咯"的笑声。

之后是连续几声枪响，绿娇娇笑得更加放肆。

"还要还要……这次要打东西！"向着河水打完六发子弹后，绿娇娇撒娇似的向杰克提高要求。

杰克很高兴地说："可以的，高贵的小姐，马上安排好——"然后跑到远处，捡起一支竹竿插在地上，在地上挖起一块土架在上面，远远看去像竖着一颗棒棒糖。

绿娇娇兴致勃勃地说："你走开，这次我自己来，嘻嘻……"

绿娇娇一手拿过枪，一手问杰克要子弹。看过一次杰克把子弹上膛，绿娇娇已经学会了。

她双手举起枪，手却一直在摇来摇去，怎么都瞄不准远处那颗“棒棒糖”。

杰克压下她拿枪的手，带她到刚才遮荫的大树下，一边摆弄她的手，一边说：“我教你个方法，你用左手搭在树上，前臂横着架在自己面前，嗯……对了，把拿枪的手架到左手上去……”

绿娇娇眼睛一直看着“棒棒糖”，杰克帮她把左手架好，她的右手把枪刚放上固定好的左手，马上“砰”的一声枪响，杰克吓了一跳，远处的棒棒糖随着枪声被打碎。

“打中啦！”绿娇娇双手举起庆祝，一转身跳起来，顺势就向杰克的脖子抱去，挂在杰克身上。

杰克比绿娇娇高大得多，也高兴得用双手架住她的腋窝，像举起一只小猫一样举起绿娇娇转了一圈。

在旋转的欢乐中，“砰”！又一声枪响，手枪在绿娇娇手上走火。

安龙儿一闪身躲到树后，伸出头来看。杰克吓得向后摔倒在地，绿娇娇也坐倒在地，然后笑得在地上打滚。

枪玩够了，杰克接着教绿娇娇自己做手枪子弹。

杰克拿出一颗子弹，拆开给绿娇娇看，安龙儿也凑过来。

“子弹可以自己做，只要有子弹壳就行了——看，先放底火，然后倒入一层黑火药，压实后呢，再放入一层小麦粉，也是压一下，最后是放进去一颗铅弹头——这样的时候，子弹头会掉出来，所以要在最外层再封上一层油脂……”

杰克边讲解边示范，绿娇娇和安龙儿都很快学会了怎样自己做子弹。

绿娇娇说：“玩累了，我想睡觉。”

杰克看看四周空旷的田野：“在这里睡吗？我们还没吃饭呢……”

“啊，对，还没有吃饭……那，去佛山吃盲公饼吧，你们赶路，我睡觉。”绿娇娇认真地说。

“啊？”

“啊？”

安龙儿和杰克都惊奇地张开嘴巴。

和来时一样重新上路，安龙儿骑着一匹马，杰克和绿娇娇合骑另一匹，绿娇娇坐在杰克的前面，杰克的双手环绕着她握住马缰，绿娇娇向后靠在杰克的怀里睡着了。

两匹大马在官道上向佛山城飞奔而去，扬起一行尘土。

绿娇娇睡醒了睁开眼，大家已经进入热闹的佛山城里。

佛山在广州的西南方，距离广州城只有几十里路程，从官道一路快马的话两个时辰就可以到达。这里很早以前就是广东的工商重镇，城里的繁华不逊于广州。

绿娇娇对大家宣布，今天晚上就在这里睡觉。于是他们走到一个叫太如楼的客栈下榻。开好两间上房，把马匹安顿到客栈的马厩，大家都饿得眼冒金星，马上出门找东西吃。

佛山城的中心有一座祖庙，里面供奉着玄天北帝。祖庙四周长年有热闹的集市，集市里吃喝玩乐什么都有，绿娇娇他们三人一行在集市里一路吃过去，品尝了不少民间小吃。

他们三个人也成了街上一景。

因为佛山的商业发达，在佛山出入的洋商并不少，基本上洋人们都是一身礼服，贵族打扮，人们都习惯了洋大人的派头见怪不怪。可是像洋人杰克这样俭朴的牛仔装束就很让人觉得新鲜。小孩子们围着杰克在看，看见杰克嬉皮笑脸的，还有大胆的小孩伸手去摸杰克的枪套。

绿娇娇样子娇小俏丽，安龙儿背个藤箱长了一头黄发，和旁边长了一头金发的杰克相映成趣。

绿娇娇跑到一个卖女孩子玩意儿的摊子前，给自己买了几个头花，然后又买了一串红色的同心结，说要送给杰克。

杰克当然很喜欢，不管是什么东西，只要是绿娇娇送的他都会喜欢。

于是绿娇娇把这个同心结吊在杰克的左轮枪柄上，杰克马上皱着眉头一脸尴尬，绿娇娇则拍手大笑，死都不让他摘下来。

东西吃到太阳下山，听人说今天晚上祖庙里的万福台上唱大戏，于是三人马上跑进祖庙占位子。

戏台上才子佳人纷纷出场，大锣大鼓地爱恨缠绵；忠奸文武上下翻飞，尔虞我诈刀枪剑戟地闹得不亦乐乎……

绿娇娇又靠在杰克的怀里睡着了。

今天的运动量比平日要大得多，而且也没有多少时间抽大烟，绿娇娇其实早已困乏交加。但这一天却让绿娇娇几年以来，第一次找到了不用喝醉酒入睡的感觉。

杰克背起绿娇娇，和安龙儿一起回到太如楼，把绿娇娇放到床上，盖好被子关门退出，自己和安龙儿到另一个房间睡觉去。

第二天绿娇娇起床梳洗好，抽足大烟，走过隔壁的上房，踢开门就要捉杰克和安龙儿去喝早茶。

杰克和安龙儿昨晚安顿好绿娇娇，洗澡整理好行装已经半夜三更，所以一觉睡到太阳晒屁股。两个人匆忙起床后，睡眼惺忪地跟着绿娇娇向茶楼走去。

三人走上茶楼的二楼一角坐下，喝杯茶吃些点心，开始清醒一些，绿娇娇就开始逗杰克玩。

"杰克，你带了钱在身上吧？"绿娇娇问。

杰克说："我有一些碎银，也有一些铜钱。"

绿娇娇又说："我可以猜出你身上有多少钱。"

杰克对这个游戏有兴趣，马上来了精神，笑着对绿娇娇说："真的吗？你快猜猜看。"

绿娇娇狡猾地笑着，斜眼看着杰克说："我要是猜中了……你就把那把枪送给我，怎么样？"说着眼睛瞄了一下杰克腰上的左轮枪。

杰克笑着耸耸肩说："我的公主，你要什么我都可以送给你。不过要是你猜不中呢？"

绿娇娇说："我猜不中的话就把龙儿送给你。"

逗得杰克哈哈大笑说："我才不要呢，我和龙儿是好朋友，我不会要他做我的奴隶。你要是猜不中，就让我亲一下吧。"

"好。"

"就在这里，马上要亲。"杰克还要加条件。

"好。"绿娇娇一向爽快。

"龙儿，看着……"绿娇娇提醒了安龙儿一句，从香荷包里摸出六个铜钱，往空茶杯里一扔，然后扣在桌子上。

拿开杯子，顺手把桌上的铜钱排成一行，她问："龙儿，铜钱汉字朝上为阳，满字朝上为阴，这是什么卦？”

安龙儿看了一下说：“阴阳阴，阳阳阳，是水天需卦。”

绿娇娇接着说：“对。现在刚入午时，入七数，加需卦之和总数为十二，十二除爻数六余六为上爻动变，需卦变成风天小畜卦。动卦为用，静卦为体，下卦乾卦入一数不变，上卦六变五，也就是说杰克身上昨天带了一两银子六吊钱，今天还有一两银子五吊钱。昨天花了一百文。”

杰克完全听不懂绿娇娇说了什么：“我自己都不知道有多少钱，我先数数……”

他把口袋里的钱倒在桌面上，一边念着：“两块半两白银，合起来刚好一两，对了，这里一堆二十文钱和五十文钱，加起来是三百文，没有一两四吊呀？哈哈哈！”

杰克一看没算准，非常高兴，心想这下浪漫的香吻有着落了。

绿娇娇走到杰克身旁边，在他身上一阵乱翻，翻出一张押票，这是太如楼两间上房的押金票据，上面写着“一百文”。

绿娇娇说：“哼，这一百文还没有结账，也就是说钱还没有花出去，加上现钱刚好一两银四吊钱，嘻嘻！”

安龙儿看得心领神会，他看多少经书都不如看高手应用一次，会起卦算卦还不是最后的结果，卦起出来后，怎样解卦才是功夫所在。

杰克“噢”了一声，嘴巴保持圆形，双眼瞪大了看着笑得停不了的绿娇娇，又看看钱，很久说不出话来。

绿娇娇摇着杰克的手说：“哈哈，枪是我的了，枪是我的了。”

她发现自己很喜欢在杰克身上撒娇。

这时几个衣着斯文的中年男人有说有笑地从楼下走上楼梯，经过绿娇娇他们身边时，其中一个男人看了绿娇娇一眼，倒回几步停在她身边：“咦，你不是小茹吗？”

绿娇娇惊愕地抬起头：“啊？你……”

这个中年男人一脸惊讶而兴奋地说：“哎呀小茹，我是你清源大哥啊，你不认得我了？”

绿娇娇从椅子站起来，茫然地说：“大哥？你怎么在这里？”

清源说：“父亲可想你啦，这几年你都到哪里去了？过得怎么样？”

绿娇娇一手拉住清源的袖子说：“大哥，我们去那边谈吧……”然后一齐走到窗边的另一张桌子旁嘀咕了起来。

杰克和安龙儿都不知道是怎么回事，只好坐着等绿娇娇和她大哥说完话回来再说。

清源长得比杰克矮一些，但是在人群里同样会高人一头，很是显眼，兄妹二人若不是自己相认的话，旁人真想象不出他会是身材娇小的绿娇娇的大哥。

他穿一身宝蓝色的绸子长衫，把修长高大的身材衬托得温文儒雅，脸上没有留胡子，脸色白净，瘦削秀气的脸形倒是可以看到几分绿娇娇的影子；手里拿着一把雕龙刻凤的红木边折扇，手上戴的金戒指镶着一颗透明水晶一样的大圆珠子，散发出贵族风度和中年男人的成熟味道。

杰克一向认为中国男人长得不够英俊，他在中国算是一等俊男，但是看到清源大哥，也不得不暗中赞叹——中国还是有英俊的男人啊。

清源和同来的几个人打过招呼，就和绿娇娇坐到一旁，谈了很长时间。半晌之后，绿娇娇和清源一起回到杰克和安龙儿的桌旁。

绿娇娇向杰克介绍："这位是我大哥清源，这位是我的朋友杰克……"

杰克入乡随俗，站起来用中国礼节向清源抱拳躬身行礼，清源却向杰克伸出右手说："杰克，认识你很高兴。"

杰克怔了一下，马上哈哈一笑，伸出右手热情地和清源大哥握了握："你好，清源先生，很高兴认识你。"

清源说："叫我清源就行了，既然你是娇娇的朋友，也就是我的朋友，不要客气。"

然后清源看向安龙儿问："这位小兄弟是……"

绿娇娇好像挺难交代："这个……他叫……安龙儿……"

清源看到安龙儿长着一头黄发，相貌奇特，小小年纪却气宇轩昂，也显得好奇和喜欢："你也姓安？哎呀，真是有缘分，小兄弟，以后多指教。"说着向安龙儿一拱手。

安龙儿一脑子纳闷——什么叫"也姓安"？我这主人家起的名字也算是姓吗？

绿娇娇看出安龙儿不明白，于是插了一句："是呀，大哥也姓安……嘿嘿……"干笑两声，看了看清源。

安龙儿知道他是绿娇娇的大哥，不敢有丝毫怠慢，连忙低头作揖："不敢当，安大哥安好。”

清源说：“不用客气，都是娇娇的朋友，大家坐。”

四人坐下后，绿娇娇不太情愿，但又不能不说：“嗯……清源大哥原来在京城钦天监做官，后来调到翰林院，现在来佛山就是为了科举的事。”

杰克和管海关的满清官员常常打交道，对管商业的官员挺熟悉，但是他没听过还有这样的官，便好奇地问：“钦天监和翰林院都是做什么事的呢？”

安清源笑着回答：“钦天监是给皇上安排祭典的礼仪出行的，也要编写历书；翰林院是管科举的，就是给天下的读书人编写教科书，也要给他们考试，让读书人考取功名。”

杰克说：“那你就是教育家了。”

这话引得安清源哈哈大笑：“哎呀，我这样算什么教育家啊，我只是给皇上办事的穷京官，不提也罢……”

大家闲聊了一会儿，安清源说还要招呼朋友，便先行告辞了，走之前对绿娇娇说明天他也到广州办事，很想看看她现在住的地方，问了绿娇娇的地址，说一到广州就去看她。

绿娇娇一行三人埋单离开茶楼后，又在佛山游玩了一天，然后才游游逛逛地回广州。

在返程的路上，走到没有人的旷野时，绿娇娇又玩枪又学骑马，玩得不亦乐乎。

回到广州西堤，又来到了四季餐厅的门前。

太阳西下，黄昏下的四季餐厅早早地在门前点上灯，晚上还按法国的生活习惯，把桌椅搬到餐厅外的花栏里面，让客人可以一边喝咖啡一边欣赏街上的风景。

西堤大街对面就是珠江白鹅潭上游，是羊城八景之一的“大通烟雨”每当春雨迷离时，则有两岸烟雾弥漫、江上帆影如梦如幻的景色。现在这里被落霞映成一片暗红，四季餐厅门前两盏路灯照出两圈黄晕。

绿娇娇下了马，抬头看着杰克，安龙儿重新背起了藤箱，站在绿娇娇身后。

绿娇娇很久没有这种道别的心情了，她问过杰克住在什么地方，问他最近有什么安排，却总是转不过身迈步离开。

杰克解下身上的左轮手枪，连着枪套还有一个牛皮袋子，对绿娇娇说："这把枪送给你，皮口袋里有装子弹和修枪的工具……这个红绳结子是你送给我的，我留下。"然后解下枪柄上的红色同心结，放进上衣胸前的口袋里，再拍了拍口袋。

绿娇娇"嗯"了一声，说完谢谢后接过枪，把枪腰带斜挎在自己的肩上，脸上忍不住露出笑容。

两人面对面站了一会儿，这两天说的话太多了，现在要表达的似乎已是言语之外的东西。

绿娇娇东张西望了一下，天色越来越暗，照得杰克的脸越来越红。她拉过一张椅子，叫杰克过来。

杰克走到绿娇娇的身边，绿娇娇一抬脚站到椅子上，双手背在身后，在杰克的嘴唇上亲了一下。然后跳下来，拉住杰克的手，慢慢退后几步向杰克微微点头，欠一欠身，转身带着安龙儿走入花巷中。

杰克呆在原地牵着马缰绳，看着绿娇娇和安龙儿远去，张开嘴唇傻笑着，幸福的感觉荡漾在心里。

ZHAN LONG

第四章 天子风水

绿娇娇和安龙儿回到馨兰巷的家门口，却看到安清源和邓尧一起从邓尧家里走出来。

绿娇娇连忙向两人打招呼：“大哥，幺哥……你们怎么都在呀？”

安清源说：“娇娇，你才回来呀，我今天早上就到广州了，交代好公务马上来这里看你。”

邓尧接着说：“你大哥下午就在你家门口，等你半天了，我回来后知道是你大哥，招呼他进来坐着等你回来。”

安清源笑着说：“幺哥还请我吃了顿饭，真是不好意思……”

邓尧忙说不客气，同时又感谢安清源给他两个孩子写了标准楷书的大字帖。

绿娇娇看门口都站满了人，就叫安龙儿快开门锁，并招呼大家到里面去坐。

安龙儿打开门，大家走进绿娇娇的家，绿娇娇“啊”地发出一声惊呼，所有人都呆住了。

绿娇娇的家像一个垃圾堆，所有东西都翻到地上，厅里的桌椅茶几也被拆开，日用杂物更是七零八落地散了一地。

天井堆满从三个房间里扔出来的枕头被子和书籍，绿娇娇和安龙儿的衣服不知为何都被细细剪烂，堆在一旁。房间里没有一件家具保留着原来的样子，箱子柜子全都被拆成一件一件的木头和木板，这个家根本没有一件完整的东西。

邓尧大惊失色："啊？家里遭贼偷了！"

绿娇娇双目圆瞪，马上在手上掐指算卦；清源居然也和绿娇娇一样，也在掐指算着什么。

邓尧更奇怪了，这时候不是应该清点财物损失，然后报官吗？这两个人掐算做什么？连绿娇娇也会掐算？真是想不到。

绿娇娇抬头看着满屋的碎件一字一句地念："昨天中午，四个男人从房子的背后爬进来，在屋里停留了一个时辰……他们从东南而来，是……"

说到这里，绿娇娇停了口，眼角余光扫了一下安清源。

清源紧皱着眉头，似乎感觉到绿娇娇的目光，说："但是家里没有钱财损失，进来的人不是想偷东西，他们是来找东西的……娇娇，你找找银子和首饰有没有丢失，在天井的东北方找找……"

邓尧急忙说："你们在这里看着，我马上去给你们报官。"说完转身就要出门。

"且慢，幺哥且慢……"安清源一手拉住邓尧，走到门口把大门和趟栊关上，对邓尧说："不要声张，家里没有丢失钱财，我怕不是偷东西这么简单，别动，先别动……"

绿娇娇在天井的回廊下蹲着，发疯似的在杂物里翻找东西。安龙儿问她："娇姐需要帮手吗？"

绿娇娇大声喝住："不要碰任何东西，不要走过来，站到厅走廊去！"

安龙儿不知所措，邓尧心急如焚，安清源的神色极为凝重，几个男人都站着不动。除了房子，全部物件都被拆得不能再拆，众人实在没什么好收拾的，只好等绿娇娇清点完财物。

绿娇娇一阵乱翻之后，从杂物堆里翻出一把银票和屋契，这些都是绿娇娇的命根子。

大家看到主要财物没有丢失，都松了一口气，但是马上出现更大的疑团——四个男人爬进来，不是为了偷钱，他们要什么呢？

安清源嘱咐邓尧不要报官，不要声张。绿娇娇带走了贵重财物，其他的器物一概不管，四个人锁上门后悄悄退了出来。

安清源对绿娇娇说："娇娇，今天晚上先到大哥的客栈住下来，大哥有话和你谈。"

三人乘黄包车到了安清源下榻的客栈，安清源给绿娇娇和龙安儿分别安排了房间，随后把绿娇娇叫到他的房间里。

"小茹，大哥在你很小的时候就出门考功名去了，不知道你在家乡发生的事，我也是回乡后才知道你出了事，还离家出走……"

"大哥也不知道你在广州，更不知道你在广州是怎样生活的，为什么会惹出今天这样的事情？"

"大哥很担心你，父亲和二哥也很想念你。这次的事真是苍天有眼了，刚好我被派到广东碰上这事，要不你一个人真不知道要怎样应付……"

安清源问绿娇娇："小茹，你在广州得罪什么人了没有？"

绿娇娇一言不发，一直在沉思。坐了一会儿，她站起来说："我很累了，能不能明天再说？"说完就要回自己的房间。

安清源连忙追出去："小茹，小茹……大哥不是怪你，没有说你不是，大哥是想帮你啊。"一边说，一边跟着绿娇娇走到她的房间。

绿娇娇从行李里拿出鸦片烟枪，自己点上一泡烟抽起来。

"小茹，你什么时候还抽上大烟了？你……真是……"安清源的表情痛心疾首。

绿娇娇一言不发地抽烟。突然，她对安清源说："大哥，你觉得有人在跟踪你吗？"

安清源一怔："没有啊，我一个穷京官，办科举之事的公差，有什么值得人跟的？为什么这么说？"

绿娇娇说："我刚才在家里用小六壬算出来，昨天进来的人是官家人……你……没有算出来吗？"

安清源脸色变了一下，一瞬间脸煞白得像死人一样毫无血色。

绿娇娇说："那些不是小偷，他们来不一定是要对付我，也不一定是要找我的东西，他们想找的，可能是我们家的东西……至于为什么我会问你跟踪的事，是因为他们进来偷东西的时机太巧了，他们知道我那两天不会回来，如果不是跟踪的话，不可能知道……"

安清源说："对呀，你这样说很有道理，这一次是有预谋的……官场上的事很难说，可能我得罪人了也说不定。"

绿娇娇说："你得罪人不奇怪，可是你的对头会直接对付你，而不是到我家捣乱，他们要找的不是一般的东西……他们要找的是……"

安清源和绿娇娇对视了一下，不约而同地说出来——"《龙诀》！"

江西青原山下有一家姓安的富户，户主安渭秋是当地德高望重的长者。安渭秋为人乐善好施，对穷苦人家施粥送衣，也长期捐书捐钱支持当地的白鹭洲书院，方圆百里都称他为安大善人。

安渭秋表面看来是儒雅富农，安于田猎，其实乡人不知他竟是一代风水名师。他家境富裕，与世无争，不必以风水维生，所以甚少显露。旁人只看到安大善人闲来爱好看风水书、喜欢四处游历一下，却从不知道安渭秋对风水知之多少。

安渭秋平日和人相处也喜欢谈论一下风水，有时还帮人看个风水放条碑线，只会收些茶点鸡蛋，从来不收润金，所用的都是安人畜保家宅的风水术，但求乡里得益，四邻平安。

安渭秋生有两个儿子，大儿子安清源早早上京求官，二儿子安清远醉心经商，两个儿子都是原配所生。后来娶得一妾，生下小女儿安清茹，就是今天的绿娇娇。这个小女孩虽然是庶出，但是伶俐可爱，安大善人把小茹从小看作掌上明珠。

有一次大哥清源回家探亲，二哥清远还没有出门做生意，小茹还要抱在安渭秋膝盖上坐着的时候，他对三个孩子说起一件事。

唐朝安史之乱，一众官员纷纷逃离皇宫，其中专管数术的司天监中有两个官员，分别是杨筠松公和安灵台公，他们带着宫中的风水秘典逃到了江西。

杨公为了让天下百姓都能过上好日子，把天子御用风水术里面和民间生活有关的部分重新摘录编写，从江西开始流传；安公却静静隐居在江西民间，看守着不能传入民间的最后秘典《龙诀》。而安灵台公就是他们安家的祖先。

《龙诀》与杨公风水不同，《龙诀》风水术用于天子真龙，《龙诀》动国运就动，国运一动就是百万人的生死，所以它没有传入民间的必要，民间也没有人需要运用这么终极的风水。所以安家只是代代守住《龙诀》，从来不必考虑使用上的问题。

《龙诀》分三册，分别是《寻龙诀》、《御龙诀》、《斩龙诀》。

《寻龙诀》教风水师如何在茫茫大地上发现形态千奇百怪、或隐或现的龙脉；《御龙诀》教风水师如何修行自身功力，使之可以运用龙气，达到改天换地的效果。龙气既生，要龙气死却难上加难。就算一时破坏，龙气总有再生的一天；《斩龙诀》则是教风水师如何把龙脉彻底斩断，把龙气完全杀灭而不让其再生。

故事讲到这里，安渭秋就再也没有说下去。孩子也只是知道了自己家里传下来的是一些永远不会用的旧书，他们父亲要他们做的，大概只是把书保管好，不要让人偷了，然后再传给下一代，顺便再讲讲这个故事。

绿娇娇继续抽着鸦片，安清源想了一会儿，对绿娇娇说："如果这些人不是为了《龙诀》而来，那就是针对小茹你了，你最好先不要回那里住……如果他们真是为了《龙诀》而来，我们全家没有一个人会有安稳日子过。"说完他叹了一气，看样子在等绿娇娇的看法。

安清源比绿娇娇年长近二十岁，长年在京为官，几年才回一次家过个年。绿娇娇从出生起，就没见过这个大哥多少次，只是知道家里有这个人，更没有什么机会聊天相聚，对安清源可说是十分陌生。

这次大哥突然出现，绿娇娇一点高兴的心情都没有。

绿娇娇也知道短时间内这里是待不下去了，她在广州的生活可能已经完全在监视之下。但是事出突然，一下发生这么大的变化，她只有努力让自己冷静下来，想清楚究竟发生了什么事。

安清源的话，她听在耳里，但实在没有什么好回答的。

安清源问她："那个安龙儿是什么人？怎么你们进进出出都在一起呢？"

绿娇娇说："他是我花钱买回来的仆人。"

"他来多久了，身家清白吗？"安清源关心地问。

"很久了，清白。"绿娇娇不想在这个话题上绕，简单地回答道。

安清源看绿娇娇心烦意乱的样子，就给她出个主意："我想这样吧，出了这样的事，反正你也不能在广州待下去了，你已经好几年没有回家看看了，不如回一趟江西老家。如果有人要找《龙诀》，只怕最不安全的还不是你和我，而是父亲……我这边有些公务要办，我办好后也赶回江西老家，大家聚一聚，也好商量商量，你看这样行不行？”

绿娇娇还在一口一口地抽烟，一直不说话，屋里已经烟雾弥漫。

“好吧，我回一趟江西老家。”绿娇娇突然说话了。

安清源脸上露出欣慰的笑容：“是啊，父亲见到你会很高兴的。”

“哼。”绿娇娇冷笑一声。

“我要休息了，明天再谈吧……”绿娇娇端起茶碗喝了一口茶，意思就是送客。

安清源忙说：“好，好，你休息，今天的事也把你吓坏了……这里是五十两银票，算是大哥的一点见面礼，你在路上也需要盘缠。”

绿娇娇一看发钱了，说声“谢谢大哥”，接过银票马上收在身上。

送走安清源，绿娇娇正要关门，安清源突然回头问道：“《龙诀》在你手上吗？”

绿娇娇笑笑说：“大哥，你都没有，我哪有啊？”说完就关上了门。

第二天一早，绿娇娇拉上安龙儿就上街，先到十三行一家新开的英国丽如银行，把银票和地契保管好，然后和安龙儿回到馨兰巷。

他们收拾了一些还能用的日用品，还有安龙儿要看的书。那些书居然还在，偷东西的人对这种书一点兴趣都没有，于是安龙儿把书也背上带走。

接下来两人又到商铺里去买了些新衣服，因为他们的衣服都被剪烂，只有身上那套穿了几天的脏衣服。绿娇娇最后还到大烟馆里，买了不少上好的云南鸦片膏，给自己备足了烟粮。

下一步绿娇娇要找的人就是杰克。她信任这个大个子，需要他的帮助，也想在临行前再见他一面。

十三行是洋人聚居的地方，杰克也住在那里，要找到他并不难。

杰克刚刚从洋行回家，看到绿娇娇来找他非常高兴，他真没想到隔两天就可以再见到绿娇娇。

大家入屋坐下后，绿娇娇开门见山地对杰克说：“我家里有事，要我马上离开广州回去，我想找你帮我买两匹马，可以吗？”

杰克一听，情绪马上很高涨：“当然可以，我就有两匹马，哈哈，我可以一起去吗？”

绿娇娇为难地说："不行啊，我是家里有事情要回去，而且路途这么远，你去的话……一来不知道家人有什么看法，二来影响你的生意……"

杰克深情地看着绿娇娇："我的公主，为了跟随你，我什么生意都可以放下。其实我还有其他伙伴一起合作，生意方面离开一段没有关系。"

绿娇娇恨恨地说："洋鬼子油嘴滑舌的……不要老叫我公主了，你叫我娇娇吧。"

杰克说："好的娇娇，你家在哪里？"

绿娇娇说："我是江西人，家在青原山下。"

"哦，江西……我不知道江西在什么地方，那儿有多远？"杰克问道。

绿娇娇说："江西在广东的北边，我上次来广州坐船走了十多天，但是回去的话不能坐船……跑马要二十多天吧。"

"为什么可以坐船来，不能坐船回去呢？"

"你傻呀，水往低处流，那船逆流而上的话，要走到什么时候才能到呀！"绿娇娇对杰克越来越不客气了。

杰克说："是啊，帆船是不行，要是有火轮船就可以向上流开去……"

"是呀，给你插俩翅膀你还可以飞回去呢。"绿娇娇说完自己也笑起来，"你真是有空的话，就跟我回老家玩吧。"

绿娇娇知道此行不是游山玩水，路上凶多吉少，能多一个神枪手大个子在身边陪着，她的心里也安定很多。

杰克如愿以偿，开心得一直搓着手，笑呵呵地在厅里一跳一跳。

跳了一会儿，他问绿娇娇："安龙儿也一起去吗？那就是三个人，不过安龙儿还是小孩子，你也长得娇小，两匹马去也可以。还有……你想什么时候出发？"

绿娇娇说："越快越好，如果今天可以的话，今天就走。"

杰克挠挠头："今天不行呀，起码也要明天……等我一天吧，我安排一下自己的生意，也准备一下行李。明天早上辰时在四季餐厅门口等你，你看可以吗？"

第二天一早，绿娇娇和安龙儿带四个藤箱，雇了两台黄包车来到四季餐厅门前，杰克却还没有到。

绿娇娇看着暗红色的朝霞，恍惚回到之前那个暗红色的黄昏，轻轻咬着嘴唇，嘴角浮起一丝微笑。广州的西堤，总算在她离开之前，留给了她一个美梦。

远远听到密集的马蹄声，两匹高头大马拉着一架花里胡哨的西洋大马车向绿娇娇跑过来。马车顶上载着很大的包裹，杰克一身牛仔打扮，在车夫位上拉缰赶车，到了绿娇娇面前停下。

他的腰上又挂着一支左轮手枪，手枪柄上系着绿娇娇送给他的红绳同心结，有些不伦不类。

绿娇娇看到豪华西洋马车出场，大出意料，再加上杰克在赶车，她捂着脸笑得眼泪直流，腰都直不起来了。

从广州城北门出发，绕过城北的白云山向北而去，一路沿着北江溯流而上，就可以到达江西。

绿娇娇一行三人坐着西洋马车上路，却走得慢悠悠的。

出发的头几天走的都是水乡田野，道路狭窄弯曲，但是路面还算平整。

马车上有三个人加上五六个行李箱，还有叠在车顶的大堆包裹，最让绿娇娇想不到的是，在马车后面还有一小桶酒。

两匹马拉着这样一台大马车，虽然不算吃力，但在弯弯曲曲的小道上的确不能快跑，只能缓步徐行。

绿娇娇不像上次和杰克出来玩的时候那样有说有笑，而是一路沉默，眼睛一直定定地看着窗外的景色，偶尔抽抽大烟。

杰克在绿娇娇来买马的时候就发现她有些不对劲，但是不知道她心里在想什么，也不敢胡闹，便自觉地坐到车头和安龙儿聊天。安龙儿自顾自地抱着书在车头，边赶马边看，剩下杰克一个人在不停地说话。

车走了两天，路上还是无边无际的田野，远远看到一个小丘陵从地面突然隆起，分外显眼。

马车从这个丘陵的远处慢慢走过，绿娇娇发现这个丘陵之下有一个砖屋林立的村庄，整个丘陵就像一根大柱子倒在地面上，在顶上和侧面郁郁葱葱长满大树。

绿娇娇心中冒起一个念头，她叫停马车，爬到马车顶上站着欣赏那条倒地的巨大柱子。安龙儿和杰克不解地看着美女爬车，不过他们知道这美女不会做无聊的事情，她一定有原因。

绿娇娇又看了一会儿，果然开始说话："龙儿你也上来，你看到那个小山丘了吗？”

安龙儿和杰克同时看过去。安龙儿说：“看到了，就是顶上平平的那个……”

绿娇娇说：“龙儿，听我说。”神情很认真，语气中充满信心和权威，而只有上次在佛山茶楼上教安龙儿解卦象时她才用过这种语调。

安龙儿和杰克都提起精神，杰克见识过绿娇娇用铜钱算出他口袋里银子数目的厉害，知道这个女孩子除了长得美丽，还具有女巫一样的能力。

“现在你看到的这种地形，叫做‘平洋龙地’。在平洋龙地里，龙脉潜在地下无影无踪，只有龙气泄漏的地方，才可以隐隐约约看到龙脉经过的迹象……”

安龙儿左右四顾，实在看不出哪里什么有龙气泄露，于是问道：“什么是龙气泄露的地方？”

绿娇娇说：“就像人在潜水时会不时冒出水泡，龙在平洋地下潜过的路径，也会偶然冒起小土堆、小山丘。《雪心赋》看过没有？”

安龙儿摇摇头说：“我在看《易经》，还没有看到那本书。”

绿娇娇说：“还没看也无所谓，以后看到就明白了，现在我说的你记下来——这座小山丘在龙脉经过的路径之上，称为‘倒地木星局’，你看它的样子是不是像一棵大树干倒在地面上？”

安龙儿点点头说“是”。

绿娇娇说：“你看倒地木星的北方……看到吗？有隐隐约约的十几个小土堆，一个接一个连起来，正好是一条从北向南的九曲龙行路线，最后龙气聚结成这个倒地木星局。这个倒地木星头圆身平，没有歪斜偏枯，就是说这个树干是可以做成大柱子的有用之材，这是木星局里的上等格局……”

安龙儿和杰克听绿娇娇这样一解说，果然看出这个倒地树干一般的小丘又长又直，工整得让人喜欢。

“木星也是文曲星，这种工整的木星上局使用得好的话，此地便会专出文贵之人，所以小丘下的村庄也多诗礼之家，村里读书人还往往能在科举里名列三甲，光宗耀祖。”

“小丘上的树木特别高大苍翠，在四周的田野上尤为显眼，都是因为龙气从木星泄出造成，树木和这个木星局相辅相生，互助互证，正是这个村子富庶的原因。当然了，他们村的祖坟也会在这个倒地木星局之上……只是树太多了，现在看不到祖坟在哪里。”

安龙儿若有所思，杰克目瞪口呆，他想不到世界上还有人可以通过地理形态来解释人类社会。

绿娇娇继续说：“这条村子文财兼得，却唯独子嗣缺乏。你看村子坐西北向东南，背靠倒地木星，村前一条小河流过，小河从西方而来，在村前绕一圈后向南方流去，知道西方五行属什么吗？”

安龙儿回答说：“西方属金，是因为金克木影响了木星局吗？”

绿娇娇笑道：“说对了一半，西方来水带着金气，带来官运也冲弱了木气，最惨的是向南而去的小河……因为南方属火，火由木生出来，南方就代表木星局生出来的孩子，向南去的小河正冲南方火位，所以这条村子嗣艰难，生育多难产啊……”

杰克越听越觉得可怕，无法想象绿娇娇说的是什么，也不知道这种事情是真是假。

绿娇娇看到杰克的不解不信的神情，笑着说：“我们马上进村去赚大钱喽，你要答应我，进村子后一切听我的。”

杰克神情紧张地点点头：“是，是。”

“赚了钱分一点给你！”绿娇娇把脸凑到杰克面前。

杰克又点头：“是，是。”

绿娇娇看着安龙儿：“刚才我说的你记得了吗？”

安龙儿点点头说“记得”，绿娇娇跳下车，叫安龙儿下车到她身边。

绿娇娇在安龙儿耳朵旁边说了一通话，杰克怎么都听不到内容，他们说完后，绿娇娇又上了车，站在赶车的座位上，向两个黄毛男人下令安排：“安龙儿坐到马车里去，车窗帘子全部放下，杰克当马夫，一句话都不许说，一会儿我问是不是你只许点头，不许摇头。好了，赶车进村子吧，赶大车的洋人——”

绿娇娇敲了一下杰克的牛仔帽，咯咯一笑。

马车气势汹汹地冲进村子，到了村中间的祠堂前停下，引起了村民们的注意。

洋马车、洋人，加上一个高高站在马车上的标致小姑娘——绿衣服小姑娘手拿团扇，鼻子朝天，一脸傲慢。

祠堂高大华贵，绿娇娇看着祠堂上的牌子，牌子上写着“文佑陈公祠”，绿娇娇心想，果然不出所料，这是一个耕读并重的富村，这下银子有着落了。

村民不断地围过来，看到洋人已经觉得新奇害怕，再看到豪华版的西洋马车和能够让洋人听话服帖的漂亮动人小美女，更是让村民们极度紧张和关注。

绿娇娇鼓足中气，大声对村民说：“南岳衡山九真观灵虚仙童经过贵村，发现你们的村子将要大祸临头，现在要见你们陈大老爷！”

不久，走出来一个读书人打扮的中年男人，走到马车前仰头向绿娇娇拱拱手说：“姑娘有什么事能不能下来再说……真是太高了……”

绿娇娇不下车，高高在上地仰天长笑，娇滴滴的笑声响亮地回荡在祠堂前，让人毛骨悚然。

绿娇娇大声说道：“我有什么事？有事的是你们村子，本来花旗国的皇帝派人来接灵虚仙童去作法拿妖——”

杰克小声地对绿娇娇说：“是总统……”

绿娇娇不管他，一边继续说话，一边向后暗暗蹬了杰克一脚。

杰克小腿上中了一脚后，若无其事地看着天空。

“灵虚仙童经过这里，心血来潮算出你们有大祸临头，一时大发慈悲，才停下车来要找陈老爷一谈。快请陈老爷出来，不要浪费时间，仙童还要赶路去广州上船出洋！”

刚才的中年人看着这样下去也不是办法，于是又跑进村子，过了一会儿扶出一个白胡子老爷爷。

绿娇娇反手用手背一拍杰克的胸：“精神点！”杰克马上挺起胸膛，直直地坐在马夫的位子上。

绿娇娇跳下车，向白胡子老爷爷欠身行礼道：“我们是花旗国的使者，要接南岳衡山九真观灵虚仙童到广州坐船去花旗国给总统捉妖驱鬼，但是仙童路过这里，发现这里将要有大祸临头——”

说着看一眼杰克，杰克微笑着向老爷爷点一点头，表示是这么回事，也算是打个招呼。

白胡子老爷爷说：“老夫就是陈某，不知仙童有何赐教？可以请仙童下车……进祠堂谈谈吗？”说着伸长脖子想往车窗里打量。

绿娇娇说：“灵虚仙童不轻易见人，陈老爷不要见怪。”

然后转身向车里说：“灵虚仙童大士，陈老爷已经请出来，请你训示。”

车里果然传出一把男童的声音：“陈老爷，你们村子背后靠着倒地木星局，北方来龙，西方来水……”

安龙儿坐在车里，大声把刚才绿娇娇对倒地木星局的风水分析原文背了一次，陈老爷和一众村民在旁边听得不停点头。

绿娇娇细心地听着安龙儿的话，安龙儿说话字正腔圆，语调稳定有力，把绿娇娇说过的话也背得一字不差，旁边根本听不出他在背书，绿娇娇也满意地暗暗点头。

陈老爷听过之后一脸钦佩，颤巍巍地走到车旁边，对着车窗说：“灵虚仙童果然道术精妙，对我们村的事情有如亲眼所见……本村里读书人多，出过几个探花榜眼，在下也是举人，略懂风水。我们陈家村经过几代人的风水布局，各方面都有幸平安富足，只是子嗣单薄一事，总是不得其法……家家户户都有难产之事，侥幸生得一男半女，都往往夭折，真是伤心又伤身啊……”

杰克亲眼看到陈老爷这样表白，意外到差点摔下车，在位子上瞪大眼睛看着绿娇娇，绿娇娇也紧闭着嘴唇回瞪杰克一眼。

“请问我们村会有什么大祸临头呢？”陈老爷说完情况再问安龙儿。

安龙儿说：“过了中秋之后，岁破月破冲龙，大煞西北乾宫，你们村会有瘟疫，已为人父的长子，一个不留……”

“啊？！”杰克和陈老爷，加上全村人都惊呼了一声。

陈老爷被吓得都要哭出来了：“仙童要救我们哪！我们该怎么办啊？”

绿娇娇说：“仙童在进村之前说过，太岁冲龙脉，龙脉不安会先撼动祖山，然后才会撼动村子伤害人命，仙童说你们村的祖坟一定就在背后的山上！”

村民们纷纷说是，于是大家一齐闹哄哄地求灵虚仙童上村后的小山上看祖坟。

绿娇娇把车上的两匹马解下一匹，拉到马车门前。

门突然打开，一个身影从车里跃出，高高跳在空中，然后又准又稳地坐到马背上。

村民们看到一个相貌堂堂、气宇轩昂的十二三岁童子，长着黄头发，骨胳健壮，背着一个大布袋和一根圆头尖尾的木杖，果然是仙风道骨，有如神仙显灵。

绿娇娇让杰克在祠堂前看守着马车，自己拖着安龙儿的马缰绳，跟陈老爷和村民一起上山。

上到山中，来到一个坟墓前。这个坟墓有三丈多宽，可见是大户人家的祖先，修葺得很豪华，打扫得也干净。

绿娇娇左右四顾，看过龙虎四应八方吉凶，然后走到坟墓的石碑前，从身上掏出一个手掌大的小罗盘，定在石碑上量了一下。

绿娇娇看一看罗盘上的卦线，心里已经有救应这个村子的方案了。

绿娇娇向骑在马上的安龙儿使了个眼色，安龙儿纵身站在马背上，村民们和陈老爷都向马上看去，不知道安龙儿要做什么。

在大家都注意着安龙儿的时候，站在墓碑旁边的绿娇娇翻起左掌，掌心照向自己，右手捻成剑诀，在左掌上划出一道雷符，口中默念咒语。

绿娇娇使出的，正是江西龙虎山天师道的急术"掌心符"。

"掌心符"的作用很多，虽然威力不算巨大，但是运用起来快捷有效，是学道之人的必修一课。

这时安龙儿站在马上，左手翻到背后从下向上一拍背上的布袋，从他身后飞出一个锅盖一般大的罗盘。

罗盘直直飞起一丈多高，回落到安龙儿头顶，安龙儿从马背跃上空中，凌空一脚把罗盘踢向坟墓前的拜堂。

一般坟墓前都会有一片叫拜堂的空地，每到拜祭之时，后人可以在这里上香跪拜先人。罗盘"砰"的一声打到石碑前一丈的地面上，绿娇娇捻着雷符的左手掐成剑指，同时从身旁指向罗盘落地之处。

只见罗盘落地处闪出一团白光，轰然雷响之后，从地面升起一片烟雾，大家不禁一起惊呼起来。

安龙儿踢出罗盘后，在空中转身连踢出三脚，只听得衣带风声，拍响连环。这一招称为旋风脚，因为以身形旋转借力连环踢出，劲力自然惊人，在使出旋风腿时，会听到空中有连续的踢击声，所以这一招也称为霹雳旋风腿。

腿风响处，安龙儿已经准确无误地落在碑前的罗盘之上。罗盘落地加上绿娇娇的掌心雷诀，碑前的拜堂已被打得烟尘滚滚，村民们从未见过如此场面，纷纷后退。

朦胧的烟尘里，安龙儿从身上脱出一丈三尺长的绳镖，向着东南西北八个方向不停打出去，村民们只听得呼呼的破风声，便知那个圈子是危险地方，不能走近。

噼噼啪啪打完一轮快镖，安龙儿从罗盘上跃起，掠过村民们的头顶，稳稳当当地坐回马背上，脸不红，气不喘，果真是静若处子、动若脱兔。

碑前拜堂的烟雾仍未散去，安龙儿一言不发，拉转马头策马下山，回到马车里坐着再也不出来。众人瞠目结舌，完全不知道发生了什么事。

烟雾渐渐散去，地上留下一个大罗盘，罗盘四周的地面上出现十多条线，以罗盘为中心呈扇形放射出去，分明是安龙儿用绳镖沿地面射出刻在地上的印记。

绿娇娇从身上掏出两个铜钱向空中洒出去，待铜钱落地，她看了一下，一个阳面另一个是阴面，卜得大吉之象，向陈老爷说："陈老爷，灵虚仙童留下解救风水败局的方法，现在卜算过天意，你们陈家村有使用这风水大局的福气，但是要由陈家宗祠捐二百两纹银，方显陈氏一族酬谢天恩的诚意。"

陈老爷还没有从刚才的场面中回过神来，怔了一下。

一直扶着陈老爷的中年人凑到他耳边说："太公，看来要先捐二百两银子，否则这姑娘不会说出解救风水的办法。"

陈老爷听了连忙点头："捐，要捐！多谢灵虚童子啊！"

绿娇娇听陈老爷说肯给银子，笑着向陈老爷欠身道了谢，然后说："陈老爷也是风水大家，只是天意未酬，得吉山定吉向却未得吉线，这个木星倒地局，吉穴葬于木星发芽处，本应子孙昌盛，但是放卦线却偏差了半分位置。"

她看陈老爷听得入神，继续说下去："这个吉穴坐东南向西北，为乾山巽向，收地天泰卦气，但是却收错爻线，万事大吉，独伤子孙……现在得灵虚仙童训示，此碑需向左偏转半分，收泰卦之初爻，生出子孙卦象山天大畜，半年之内定可喜得贵子……"

绿娇娇环顾一眼村民，看大家一片懵然，厉声向陈老爷喝去："灵虚仙童有训，现在就是吉时，还不动工，更待何时！"

陈老爷一听说是吉时，马上喊人："还不快拿锄头来，移过碑线——快！快！"

一众村民按绿娇娇划下的碑线转动石碑，虽然石碑要转动的不过是半度方向，但是绿娇娇用的却是上乘的杨公风水术，座向转移一分一度则可改天换地，趋吉避凶决不欺场。

碑线经过绿娇娇重新测量，确实收线正确无误，绿娇娇和陈老爷一众人等一齐下了山，等祠堂账房送出二百两银票，推辞了陈家村民的饭局挽留，拉转马车，一溜烟地离开了陈家村。

离开陈家村一路向北走去，天色越来越暗，月亮已经挂在东方。现在是金秋季节，再过几天就是中秋，月光洒在田野上，像给地面镀上了一层水银。

马车仍在不紧不慢地走着，绿娇娇一行三人在车上闹得正欢。

绿娇娇要杰克倒出酒桶里的洋酒，用牛皮酒囊盛了半囊子，给自己灌酒。杰克也拿出自己的腰酒壶和绿娇娇一起喝着，他说这是墨西哥国的龙舌兰酒，虽然又辣又苦，这一小桶却能卖上一百多两银子。安龙儿实在喝不下这种酒，龇牙咧嘴地嚼着杰克带在车上的西洋烤麦包，偶尔绿娇娇会抢过来撕一块往嘴里扔。

绿娇娇从香荷包里掏出二两纹银，纹银可不是银票，是真真正正的银子，沉甸甸的一块。她给杰克和安龙儿一人分了一两。

安龙儿这辈子都没收过这么多钱，开心得合不拢嘴。杰克眼见绿娇娇收了二百两银票，嫌只给一两银子工钱太少，非缠着绿娇娇要一成车马成本费，和绿娇娇不停地拌嘴。

待到远远离开陈家村，绿娇娇选了个开阳的小河边停车睡觉。

杰克从车顶上拉下那一大堆包裹，居然在草地上撑出一个帐蓬，惹得绿娇娇又是一阵惊喜，在帐蓬里爬进爬出玩了好一阵。安龙儿四处捡回来一些干树枝，在帐蓬前生起一堆篝火。

三人终于可以好好停下来，坐着歇口气，绿娇娇躲到帐蓬里一会儿就睡着了。

第二天醒来，绿娇娇在小河边梳洗完毕，便又急急赶着两个黄头发上路。

杰克在路上再也忍不住，问起绿娇娇昨天的事情。

“娇娇，昨天你到底做的是什么事情呢？我一点儿都看不懂，也想不明白，你对那个村子里发生的事情，为什么猜得这么准呢？”

绿娇娇等的就是杰克这一问。她很清楚这次江西一行与风水有着莫大的关系，而且决不是游山玩水。他们一路上到现在还没有遇到危险，只是因为他们还有被利用的价值。她不知道对方是什么人，但是从他们在最适当的时间到她馨兰巷的家里翻东西的做法可以看出，对方对她的行踪完全掌握，包括现在走的这一程，都很可能是在对方的跟踪监视之下。

对方到她家翻东西的时机极为准确，走的时候却不偷走任何财物，这是赤裸裸的示威。对方根本不需要假装自己是小偷，而且还给她留下钱财，让她有地方可去、有盘缠可用，分明是有意告诉绿娇娇他们是为什么而来，进而让绿娇娇自己想到，要去什么地方、要做什么。

绿娇娇要摆脱对方的纠缠，只有交出《龙诀》，或是绿娇娇的家里人交出《龙诀》。

《龙诀》一天没有出现，绿娇娇一天都不会有生命危险，但是绝对不得安生。

大哥安清源的出现也是出奇地巧，让绿娇娇半信半疑。绿娇娇并不讨厌这个大哥，因为从小就没见过多少面，太陌生了，根本谈不上喜欢或是讨厌。

安清源是官场中人，虽说是翰林院的文官，但绿娇娇很清楚，他大哥绝对是一个高水平的风水师，此前还是宫内专管玄学数术的钦天监官员。如果是官府方面想得到《龙诀》，大哥回家直接问父亲不是更好吗？何必来她这里要什么花招？

如果安清源根本不知道此事，那么他的出现会不会也是受到官府某些力量的推使？

真是这样的话，他们全家就会像安清源所说，因为《龙诀》的事每一个人都陷入危险中。

在绿娇娇的心里有太多疑团，她最明白的一件事，就是对方在迫使她回江西老家，迫使她解决《龙诀》的事情，如果她试图逃避的话，下一次所遇到的就不是有人闯进家里翻东西损毁家具了，而会有更大的危险。

对方是谁？为什么要《龙诀》？对方在哪里？对方有多强大？一切都有待绿娇娇回到家中，接触到《龙诀》，才能揭开这些谜团。

而这一程，安龙儿只能是一个护卫的角色。他亲眼看着家里出事，应该有相当的心理准备，但是以这个小孩的小脑瓜，可能想象不到面前有多少危险。

杰克毫无疑问喜欢自己，他是一个很强的战斗力，但是他到现在还以为这一趟是在游山玩水。要让他配合解决这件事情，他一定不会惊慌和推托，可是要让他理解面前这个看不到的对手，要在自己身上得到什么，却要费一番心思。

绿娇娇并没有在路上赚银子的心情，但是她需要让杰克亲眼看一看风水是什么，这样杰克才可以理解他们此行有多危险，所以陈家村的风水演示非常有必要。

主动告诉杰克中国有这种神术，他只会认为是巫术；但是先给杰克看到真实的风水力量，让杰克自己查问这个问题，那比王婆卖瓜般向他介绍要好得多。

绿娇娇有必要好好地告诉杰克："杰克，我并不是猜出这个村子出了什么事，而是运用了古老的神术，我们称之为风水。"

杰克很有兴趣地听着，眼里流露出绿娇娇最想看到的，好奇而虚心的眼神。

绿娇娇慢慢地跟杰克解释着："风水术可以通过对地理的勘察，知道关于这个地方的人和事；也可以通过对地理的改变和控制，改变和控制人的运气，甚至是人的生和死。风水术有许多对物件的运用方法，可以达到神奇的效果，你可能认为这是巫术，但就算是巫术，这也是一种实实在在的力量，你已经亲眼看到了。"

杰克点头说："是的，太神奇了。"

"我们家族有着天下最神奇最强大的风水术，叫做《龙诀》。现在有人想得到《龙诀》，他们以为记载这种风水术的书在我手上，于是一直跟踪我，甚至进我的家给我威胁，所以我才必须离开广州……"

杰克一脸的迷惑不解，脑子里一时消化不了这么多问题，手不自觉地挠着脑门。

绿娇娇从唐朝安史之乱、安灵台公从宫内带出《龙诀》隐居江西民间讲起，一直讲到最近发生的事情。详说了很长时间之后，杰克终于弄明白了，原来他们的旅程很危险……

安龙儿在一旁静静地听着，样子好像明白，又好像不明白，看不到一点害怕和惊讶。

杰克对绿娇娇说："如果不是看到陈家村的事情，我真不敢相信你说的话，但是现在我明白了，原来我自己选择了和你一起逃亡。"

绿娇娇微微一笑，侧着头问杰克："你后悔吗？是不是怕了？"

杰克向绿娇娇摊出手掌，对她说："我的公主，这是上帝的安排，这正是我要的一切！来，拍拍我的手。"

绿娇娇咬着嘴唇笑得很开心，也很暧昧，举起小手掌从上向下狠狠地拍在杰克的手上——"啪"！

路的前面不再是平坦的田野，长长的山脉耸立在天地交接的地方。

督军府内的小偏厅深夜还点着灯。

国师府副使章秉涵站在窗边，看着窗外的明月："又快到中秋了，时间过得越来越快……"

国师坐在桌旁，用两只指头一敲一顿，打出缓慢的节奏，似乎在自言自语地回应章秉涵的话："三元九运相生相克，古往今来、历朝历代何尝不是这样……"

"一定是在广东吗？"章秉涵小声地沉吟着。

"两年前，一百八十年一次的天地元运大交接，南方天空足足一个月黄气冲天，紫禁城南方午门的石狮子，五月初五突然咆哮，震得两边钟鼓齐鸣；北方玄武门殿角石龙头震断，唉……天运配合天兆，南狮危我大清青龙啊……不是广东，还有哪里？"

国师说着话，两只手指依然不紧不慢地敲着桌子。

章秉涵转过身，问国师："那个女孩的事要我帮忙吗？"

国师说："现在不用，江西那边已经安排好。这一路上，要搞清楚这位小姐有多少斤两、会不会使用《龙诀》……如果找不到《龙诀》，人就成了唯一有用的东西……"

章秉涵说："我安排一下，给她考考试吧？"

国师说："不，等我安排，只有我才知道怎样考这门课……"

杰克的洋马车光明正大地走在官道上，他们明白很可能有人一直跟在他们身后，但是未到江西，他们不会有危险，现在这些跟踪他们的人更像保镖。

明知如此，杰克还是时不时“刷”地一下回过头，看看有什么人跟着他们。绿娇娇倒是半躺在车厢里，安心地抽大烟。安龙儿依然天天看书，有不懂的地方就问绿娇娇，绿娇娇也违背了当初自己给安龙儿立的规矩：有什么不懂不要问她，居然有一搭没一搭地解答起来。

安龙儿问绿娇娇：“娇姐，上次你在陈家村重新放的碑线，真的会有效吗？”

绿娇娇正抽着大烟，人在迷糊着：“嗯……那是公孙子息卦，专门应对人丁受损的情况，这碑调转半分，运气就完全不同了。”

安龙儿点点头说：“我们再回来经过这里的时候，可以进去看看啊。”

绿娇娇睁开眼，看了看安龙儿：“你小子还真是有些天分啊，做风水其实就是做学问，不能尽信书里的东西，自己去查一下，回头证明一下，就知道有没有做对，书上写的是不是真功夫……连风水口诀都说，不信此经文，但复古人坟……”

“不过……”绿娇娇又合上眼享受着大烟的游离感，“你有机会回来再说吧，不然的话，我可不止收二百两银子……”

安龙儿看着绿娇娇：“啊？还要加价？”

绿娇娇说：“不是加价，而是我做得不合行规……做烂市了。”

绿娇娇给安龙儿解释说：“阴宅风水发福力强，但是用杨公风水术的话，往往需时比较长，所以风水师做阴宅风水，布局完成后收些盘缠就得走人。余下的钱三年后才回来收取……只收黄金，一般收五六十两都是平常价，当然也要看主人家八字里的福分，和这个墓穴的福力。如果主人家发富了，高门大院，生活富足当然可以一眼看出，风水局成功了风水师可以收下黄金走人；要是风水布局失败，都家破人亡了，想收也没得收……”

安龙儿想了想又问：“那要是主人家已经发富升官，却又骗风水师，说风水局不成功，不想给钱的话，风水师岂不是一个铜钱都收不到了？”

绿娇娇呵呵一笑：“你小子真是块材料，我本来真不想教你，不过现在发现你挺讨人喜欢的……风水师有行规，早就料到这一着了，一般都会在风水局里留下一个机关，如果主人家欺骗自己、为富不仁的话，风水师就会回到那个自己布下的风水局里，进行破局。”

安龙儿恍然大悟地“哦”了一声：“所以……”

绿娇娇抢过话头：“所以风水师是最要防着被骗的人，身上有好东西，想骗你的人就多，所谓怀璧其罪。”

安龙儿听不懂：“什么是怀璧其罪？”

绿娇娇心里想着《龙诀》的事情，有感而发而已，不想给安龙儿上古文课，一句甩回去：“这不关你事，别问了。”

安龙儿平时没什么机会和绿娇娇说话，今天难得打开绿娇娇的话匣子，还在问下去：“娇姐，既然做风水局可以收黄金，你为什么只要人家的白银呢？”

绿娇娇说：“所谓财不入急门，我们没时间和他们磨价钱，只能以快打快，一出手镇住村里的人，开一个他们能一口接受下来的价，拿了钱就走。我们……不一定有机会回来这里拿银子。”

绿娇娇停了一会，神情严肃若有所思：“还是要少一点，拿现钱走吧，以他们村的风水，他们不缺这点小钱……而且这局也救回来了，二百两银子问心无愧。”说完转头抽一口大烟。

杰克在车头位看风景，实在听不下去了：“娇娇，我漂洋过海，投入多少成本才能做成一桩生意赚点儿差价，你一出手就收人家二百两银子，还嫌少啊？”

绿娇娇毫不示弱：“你手头有什么货能让陈家村每家每户都可以平安生孩子？呵啊……”说着打个了呵欠，“也能卖二百两银子一件……”

安龙儿还想问个问题：“娇姐，你在陈家祖墓前放了一个炸雷吓我一跳，那是什么呀？”

绿娇娇反问安龙儿：“你以为是什么？”

安龙儿想不出来，随便回答说：“像是放了个大鞭炮……”

绿娇娇笑了：“哈哈哈……你也太逗乐了，我看风水还得随身带个大鞭炮，趁你不留神往你脚下扔？哈哈哈……”然后她收起笑容，很严肃地对安龙儿说，“那是掌心符，你以后慢慢修炼吧。”

说完倒头睡去。

第五章 九字印

这一天正是中秋，绿娇娇一行走到清城境内。

清城紧贴北江，是广东南北水路的主要通衢，人丁兴旺、货物丰盛不在话下。

连日赶路，大家都略有疲态，绿娇娇安排大家在江边一个江景客栈住下，好好地休息一天。

晚上三人到北江的客船上，叫船家在船头开一张桌子，买好水果和月饼，请船家做上一桌河鲜菜，摆上美酒，好好地过个中秋节。

北江是一条宽阔的大江，清城对出的河面比经过广州城的珠江还要宽，中秋节坐船游北江，足可体会古人诗中“江清月近人”的美景。

绿娇娇对杰克的生活是很好奇的，吃饭时她问杰克：“你们花旗国有中秋节吗？”

杰克说：“没有中秋节，但是会有其他的节日，圣诞节、过新年都是很重要的节日。”

绿娇娇一边挑着鱼骨头一边问：“哪一个节日是家里人最重视、最要赶回家一起过的？”

杰克说："应该是圣诞节。"

绿娇娇反正有空，继续闲聊："圣诞节是什么节日呢？"

杰克在中国时间长，筷子用得很熟练。他喜欢吃桌上的蒸鸡，口里含着鸡的时候，尽量说得简单："唔……那是纪念上帝的独生子出生，他叫耶稣。"

绿娇娇说："这独生子的名字起得好，椰子酥，一听就知道好吃……"

"咳，耶稣不能吃……"被绿娇娇一调侃，鸡卡在杰克的喉咙里，"唔……不能吃……他代表上帝……"

绿娇娇问道："上帝就是老天爷吧？"

杰克说不出话，很痛苦地紧闭眼睛点点头。

绿娇娇有自己的想法："椰子酥都可以代表上帝，那叉烧酥就可以代表观音娘娘了……"

杰克回答绿娇娇说："耶稣在两千多年前，为了赎我们的罪死了，然后又复活。"

绿娇娇停下筷子，端起茶杯问："你犯了什么罪，要人家死了给你赎？"

杰克说："我没犯罪，不过人生下来都有原罪……就是男人和女人之间的……那个……"

听到这里，绿娇娇很有兴致，把头凑过去眼睛一眨一眨地看着杰克："男人和女人之间有什么罪啊？"

杰克耸耸肩，撇一下嘴说道："干了些不该干的事情……"

绿娇娇的脚在桌子下跷着二郎腿，慢慢地挑弄着杰克的小腿，很坏地笑着说："反正就是很坏的事对吧……嘻嘻嘻……"

杰克心领神会地提了一下眼眉："也不算很坏，只是上帝的法则管得严了一些……"

绿娇娇继续那种很坏的笑容："椰子酥也真够仗义的，两千年前就给你赎罪了，那你现在应该也没罪了……"

杰克咽了下口水说："啊嗯……那个……很久都没罪了。"

绿娇娇用筷子尖一下一下地点着杰克的手背，奶声奶气地说："你没罪的话，人家椰子酥怎么给你赎罪嘛……"

杰克不知道该说什么，绿娇娇咯咯地笑出声来，一转头大声地喊船家："船老大，开船回程，我们回码头上岸啦！"

杰克一听，马上狼吞虎咽地吃肉喝酒，吃饱了才有力气啊。

三人回到客栈，杰克洗过澡换套干净衣服，叫安龙儿先回房睡觉，说自己要找绿娇娇谈些事情，就跑到绿娇娇的房间去。

反锁上房门，吹熄油灯，窗子关上半扇，月光明亮地照在窗外的江面上，显得房间里特别黑暗。

绿娇娇站在窗前，杰克从她身后抱住她。

绿娇娇说："我要睡了。"

"你在马背上的时候，不也是在我怀里这样睡吗？"杰克在绿娇娇耳边轻声地说。

绿娇娇身体慢慢向后靠，双手背在身后，慢慢地摸索着她的手刚好够到的地方——杰克的身体温暖而有力。

她的头向后靠在杰克的胸前，杰克低头慢慢地吻向她的嘴唇，双手在绿娇娇的胸前爱抚，一边解开绿娇娇那件墨绿色的旗袍……

绿娇娇的呼吸越来越急促，全身微微地颤抖着。

突然"砰"的一声，绿娇娇的房间门板好像被人用力撞了一下，两人都吓了一跳，然后房门外传来激烈的打斗声，而且人越来越多，整个客栈似乎都在抖动。

绿娇娇马上转过身靠墙扣好衣服，杰克气急败坏地用力跺一下脚大叫一声："Shit！"

他两步冲到房门后，蹲下身体顶住房门，右手在腰侧却摸不到左轮枪，原来他来绿娇娇的房间时已经换过一套衣服，随身行李和枪都放在了安龙儿的房间。

绿娇娇跑到床边，一手掀开被铺，从床上掏出一支左轮枪——她一直把左轮枪随身携带，睡觉时就放在床头。枪交到杰克手上，杰克拉绿娇娇也蹲在门旁边，想从门缝看看发生了什么事情。

门被人砰砰敲响，安龙儿急促地喊道："娇姐！娇姐！你在里面吗？"

绿娇娇示意杰克开门。安龙儿站在门前，手上提着手杖，他退到房间里，正要关门，两个壮汉同时撞门而入，把绿娇娇、杰克和安龙儿三个人同时弹得退后几步。

安龙儿手持手杖，手腕一翻，手杖在最刁钻的角度对着身边的那个光头大汉的脸迎面痛击，对方怪叫一声顿时满脸鲜血，冲进来的势头停了下来，从手上跌下一把钢刀。

大汉的冲力停下似乎在安龙儿的意料之中，安龙儿拳脚如行云流水，在这一停顿间左脚向大汉的下身踢出，正踢中男人身体最薄弱的地方，这个大汉剧痛之下，全身抽搐，身体向门外摔出去。

在门廊灯光的映照下，眼尖的绿娇娇看到一张扭曲的、血淋淋的脸，嘴里模糊一片吐着白沫。

在大汉摔出门的时候，安龙儿踢起的左脚顺势踏下，右脚随即向前跃去，如影随形向门外扑出，居然追到大汉的身前，手杖压回自己腰间，左手拉住大汉的衣袖，手杖的尾部尖端狠狠地刺向大汉的腹部。

电光火石之际，绿娇娇感到一股杀气从安龙儿身上爆发出来，她有一种直觉——安龙儿杀过人！

“不要！”绿娇娇对着安龙儿高声尖叫。

安龙儿听到绿娇娇的声音，动作缓了一下，手杖却已经刺入大汉腹部一寸。安龙儿拔出手杖回身退入房间，手杖尖上滴着血。

因为刚才杰克和绿娇娇正准备亲热，房间里的油灯早就吹熄，窗外月上中天，月光直照大地，没有光线斜射进窗户，衬得房内更加黑暗。另一个大汉冲进房间后，眼睛看不到东西，只看到前面有亮光，举刀呐喊着向窗口冲去。

杰克滚身让开路，左手护住绿娇娇在自己身后，右手一直举枪指着向房间里冲的那个大汉的头，绿娇娇的眼睛看着那人的脸。这个大汉头也不回地冲到窗前，跳出窗外。

窗外就是北江，只听得“扑通”一声，人就没入江中。

绿娇娇看到这样的场面，竟然感到似曾相识。

房间里已经没有外人，门外的打斗声却越来越激烈。安龙儿马上闩好门，对杰克和绿娇娇说：“娇姐，你没事吧？外面有两批人在打架，大概有四十多人，两边的人都带了刀……”

绿娇娇说：“刚冲进来的两个人不像是强盗抢劫，他们好像都神志不清，先看看再说……”

三个人都伏到门口方向的窗户旁，撬开一线窗看出去。

这个客栈位于临江，风景好地方大，是清城数一数二的上好客店。店内中庭有一片小园林，围着中庭的是回字形的方形路线走廊，沿着走廊排列着许多客房，客房内外雕龙画凤，装饰典雅有如王府。

再走出临街的前门是属于客栈的大食肆，如果今天不是中秋节、绿娇娇他们要到船上吃饭赏月的话，这里也是一个很方便的吃饭地方。

现在中庭里有十多人正在厮杀，地上还躺着十多个人，人人身上都血迹斑斑，脸上的表情和刚才冲进来的两个人一样，脸形扭曲口吐白沫。

绿娇娇对杰克说："看到没有，那些人好像都疯了，他们不知道自己在干什么。"

杰克说："我也看到了，他们不像受过训练的士兵，反而像在乱劈乱砍，这样砍下去会全部死掉的……"

"现在这样我们走不出去，他们要是全死掉的话，官府查起来我们也说不清……先让他们停下来吧。"绿娇娇抬头看着杰克，等他的意见。

杰克点点头说："对，出去绑起这批人再说……娇娇，你在这里关好门等我。"然后把手枪交到绿娇娇的手上。

安龙儿听了这话，提着手杖就开门出去，绿娇娇向他喝一句："龙儿记住不要伤人！"

安龙儿应了一声"好"，率先冲出去。他一跃过门前的回廊跳下中庭，马上团身滚到地上，手杖向着人群的脚踝左右扫荡。

安龙儿还是十几岁小孩子，身体还没有长高，加上滚在地面是不容易被乱刀所伤的，因此他学过的地趟刀法现在发挥出最大的威力，在人群的脚下连扑带滚，向四方快速地扫劈，人快手杖打得更快，像一阵旋风卷过枯树林，所到之处，打斗中的大汉纷纷倒地。

杰克紧随着安龙儿跳到中庭，抱着从床上卷起的床单被子，他迅速闪到一旁把床单被子撕成布条，见一个绑一个。杰克来自美国西部，擅长飞绳索套牛套马，在他眼里，把人按倒在地再绑起来完全不是难事。

很快，在中庭厮杀的人全都被结结实实地绑起，地上躺满了男人，不会动的不知生死，会动的身上都被绳子绑着。

杰克和安龙儿收拾完中庭的人，再向客栈前堂的食肆冲出去，看到这里早就没有任何食客，桌椅碗碟打了一地，地上也躺着人，却仍有六个人还在刀光剑影中互相砍杀，客栈的掌柜举着椅子蹲在收银柜下，全身发抖，哭得满脸泪水。

杰克向掌柜说：“不要怕，我是来帮你的，你躲好不要出来！”

安龙儿一脚把身边的桌子横踢出去，桌子平冲而去，撞向其中一人，安龙儿同时抖出身上的绳镖，绳镖贴着地面向这个人的脚踝缠过去。

这人上身被桌子向后一撞，脚下却被安龙儿用绳镖向前一扯，马上被凌空抽起摔在地上，杰克从桌子底下蹿过去，绑起这个人。

正在和刚才倒地的人打斗的另一个汉子还在乱挥大刀，对手突然倒地从他面前消失。他怔了一下，呼呼地喘着气左右找人。杰克也不傻等，反正自己在桌子底下，两手捉住这人的双脚用力一拖，又倒下一个，杰克顺势把这两个人绑成一团。

杰克绑人很有技巧——用料少，效果好，只在手腕和脚踝上下绳子，然后把手和脚反在这人的背后，扎成一圈。这种绑法叫捆猪法，是猎户和农场常用的招式，官府的捕头也会这样绑重犯。

安龙儿面前还有四个发疯的大汉，杰克绑好地上的两个人也站起来，和安龙儿一齐对付余下的四个人。

安龙儿跳在桌子上，蹲身把绳镖在头顶甩一圈，然后把绳镖全长度放出去，镖绳在脖子的高度横扫而过，安龙儿单手抓住绳尾，一缠一拉，绳镖同时缠在两个人的颈上，把两个人头收紧在一起，两人顿时脸贴着脸，非常亲热。

安龙儿马上从桌面跃至他们头顶，在空中把绳子在他们颈上缠多一圈，然后顺势落地，绳子绑住他们的脖子向地上一拖，“啪嗒”一声两人同时摔倒在地。杰克马上扑到这两人的脚上，用布条一次绑住四条腿。

“好功夫！”杰克和安龙儿身后有人大声说道，同时响起几下掌声。

身后出现十多个捕快官差，说话鼓掌的人站在那些公差的中间，身穿一套黑底青花长衫。

其中四个捕快在这个黑衣人说话的时候，已经手持绳索，冲向最后剩下的打斗者，他们越过安龙儿和杰克，麻利地捆绑起这两个人。

其余的捕快一下围住安龙儿和杰克，十多把钢刀指向二人。

一直躲在收银柜台下面的掌柜急忙走到捕快们的身边说：“何大人，别捉他们，不关他们的事，他们是这里的住客，是出来帮忙的呀……”

何大人上下打量了一下这两个黄头发，看到一个只是十三四岁的孩子，身上没有什么兵器；另一个手上也只有布条，最重要的是，这还是洋人，得罪洋人可没什么好处。遇到洋人要不当场杀了毁尸灭迹，要不就干脆对人家好一点，因为朝廷早下了通令，洋人犯事要交领事馆处理，捉了也是白捉。

何大人对捕快们说："放人吧……封锁客栈，任何人等不得出入。搜查肇事者，查问全部住客！"

杰克和安龙儿看何大人不管自己，首先跑回自己的房间看看绿娇娇情况怎样。

绿娇娇的房间点着灯，小美人好端端地坐在窗边看江上的月色。左轮手枪放在桌上，桌上冲了一壶茶，手里拿着鸦片烟枪在吹着烟圈。

看到杰克和安龙儿进来，绿娇娇冲两人笑了笑，从桌上翻起两个茶杯，给他们每人倒上一杯茶，对他们说："今天晚上，大家都不用睡了。"

发生了这样的事，大家的确没有睡意。安龙儿回到自己的房间去清点整理行李，杰克在绿娇娇的房间里喝茶聊天。月亮西斜，已是四更天。

杰克对安龙儿的身手赞不绝口，也充分赞扬了自己的神勇无敌，滔滔不绝地讲述刚才电光火石间发生的事情，不到五分钟的动作场面，杰克足足讲了半个时辰，绿娇娇似笑非笑地看着窗外的江面月色。

客房外的中庭地面排满了刚才打斗的人，他们大都身上绑着绳子，虽然动弹不得，却不停地挣扎，有些人还从喉咙里发出野兽一样的低吼声。由武功比较好的捕快看守着这批危险人物，有一个衙门带来的大夫蹲在地上，给他们包扎伤口。

除了第一批来到的捕快，随后又来了一批协助公务的衙差。衙门大概有二十多名官差聚集在这里，加上房客和排在地上的俘虏，中庭里人头涌动，但却没有人大声喧哗，只有低沉的说话声和偶尔听到的几声怪叫。

客栈前的食肆里，现在坐满了女人和老人。这些都是打斗者的家属，由衙门通知他们来到这里，以便提供帮助和办理官府的各种手续。当然，有几个衙差看守着这些人，否则这里的家属可能又要大打出手。

两个师爷带着两个簿记官在分别向房客和堂倌问情况，做记录，何大人也在其中一起查问。

绿娇娇订的两个房间位于回廊中部，两位师爷从两头问起，一直没有问到他们。

这时中庭里突然传来大声的呼救："这里还有没有郎中，有没懂医术的客人？快来救命啊！"

大家听到这个声音，都一齐向中庭看去，看到那个为俘虏治疗的大夫右手上不断流血，左手压在自己的伤口上，表情极为痛苦。

绿娇娇和杰克从窗户看出去，然后看到一个房客提着小箱子，从客房爬出回廊跑过去帮忙。

官府的大夫问出来的房客："你是大夫吗？"

那个房客说"是"，大夫马上说："不用管我，我会自己包扎，他们快不行了，你看看是怎么回事！"

那个房客低头检查一排俘虏，排在地上的人大概有一半人脸色发白，全身在发抖，这些人就是一直在打斗的主力。其他的人则静静地躺着，昏迷不醒，不停地冒冷汗。

他们全身发冷，摸上去冷冰冰的，虽然被绑住，手脚仍僵硬地用力要抓东西和蹬东西，牙齿磨得咯咯作响，脸部表情恐怖而痛苦……

最让两个大夫担心的是，他们的呼吸已经很混乱，人人的嘴里都呼噜呼噜地叫着，但是吸气越来越短，眼睛开始翻白。这样下去，窒息和抽筋都会置他们于死地。

坐在食肆的家属们因为担心家人的安危，开始骚动起来，一起往中庭挤，想看看发生了什么事。几个衙差用力顶住他们，喝止他们再向前走近，情况一片混乱。

房客大夫从小箱子里拿出一个针灸包，就要给地上的人施针，他的下针位置在病人鼻子下的人中穴。

那个受伤的大夫马上叫住："小心！他们咬人，我的手就是这样被咬伤的……"

从窗户里看着大夫的绿娇娇，脑海里飞快地闪过一幕——

一个月前，在广州白鹅潭边上，听花艇上的佣工胖阿姐说到的事情："他咬人啊，有一个人的手都给他咬去半块肉了，他挣开全部人的手，自己一头就跳到珠江里……"

"他也咬人……"绿娇娇不禁低声自言自语。

房客大夫应一声，然后随手卷起一团布塞在俘虏病人的口里："好，我会小心，他们的症状像是羊痫风，但是怎么可能一起发病？羊痫风会传染的吗？我先在几个大穴下针……”说完一针就刺入眼前那人的人中穴。官府的大夫也是万分焦急，一边用水给自己冲洗包扎伤口，一边说：“还有涌泉、太冲、内关等几个主要穴位……我马上来帮你，我也没听说过羊痫风会传染！”

两个大夫手忙脚乱地开始给十几个抽搐的俘虏施针。

两名俘虏刚刚被施过针，却整个从地上弹起，又重重地摔回去，“哇”的一声从口里喷出一口血，把塞住嘴的布团喷出来，情形越来越恐怖。

两个大夫吓得马上站起来退了两步，呆站在两个吐血的俘虏面前。

客房出来的大夫声音发抖地问官府大夫：“羊痫风……会吐血的吗？”

官府的大夫脸上又是血又是汗：“不知道……不知道……”

羊痫风俗称发羊吊，心肝肾等内脏血气失调严重抑郁都可引起发羊吊，但是由血气引起的疫病不可能产生内出血的症状，也不可能传染，所以十几人一齐发羊吊，加上两个人发羊吊发到吐血这么新奇，大出两个大夫的意料。

绿娇娇看到这里，推门走出回廊，到何大人身边对他说：“大人，民女学过一些医术，可以去帮帮两位大夫吗？”

何大人也是怔在原地，听到有人这么说自然是求之不得，也不管是谁了，只管说：“快去，快去！”

杰克和安龙儿看到绿娇娇走出去，马上跟在她身后看有什么可以帮忙的地方。

众人看到一个艳丽的小姑娘带着一个金发洋人、一个黄发小孩走到中庭，都渐渐静下来。女孩子太美，洋人太高，小孩的样子太正气凛然，这三个人走在一起突出到了极点，大家更想不到一个洋人也会出来救中国人。

他们三人到了中庭中间，绿娇娇马上安排大家做事：“掌柜的，快叫人抬两百斤木柴出来，堆在中庭！”

“捕快大哥，麻烦你们把这些人排成一圈，像围着烤火的样子，脚向火堆，头向外……还有，把他们的鞋子全脱了。”

“两位大夫，请多准备一些点燃的艾条，银针可以收起来了。”

大家连忙分头去准备这些事情，杰克和安龙儿也在中庭帮捕快们布置人圈，很快就在中庭中间生起一堆篝火，俘虏们也全部被绑着排在篝火外围成一圈。两个大夫的四只手上也夹着十多支艾条。

在中医针灸术里，虽然都是对穴位施术，但是针和灸却是完全不同的方法。

针是用银针刺入穴位，而灸则是用艾条点燃的热力在穴位上施术。艾条用艾草卷成，有很浓烈的特殊香味，因为中医认为艾草可以理气血、逐寒湿、温经止血、安胎甚至驱邪，有的地方还会用艾草来做成民间小吃。

绿娇娇看准备好场面了，走到火堆旁边，双手合十，她的中指、无名指和尾指交叉在手掌里互相钩住，两只食指合在一起，伸直指向天空，双手互扣一合紧，大喝一声："临！"

火堆忽然旺起来，一股烈焰冲上半空，映红月色照白的夜空，红光在客栈中庭上空竟形成一个光罩。

围观的众人看到火焰暴涨，热力越来越强，都吃了一惊。

绿娇娇正在使用天师道中的"退邪镇喝道藏秘诀"，双手所结成的是九字印中的第一印——不动根本印，这个手印以"临"字咒加上道家心法驱动，作用为安魂定魄，在施道术者的四周形成结界，保护四周的空间不被邪气入侵。当九字印完成，这个结界将会由守转攻，使施术者的四周产生向外扩散的保护圈，从而驱散邪气。

绿娇娇双掌一直紧贴，不停变换着手印的姿势，把结界的灵力一步步地增强。她每换出一个手印就厉声喝出一字秘诀：

"兵！"

"斗！"

"者！"

"皆！"

"阵！"

"列！"

"在！"

"前！"

九字念完，九印解开，绿娇娇的双手回到合十的姿势，火堆比刚才更旺。虽然现在是中秋寒夜，但是中庭却比夏天的中午还要热，众人纷纷开始用衣袖擦脸上的汗水。

杰克惊讶得无法形容，这个刚才还在和自己打情骂俏、风流快活的女孩，现在却像女神一样站在人群中，操纵着火焰。在杰克的心里，绿娇娇不是天使就一定是女巫。

绿娇娇走到人圈的东方，叫杰克和安龙儿把东方的一个人按住，然后叫两个大夫过来，对大夫说："我先用艾条从脚底的涌泉穴灸进去，你们二位在我灸入涌泉穴之后，在一拍的时间内，依次灸入胸前膻中穴和额前印堂穴，动作要快，但是不能比我快。"

官府的大夫问绿娇娇："光是雷公炮灸法就有十七种，姑娘说的是哪一种呢？"

艾条是像雪茄烟一样的草条，治疗时，点燃后在病人的相应穴位上定点烤热，用温度刺激穴位以达疗效，而烤热穴位的方法因为时间和热力的不同运用，有十几种之多。

绿娇娇对大夫笑笑说："不是你说的那些方法，你对准穴位，看我怎么做，你照做就是了。"

绿娇娇半蹲在一双赤脚前，火光从她背后映出，像用血红的彩墨勾勒出的一个曼妙的身影。

她口念咒语，然后屏住呼吸，双手分别拿起两支点燃的艾条，在空中缓慢地、像舞蹈一般画着图案。

艾烟在空中凝成一道符咒，在符咒还没有散去时，绿娇娇口中吐气，娇喝一声："疾！"双手用艾条快速向这双赤脚底下的涌泉穴直刺进去。

"嗞"的一声，躺在地上的人全身缩了一下。艾条的临床使用以不烫伤病人为首要，而绿娇娇这样做，病人的穴位一定会被烫伤，两个大夫从没见过这种用艾条的方法，都张大嘴看着绿娇娇。

绿娇娇双手还没有抽回艾条，艾条在涌泉穴上嗞嗞地烤着，看到两个大夫呆看着她，于是恶狠狠地瞪他们一眼，示意他们马上下手。

两个大夫醒悟过来，赶紧也像绿娇娇那样向那人的胸前和额头用艾条烫下去。

"嗞……嗞……"两声过后，地上的人全身挺起，头和脚顶地，胸向上弓着，杰克和安龙儿全力压下他，这人"啊"地叫出一声，随即从口中吐出一团白气，又昏了过去，但是脸上却现出一层红晕，不再冷白如纸，身体也开始变软，有了温暖的气息。

两个大夫也"啊"地一声叫出："行了！有救了！快快，下一个！"

大家看到一个人得救都大为振奋，马上着手治疗下一个。

绿娇娇安排大家按东南西北的顺序治疗，完成治疗时已经是五更天，东方现出一片红霞。

闹事的大汉们在绿娇娇的救治下，各自从嘴里吐出一团白气，晕迷一会儿之后，都纷纷醒过来，脸上也有了血色，都带着极为疲倦的神情躺在地上。

绿娇娇一夜没睡，为几十人施术后，浑身被汗水湿透，体力也到了透支的地步，她向大家摆摆手，让官差和家属们自己收拾，叫掌柜送一大桶热水入房间，自己关起门脱衣洗澡。

绿娇娇泡在温水里，疲累感马上从脑袋传遍全身，想思考些什么事都觉得精神不足。

她在浴桶旁边放了一张桌子，这样自己可以在浴桶里点一泡烟，好好放松一下。她闭着眼睛想要睡一会儿却无法把自己从刚才的场景中抽离出来，脑海里仍是那三十几人痛苦扭曲的脸。

驱使道术并不是一件很费力的事情，但需要意志集中到极限，对“精”、“气”、“神”是一个明显的消耗，而后带来的不只是身体上的累，更有像三天三夜没睡觉的疲惫。

离开广州之前，广州城里也出过类似的事情，郭家同姓门人同一天夜里癫狂杀人和自杀，绿娇娇和安龙儿还因为好奇，特地到出事的郭家大门前看风水，他们看到一个人为布置的风水杀局——鬼镜照堂，这让绿娇娇在昨天晚上很容易地联想到这是一次由风水引起的凶杀。

解铃还须系铃人，风水引起的问题当然只能用风水解决。绿娇娇用了一连串风水道术把人救活，心里却产生更多疑问——

为什么这些人全部带着刀？

为什么事发在中秋节？

和广州城发生的郭姓命案是巧合吗？

自己遇上这件事也是巧合吗？

……

绿娇娇决不会忘记，她的这次江西之行，正被一双无形的手安排着。

绿娇娇从床上起来时已是黄昏。她梳洗完毕，打开门走出房间，正想叫人收拾大浴桶，却看到杰克和一个清瘦男人正坐在回廊的靠凳上聊天，看到绿娇娇出来，两人都笑嘻嘻地迎上来。

杰克介绍说，这位孟颉先生是清城知县的师爷，此来是奉知县何大人之命，请绿娇娇和安龙儿去吃饭，当然也少不了英俊的杰克。

绿娇娇认出来，这位孟先生正是昨天晚上一直陪着何大人做笔录的其中一个师爷。

孟先生约莫三十岁，中等身材，面相斯文，脸上留着三道不长不短的胡子，一看就是专业师爷。

孟先生笑眯眯地走前一步，拱手说："绿小姐有礼了，知县何大人非常感谢你们三位昨晚出手相助，特在衙门内备薄酒一桌，以表谢意！请务必赏脸。"

"何大人这么客气呀……"绿娇娇说着客套话以拖延时间，手背在身后掐指算卦。

衙门的人找上来，不会没事光吃个饭，这顿饭一定有下文。不去是不太可能的，只是看衙门是不是来找麻烦，自己要不要耍花招脱身而已。

俗话说"生不入官门，死不入地狱"，绿娇娇非常清楚衙门里的事情，那些当官的人随时都可能翻脸背后捅人一刀，昨天出这么大的事也不知道有没有死人，知县要交差的话，会不会找替罪羊？还是算一卦的好。

还好，算出一个小吉卦象，"凡事和合，出门无咎"，那就去走走吧，吃衙门的饭机会不多，吃他一顿也是好的。

绿娇娇答应下来，谢过孟颉后，叫安龙儿收拾好东西，和杰克一行三人，跟着孟颉走路到衙门。

清城不如广州城面积大，也没有广州城那样繁华，但街上还是商铺林立，行人众多。

衙门距离客栈并不远，他们跟孟颉走了约半刻钟就走到衙门。

进了衙门内堂，何大人还像昨天一样，穿着家常服装在等他们，寒暄过后，何大人招呼大家进了后院。

后院是县官住的地方，作为私人场所，一般官差都不能进入公门应酬请客，县令大人会在酒楼食肆设席。凡能被请回家中吃饭的人，非亲朋好友就是尊贵上宾。

路上绿娇娇咬耳朵吩咐过安龙儿和杰克：见什么吃什么，千万不要客气，咱们是过路客，吃了这回不一定有机会吃下回，没吃饱可别后悔。

大饭桌摆在后花园，四周是何大人种的花花草草，何大人安排昨晚的两个师爷做陪客。

大家坐定后，何大人首先向三位客人敬酒，表示谢意。绿娇娇推托说不能喝酒，以茶代过；安龙儿从来没有喝过酒，就只有杰克一个人陪主人家喝了三杯。

说说当地风情、互相沟通了一个大概之后，太阳下山，月亮渐渐升起，正是十五的月亮十六圆，当月亮从后花院的东墙升起，竟把这小花院照得亮如白昼。

绿娇娇不想磨蹭时间，单刀直入："何大人，今天请我们三人来赏月，不知有何吩咐？"

何大人马上客气地说："吩咐不敢说，何某一片诚意，完全是感谢三位昨天给衙门帮了个大忙，请三位来共度佳节……"

"不过……"何大人顿了顿，这句"不过"差点让人呛着，"不过我这位师爷倒是有些事情想请教三位，还请三位不吝赐教。"

"哦……"绿娇娇明白了，何大人和许多县官一样，都不是当官的材料，也不知这官是买来的还是裙带关系搞上去的，反正就是一个衙门布景，出主意做安排基本上都由师爷全盘协助，这种情况在当时相当普遍。

孟颉把脸转向绿娇娇，看来知道要谈什么的是孟师爷："绿小姐，昨天你救的那三十多人，现在已经在家休养，他们都是当地村民……聚众闹事的案件，等他们都好一些了再升堂审理。只可惜有七人已经死于打斗和后来的发病……"

绿娇娇心想，还有一个是从我房间的窗户跳水的呢，也不知死了没有……不要搞到自己头上就行了。

绿娇娇随口推托道："其他人没事就好，我们只是房客，也不知道这么多事呀，呵呵……"

孟颉说："没有绿小姐相助，怕是全部人都要死掉，被救回性命的村民家眷都非常感激，说要登门道谢。我们怕绿小姐太劳累，今天要去看你的人我们派人挡住了，明天可就难说喽……哈哈哈……"

绿娇娇见衙门方面不是把事情往他们身上推，放下心来，静候孟颉讲正题。

“孟颉是读书人，闲时也涉猎过一些道术书籍，所以昨天看到绿小姐施术，识得你用的是道家手印秘诀，不知我有没有看错？”

孟颉能知道这些，绿娇娇不觉得奇怪。当时很多读书人才高八斗，只是失意于科举又没钱买官，才委身当师爷。她点头说：“对，这是江西正宗的道术根基功夫，已经流传很久了，民女只是学到了一点皮毛。”

孟颉看打开了话题，便继续说下去：“功夫不在高低，行善功德无量呀。绿小姐是道术高人，太谦虚了。不知绿小姐救这些人时，为什么用道术而不是医术呢？”

这是一个大家都很好奇的问题，当时两个大夫都把这些人当成羊痫风来治疗，治病不对症的话，再好的针法和名贵药材都会把人治死。绿娇娇能准确断症，着实让读书人惊讶。

绿娇娇看到桌上五个男人都停下筷子看着她，看来这回不说点什么是下不了台了：“民女看到几十人相互厮杀，还有羊痫风的症状，便想起在广州城曾有过相似的风水案，所以猜想这事会不会由风水引起，看到情势紧急，人命关天，只好冒昧出来放手一搏，试试用风水道术破解……其实当时我也是心里没底，让何大人见笑了。”

何大人听到小美人提起他，终于有机会说说话，顿时感到很有面子，举起酒杯说：“真是万分佩服，绿小姐见多识广，果然是高人啊！此事正是由风水引起。来来来，何某敬绿小姐一杯！”

于是大家随声附和着干了一杯酒，绿娇娇和安龙儿陪了一杯茶。

孟颉还有问题，喝下一杯后忙压住何大人的话头问绿娇娇：“绿小姐当时为什么要病人围着火堆，又用艾条刺穴来救人呢？用银针刺穴不行吗？”

绿娇娇一听，便知没完没了了，这顿饭成了书院研读课。不过一些正理还是可以说说。她看了一眼安龙儿，安龙儿明白这是给他上课，正襟危坐正视着美女先生：“首先羊痫风不是传染病，多人同发很不寻常；其次是发现大夫用针之后，病人会吐血，这是很古怪的情况。针刺可以疏脉顺气，也可以放血泄阳，不可能引起吐血，吐血代表完全用错了方法。”

绿娇娇看着安龙儿继续说：“中秋是一年里从热转寒的交接点，日为阳精，月是阴精，中秋月最圆的时候，正是全年阴气最盛的时节，当时圆月已过中天，是三更末刻，阴寒到极点。血在易卦中入坎卦属水，中秋时节属金，大夫用的银针也属金，金生水太过则会吐血；但是一般人体内有三昧真火，阴阳平衡，不会阳气弱到抵不过一支银针，可见是这些人的体内已经积寒气到将要死去的关头……”

绿娇娇见安龙儿听得入神，继续道：“寒气侵入五脏六腑使人手脚僵硬，侵入脑髓就会使人癫狂，所以民女先用九字印诀催动火堆产生结界，封闭月亮和节令的寒气入侵中庭；同时给病人暖身增强阳气，最后用艾条点火，画出火德星君灵符后刺入穴道，从下而上打通全身经脉，从口中驱除阴寒邪气……”

孟颉拊掌慨叹：“精彩精彩……果然得天地正理，论事有据，实施则无懈可击！绿小姐所学乃理学正宗，绝非江湖道术啊！绿小姐令孟颉折服！”

绿娇娇得到识货之人的认同，心里还是蛮高兴的，得意地向孟颉欠欠身说：“孟师爷过奖了，由玄术引起的疑难才会用玄术应对，真是有病的话，还是要请大夫医治。”

孟颉又问道：“最后绿小姐先从东面的病人救起，向南再向西北，是否也有玄机？”

绿娇娇笑笑说：“孟师爷真是细心过人。刚才说过，病因是阴寒积于脏腑，而阴寒之气非金即水。民女给病人暖身之后，从东方开始，是应五行相生之理，水生木则水气有损，木气得益；木得益则火旺，因为木能生火；而火旺……”

“就可以驱除阴寒！果然有玄机……啧啧……”孟颉赞叹道。

绿娇娇看着安龙儿，继续说下去：“风水施术，制不如化，可以把水气温和地泄出，化弊为利，总比直接克制来得正道。”

安龙儿认真地点点头。

何大人和两位师爷都纷纷称赞，又是一轮觥筹交错，大家干下一杯后，何大人对绿娇娇说：“绿小姐，何某遇上你这位活仙子，这事算是有救了——”

绿娇娇就知道有这一手，只是看要推掉还是刮一笔油水而已。

所谓“三年清知县，十万雪花银”，何大人应该也刮下不少银子，有机会的话当然要在他手里分一杯羹，劫他的富济自己的贫。再说，学道之人的好奇心也让绿娇娇不得不听下去——她太想知道这件事情的起因了。

何大人沉吟了一下说："这件事由本地两个大户人家不和引起，闹了有一年多，这中间双方都有死伤，我这当县官的也调解了多次，但总是……说来话长，一年前……"

清城往南十里有个鸡啼岭，鸡啼岭山势巍峨，峰峦叠起，远远看去恍如一只巨大的雄鸡傲视天下。

鸡啼岭有一道山泉从山顶流下，在山岭中几次回转，走走停停聚结成数层清潭，最后形成小溪流到岭下的村庄和田野，养育着一方水土。

鸡啼岭下有温凤村和上吉村，分别位于这条小溪的东岸和西岸，托鸡啼岭下的好田好水，两村一向相安无事。而两村的后代，有些门户慢慢富裕起来，从农夫成为商人，还有些人在清城开作坊和工场，清城逐渐有了两个大户——温家和梁家。

一年前，上吉村的梁家发现自己家族的生意一落千丈，梁姓的商户纷纷倒闭。他们本来想会不会是世道不好，或是经营上出了什么问题，可到了秋天却发现连田产也锐减，这就不得不怀疑是其他原因引起。

上吉村梁家的人再看看温凤村，虽然只是一溪之隔，温凤村的生意却做得风生水起，田产也大丰收，这样的情形实在让上吉村百思不得其解。

大家都在同一个地方，一溪之隔却相差如此悬殊，怎能不让人生疑？

经长期在村里农耕的村民提醒，原来年头温凤村重修了祖坟，请来了一个江西姓赵的风水师，在溪水的上游点了一个穴，刚刚把最早期的九代老祖宗迁过去下葬。于是上吉村民醒悟过来，猜想会不会温家重修祖坟，从上游夺了梁家的风水，于是也请来了一个风水先生给全村看风水。

风水先生来看过之后，对梁姓村民说，温凤村所点的确是上等吉穴，叫"灵龟饮水"，穴在上游水边，先得水因而先得气，灵龟饮过的水流到下游，对上吉村来说已成死气，所以温家一年间大富，梁家一年间大败，的确与此穴有关。

上吉村村民马上问风水先生是否有得补救。风水先生说，上吉村中也有靠水的虾蟹小吉穴地，但本来气势就不如温凤村的灵龟地，加上年头由风水师点穴夺得灵龟地的地气，福力悉数泄往温家，就算上吉村再点吉地，也不能回复当年的富贵。

上吉村民顿时垂头丧气，请风水先生相地费用不菲，再请他点穴造葬的话又是一笔费用，最后点出来的墓地穴位只能保个平平安安，不复当年富贵，再搞下去又有何益？

上吉村民无可奈何之下，只好请风水先生先行离去，商议后再作打算。

经过几天的商议都拿不出结果，上吉村民实在越想越气，最后的决定竟是以其人之道还治其人之身。大家把家里的余钱东拼西凑，聚成一笔不小的数目，找到给温凤村点穴的赵姓风水师，重金请这个风水师破温凤村的灵龟穴。

重金诱惑之下，这个风水师居然见钱眼开，答应下这件事情。

两个月后，到了赵姓风水师为温凤村继续迁葬的吉日，这一天要迁葬的是四五代之前的先人骸骨。

赵姓风水师点好位置后，就叫村民动手挖穴。

村民一直往下挖，这个风水师不住地说：深一点，再深一点……

终于挖出八尺深一个大洞，地里涌出一股红泉，众人都颇为惊慌，赵姓风水师却大赞这是好穴的吉兆，叫温凤村民放心下葬。

村民们葬下先人后，不出三月，居然出现和上吉村一样的情况——生意破落，人口伤病不断，于是马上四处寻找那个姓赵的风水师，可是那人已经一去无回，不知所踪。

温凤村民知道这下有古怪了，另请一位风水师相地要搞清楚事情。

这一次的风水师说：上次的风水师一直向下挖地，是要挖破穴地，红泉所出之地，是灵龟的头部，龟头被击破所以龟血涌出，灵龟受伤已经退回龙脉之中，灵龟饮水之穴不再存在。而如此自毁声誉的行径，决非寻常，怕是有人利诱指使。

温凤村民恍然大悟，稍加推想，马上向上吉村兴师问罪，双方大打出手，当天就死伤十余人。从此之后两姓纷争不断，从鸡啼岭下打到清城县城，在哪里见面就在哪里打，三天两头大兴械斗，官府出面也无法控制。

直到两个月前，有一个叫右轩先生的风水师路过鸡啼岭下，他知道了两村人械斗的原因，于是给两村人出了个主意。

右轩先生说这鸡啼岭上还有一个真龙正穴，如果两村人可以重新和好如初不计前嫌，他可以点出这个龙穴，让两村人一起重振家业。

两村对右轩先生的话将信将疑，因为温凤村不声不响点灵龟饮水穴夺气在先，上吉村使用反间计破穴在后，现在双方村民互相极不信任，这时又出来一个风水师，正是哪壶不开提哪壶。

右轩先生对两村人说，现在鸡啼岭下的风水全破，再无可葬之地，这样搞下去两条村子都只有死路一条，倒不妨相信他一次，按他的方法做。

两村村民商量过后，觉得一来右轩先生也不是收他们很高的润金，二来，大家的确无路可走，也只好一试。于是由右轩先生在鸡啼岭上点出一个龙脉正穴，喝象为“雄鸡啼日”。他指点要在这个穴上建起一个祠堂，安放两村的先人，使两村共享旺气，从此合为一家。

右轩先生看两村人建好祠堂基础，安放好部分先人，收下一些碎银就先行离去，说好明年再来收取其余润金。

村民们毕竟不知右轩先生的来头，难免互相猜测是不是对方请来外人作戏进一步加害本村，这一个月双方没有再械斗，生意上也有所缓和，但仍然彼此防备。

中秋之夜，两村族中主要成员相约在清城最气派的酒楼共度中秋，也正是绿娇娇一行三人下榻的客栈。他们一方面想重修关系，另一方面也防备对方借机闹事，于是双方都带出二十多人，带好兵器来喝赏月酒。

何大人摇着头说：“本来我也在家里过节，看他们两村总算能和解，以为从此相安无事，我也可以清静一下，哪知道这伙人说干就干，正在喝酒时就突然打起来……”

孟颉接着说：“衙差都休假回家，留在衙门看守的只有几个人，我们收到消息后，找齐人去到客栈，看到这两位小哥已经控制住场面，要不是你们及时绑住这些人，可能死伤更多。”

孟颉对绿娇娇说：“晚上见绿小姐出手救人，知道小姐是道术高人，今天一早我们商议过案情，估计昨晚的事和风水有关，所以想请绿小姐再帮衙门一个忙……”

绿娇娇犹豫不决，对何大人说：“何大人，民女只是略懂一点皮毛，本来不是事出紧急，也不敢贸然出手……而且民女只是路过贵地，家中还有急事……”

何大人连忙说：“绿小姐帮人帮到底，送佛送到西，一定要帮我们这个忙呀。你知道这事关乎两村上千人的生死，我们只求你能上山看看右轩先生点的龙穴，绿小姐有什么困难和要求尽管提，何某一定全力解决！”

绿娇娇问何大人："不知何大人是哪里人士？"

何大人说："何某是浙江人。"

绿娇娇又问："请问何大人在清城任期几年了？"

何大人说："有两年了……"

绿娇娇说："如果何大人政绩出众，得到百姓上书请求连任，也是百姓的福气啊……"

何大人连忙说："是啊是啊，我们地方官为的也只是能给百姓多做些好事，这三天两头的出事，我们也得东奔西跑，对谁都不好……绿小姐真是冰雪聪明……嘿嘿……"

一桌人都笑起来，只有杰克和安龙儿莫名其妙地缄口不语。

原来地方官三年一任，一个知县上任头一年得摸清地方的底细，花钱买通上上下下和黑白两道；第二年第三年才是真正赚大钱的时间，如果这个地方是富裕之地，县官也赚钱得法的话，三年下来在民间刮个十万八万两银子，是轻而易举的事。

何大人现在是任职第二年，正是刮银子最风头的时候，他当然不想自己的地方出什么乱子被上边刷下来，所以绿娇娇看定清城两个大户械斗的事，何大人一定要摆平。

如果知县在任得力，可以通过百姓上书请求朝廷留任这个官员，那么对何大人来说，就不用又去另一个地方重新花钱开展关系，打后第二任那三年，可以满打满算地赚足三年银子。这些起关键作用的上书百姓，无非是城中大户，而清城的大户也包括温家和梁家，何大人对这件事关心得合情合理。

绿娇娇看透了何大人的心事，对何大人说："民女路上盘缠不足，回乡后置办家事也需要用些银两，正在忧心忡忡……"

何大人凑过头小声问绿娇娇："不知绿小姐还缺多少盘缠？看何某能不能帮上忙。"

绿娇娇也把头凑过去，小声对何大人说："一百两……"

"啊……"何大人会心地微笑点点头。

"……黄金。"绿娇娇补充说明。

"啪嗒——"何大人的筷子掉到地上。

第六章 月映明堂

绿娇娇跟何大人谈好价钱，马上说出了自己的想法。

风水师右轩先生所布下的雄鸡啼日穴如果是凶穴，不会在这一个月内让两家人都相安无事，情势应该当即一落千丈。现在两村大户都平安过了一个月，到了中秋节月圆之时却突然发作，这是很蹊跷的事情。可能是右轩先生的高明布局，做完坏事之后已经跑路走人，这样的话当然可以慢慢处理；但是也可能这根本不是右轩先生布的局，那么这个局就有可能是临时被改变成的杀局！

绿娇娇昨晚救出三十几人，应该大出布局者的意料。如果这个布局者在今天早上知道杀人失败，那今天晚上到雄鸡啼日穴复核的可能会非常大。尽管不知道这个布杀局的人是不是右轩先生，但这个人会是一个高明的风水师，而风水师一定会复坟，于是绿娇娇马上要求何大人安排人手一齐上山，杀对方一个措手不及。

话虽这么说，但是绿娇娇有另一个想法不能说出来——

这次江西之行其实被无形的阴谋安排着，自己在广州时，和现在路上的一举一动，都有可能受人监视，如果自己一直按常理办事，就会步步陷入对方的算计之中。要打破这个被动的格局，只有走出一着怪棋转明为暗，才有可能发现对方的底细。

田野被十六的圆月照得黑白分明，十匹快马在乡间的小道上飞驰。

前面几匹马上坐着四个捕快，中间三匹马上分别是绿娇娇、杰克和安龙儿，最后是清城知县何大人和他的两位师爷。

马背上的绿娇娇和安龙儿穿着同样的衣服，灰布包头只露出一双眼睛，铁灰色短衣长裤，腰间系着布腰带，背挎布包，靴子扎着裤脚。唯一不同的是绿娇娇背上背着一支海军版大号左轮手枪，这支枪和杰克腰间的枪一模一样；安龙儿背上则是一大捆细绳和木杖。

绿娇娇出发前回客栈准备工具时，叫安龙儿找出他的衣服给自己换上。她和安龙儿的身材差不多，衣服可以换着穿。现在的绿娇娇和安龙儿，一眼看去完全分不出谁是谁。

杰克知道绿娇娇的想法，他明白今天晚上不一定会很安全，为防万一，他也从自己马车上取出一套绳索带在马上备用。

夜间路上空旷寂寥，十里路很快跑完，远远就看到鸡啼岭迎面扑来，脚下是千顷良田。绿娇娇招呼大家绕过温凤村和上吉村，远远下了马，从鸡啼岭的侧面悄悄上山。

鸡啼岭是一个常有村民上下的山头，这里的小路都有人修葺，不算难走，在明亮的月色下大家上山并不困难。在几个识路的捕快带路下，他们很快看到山腰有一片平地。

绿娇娇叫大家不要说话，停在远处等她。她叫上安龙儿，两个人一起慢慢走向新葬的墓地。

从这片平地看出去，是山下广阔的水稻田和大片的村落，这种位置是风水中的典型格局——高岗观平洋。

这片空地上的泥土明亮而湿润，显然新铺好不久。从这里可以听到隐隐约约的流水声，声音如银铃般清脆悦耳——一道细小的山泉从山上缓缓流下。

风水中对山泉水的要求宜缓不宜急，如果溪水清甜缓和，会保佑后人财丁两旺。

绿娇娇缓缓地吸了一口气，空气中有树木青草的味道、新土的气息，也可以闻到山泉的水汽，令人心旷神怡，可知这道水流没有问题。

空地的中间有一间小祠堂，小祠堂的背后是缓和的斜坡，溪水就是从斜坡上曲折流到山下的。

墓地的背后称为玄武位，主宰人丁健康长寿，这里的玄武靠山，树丛茂密，也是风水中的上乘之选。

祠堂外观约五丈见方，祠堂前有一片半圆石板地，约有三丈直径，深深地积着水，像一片大镜子倒映着月光，月色把涟漪倒映在祠堂的大门上，显得光影迷离。

任何坟墓的格局，都一定有明堂，而明堂就是墓碑前的空地，这里也就是那片祠堂门前半圆形的石板地。明堂的吉凶决定了子孙后代的财运和官运，风水上要求明堂干净宽大，最重要的是不能有积水。

处理明堂积水的方法，是在明堂的边缘开排水口，风水上也称为水口。水口位置的设定也有严格要求，水口一般都会设在大凶的方位，以求去水泄凶气，达到趋吉避凶的效果。

而眼前的明堂积水，一定是水口堵塞，或者是根本没有开水口。

绿娇娇和安龙儿从明堂趟水走向祠堂大门，推开门看到里面漆黑一片，而跨过门槛一脚踩下去，却发现祠堂里居然也全是积水。

祠堂里有积水的可能性极低，祠堂是一座房子，就算下雨有水渗入，也不会积水这么深；就算积水这么深，也不可能没有水口排水，最重要的一点是——这十几天根本没下过雨。

借着月光，绿娇娇看到祠堂的正面有一张大桌子，桌子上果然供奉着几十个先人的金塔和牌位。她走到桌前，掏出一个小罗盘测量大桌的卦线，大桌子和大门都向着西方，卦线是当运吉线，没有问题；她来到祠堂门前有月光的地方，复核了一下卦象和门向的配合，同样没有问题。看来使温梁两家男丁昨夜发疯械斗的原因不是座向的方位。

绿娇娇直接推断，水就是风水局产生杀人力量的来源，而水的出现只有一个原因，那就是人为的安排。

绿娇娇向安龙儿耳语几句，两人一起蹚着水走向祠堂外石板明堂的西北边缘，这里的乾宫戌位是明堂放水的常用水口。

安龙儿站在绿娇娇身边，面向着祠堂后的斜坡，绿娇娇蹲下身面向积水下，沿着石板边缘慢慢摸过去，果然摸到一个去水口，但是已经被一块木塞封得严严实实，木塞经过浸泡，已经发涨不能拔出。

突然祠堂后面的密林里响起树叶的摇晃声，绿娇娇大喝一声：“捕快还不捉贼！”话音未落，便一马当先向密林中扑去。

绿娇娇如此肯定密林响处有她要捉的人，主要是因为明堂和祠堂里的一明一暗两片积水。

在风水中，光线和声音都有扰乱精神的力量，如果用高层次风水邪术催动光线和声音，就会形成致人癫狂而死的风水煞气。

中秋八月时节，天星风水中以天空西南方星宿昴日鸡最为凶顽，如果在中秋催动昴日鸡的肃杀之气攻击祖坟，则子孙必死无疑。

右轩先生布下的雄鸡啼日穴的确为真龙正穴，可保两村后人大富大贵，但无论右轩先生有心还是无意，鸡啼岭上设雄鸡穴，再遇中秋昴日鸡星君当值的时节，就先天埋下了前面说到的隐忧。

而水与月，辅以这个危机四伏的时间与方向，就成了杀人武器。

水影反照穴堂，本身就是风水术中一种难以克服的煞气，随着映出的景象和时间不同，会使人的精神产生不同形式的迷乱。例如太阳西斜的红霞光影反照穴堂，就是一种很著名的凶猛煞气，被称为“血盆照镜”，这会使人死于刀剑斩杀的血光之灾。而有意识精确地使用这种煞气，则可以成为精确的杀人方法。

雄鸡啼日穴以西方为向，本来与昴日鸡星君方位并无冲突，但是明堂前有了积水，中秋的圆月在三更末刻，正好从明堂积水中反照到祠堂正门，这个方向也正是中秋致命的昴日鸡方向，于是便产生了一股无可抵挡的阴寒煞气直攻入祠堂正门。祠堂正门如果是紧闭的话，无论这股煞气如何阴邪，也不会映入堂中，光煞照不到祖先的金塔和牌位，如何强大的煞气也是枉然。

问题就出在祠堂里的积水上。

月映明堂水当然照不到祖先牌位，但是如果月光可以照到祠堂里的积水，却完全可以折射到牌位上产生杀人力量。杀人者只要把月亮的光线射到祠堂最深处的牌位，就可以成功杀人。

要做到这一点，只有一个方法，在中秋当晚打开祠堂大门，在门的上方安放一块大镜子，镜面垂直照向地面，平平架在空中，月色就可以先照到明堂，再反射入祠堂大门上方，从大门顶上的镜子反射向祠堂内的地面积水，最后把月光折射在牌位上。

雄鸡啼日穴的灵气应自然之道需在白昼见阳光才会灵动，现在于深夜受昴日鸡邪光映照一个时辰，雄鸡产生白昼的幻象，违反阴阳之道突然醒来，这才使祠堂下的同姓男丁全身冰冷彻骨，眼前只见恐怖幻觉，于是挥刀杀人。其实，不管他们杀人还是被杀，都只有死路一条。

原本好好的“雄鸡啼日”在中秋的那个晚上，已经被改局为“昴鸡幻月”。

绿娇娇想通了这一切之后，在祠堂大门内，抬头却找不到那块镜子。

这块镜子一定不是小东西，起码应该有四五尺长才可以吸收整个明堂照过大门的光线，再映出这么大片水月倒影。这般大一个镜子，在当时并没有生产，只能从西洋进口，所以价钱决不会便宜，用完后还要抬下山消灭证据更不是容易的事；再说现在正是昨晚发事的时间，月亮几乎与昨日在同一高度出现，所显杀机自然也与昨夜相同，风水师要复坟的话，一定会在这个时间来检查问题出在哪里。

也就是说这个时刻，镜在，人也必在，他们现在要做的只是引出这个人。

所以绿娇娇走到露天的明堂当眼处，有意给对方看到自己准确无误地找到明堂水口然后放水的情形。对方心里应该非常明白：水，是这个杀局的核心所在，当有人放明堂水，就是摆明了告诉他：布局已被识破，也知道他人在附近，再藏下去也没意思了，如果没有能力杀绿娇娇灭口的话，不如趁早逃跑。

绿娇娇的举动果然成功逼使对方现身。不过她并非武功盖世、为民除害的大侠，也没打算为一百两黄金卖命，之所以一马当先冲入黑暗，她自有缜密的想法。

如果对方就是迫使她回江西找《龙诀》的人，那么她一天没有到江西，对方一天不会危及她的生命，这是她最有恃无恐的地方，只要她不危及对方性命，对方也不会置她于死地，这个游戏就必须要玩下去。

因为，《龙诀》比绿娇娇的性命重要得多。

但如果对方和她没有关系，当然有可能会对她痛下杀手，而绿娇娇给自己和安龙儿穿上同样的衣服，又用布包上脸，就是防备对方认出自己。

现在和安龙儿一起出击的话，两个身影可以用来迷惑对方，也可以引导后边的捕快官差捉人的方向。

绿娇娇向祠堂背后的密林扑过去，在暗处等待的杰克和捕快马上跟着绿娇娇冲过来。

安龙儿身形更快，一步抢到绿娇娇前面，右手从背后抽出木杖，如箭离弦般率先追到树叶响处，林中果然有两个黑衣人正急急往山上逃去。

他们身穿黑衣，如果伏在地上不动，在黑夜决不容易发现，但是在寂静的山林中一旦跑动，却会弄出很大的响声，杰克和捕快们马上发现了黑衣人的踪影。

两个黑衣人很熟悉山势，他们在山林里如鬼魅一样快速跑动，安龙儿和四个捕快紧紧地咬在他们后面。

绿娇娇对他们大喊："官差把那两个人赶下山！"然后拉上杰克就从另一条下山的小路堵截黑衣人。

安龙儿一路紧追，左手从肩上拉下绳镖，但是江南的山林枝繁叶茂，他在追逐的同时脸上也被小树的枝叶抽打着，手上的绳镖根本没有机会使用。

四个捕快也逐渐追上来，占据山坡的高地位置往下压，形成合围的阵势，加上安龙儿五个人，像围猎一样将两个黑衣人往山下赶去。

绕着鸡啼岭追到北面山坡，黑衣人越跑越低，但是山坡也越来越陡峭，一般人已经不能在其上行走。

黑衣人只求逃脱，不顾一切从陡坡垂直向山下冲去，连跑带滑，下坠速度越来越快。

四个捕快见地形险峻，都放慢了追逐的速度，扶着树木坚持向山下滑去。

安龙儿身轻如燕，根本不在乎这种地形，他凌空跃起，直接就向陡坡跳下，每跳跃一次，一落就是三四丈的深度，脚一触地稍一卸力，又重新跃起，像老鹰一样向两个黑衣人直扑过去。

黑衣人正在快速下滑中，听见背后风声响起大吃一惊，想不到这个追捕者如此拼命，竟然直接跳下陡坡！

安龙儿终于接近了其中一个黑衣人，木杖从空中向黑衣人肩上刺去。

这支木杖是风水师堪地的手杖，一头圆一头尖，如刀剑一般长短，在安龙儿手上成了最好的短兵器。

两个黑衣人正在下坠中，只听得破风声响，知道兵器已经刺到身后，情势紧急来不及回头，也从腰后抽出一支木杖在自己头上圆形划过，打出一圈棍影形成一个防卫圈，“嘡”的一声正好挡开安龙儿的下刺。

安龙儿有点意外，一来对方抽出的兵器居然和自己的一样，二来对方竟使出少林梅花刀中的招式“缠头裹脑刀”。这一招最重转守为攻，刀影围住自己水泼不入，但是刀锋从圆走直时则可杀机四伏。

黑衣人这一挡果然有效，安龙儿马上不敢猛攻，只好借两杖相撞的余力，从空中横移一尺，让自己离开黑衣人木杖的攻击圈。

黑衣人无暇多想，挡开安龙儿的杀着后，也和安龙儿一样直接向陡坡连续跳下去。这样一来，黑衣人的逃脱速度就会和安龙儿一样，起码不会被对手近身缠斗。

陡坡上虽然站不住人，但是树木却少了很多。安龙儿不能缠住黑衣人，马上从手上抖出绳镖，“嗖”的一声射向近身的黑衣人。

黑衣人跳起空中正在下坠，钢镖带着绳子很诡异地从黑衣人的身下拦过，只要他以正常速度下跌，绳子一碰到他就会缠到脚上，打破他在空中的平衡，安龙儿就可以使出下一招绑起这个黑衣人。

谁知黑衣人反应极快，发现绳镖横在自己脚下，马上团身缩脚，手上木杖向脚下拨去。

安龙儿手上一紧，知道绳子碰上东西了，抖腕发力使钢镖回缠，猛地向身后收绳——黑衣人跃过绳镖顺利脱出，安龙儿的绳镖拉回来一支对方的木杖。

陡坡下便是盘山小路，两个黑衣人看快到路面，更加快了速度向下跳。趁着月色，他们猛然看到小路上有两个人在等他们，这两个人就是绿娇娇和杰克，但是急速下坠中的黑衣人已经无处可避，双方只能正面迎战。

第一个黑衣人快要接近地面，身子在空中向下扑去。杰克看准落点，双手拿着绑成套索的绳子，在头上甩了一圈后就向空中黑衣人套去。

西部牛仔最熟练的就是这种游戏，在明亮的月色下，套个人难不住杰克。套索准确地套住这个黑衣人的脚，杰克用力一拖，黑衣人重重摔倒在地上，发出一声惨叫。

第二个黑衣人被安龙儿在后面阻挡了一下，迟了一些到达山路，他身在空中正好看到前一个黑衣人被杰克套住，绿娇娇手握洋枪指住俘虏，杰克正准备上前绑人。

这个黑衣人突然在空中急速喝出咒语："昴日星君火急如律令！开！"

杰克听到声音抬头看去，感到头顶上一片黄光炸过。黄光中现出由无数白点组成的怪异图案，杰克霎时瘫倒在地上。

绿娇娇一听到这个咒语，左手拇指中指和无名指登时捻紧，扣成三清诀反手遮住眼睛，右手抬枪向着黑衣人落地的位置，"砰"的一声枪响……

天空的黄光瞬间消失，两个黑衣人都摔在地上。

刚才在空中施咒的黑衣人脚上中弹，血流如注，落地之后挣扎片刻，终于无力站起，重新摔倒在地。

安龙儿紧追在黑衣人身后，眼睛一直盯着距离自己最近的对手，这个黑衣人念动咒语、发出黄光与怪异图案，安龙儿全部看在眼里。黄光闪动的同时，他和杰克一样霎时间瘫软失去知觉，从陡坡上失足滚到坡下的山路上，重重地摔在两个黑衣人旁边。

杰克倒下后不省人事，拉住绳索的双手松开，被杰克飞索套住的黑衣人从地上爬起来，就要去扶中枪的同伴。

绿娇娇重新拉起左轮枪的扳机，厉声喝道："两个人都不要动！再动我就要开枪了！"

当时的洋枪响过一枪之后，就要重新装火药和子弹，黑衣人根本不相信洋枪可以连开两枪，他不顾绿娇娇的喝止，从地上拉起中枪的人就要逃跑。

倒在地上的黑衣人听到绿娇娇的话，心里大感惊奇，想不到还有被他的符咒攻击后仍能站立的人。当然，他也不相信这个女孩手里的洋枪还可以再开一枪。

他的手一直捂着腿上的枪伤，双手全是鲜血，这时他一手拉住扶他的人，另一只手的手腕一转，手指捻成剑诀向着绿娇娇飞快地划出一个血咒，一道赤气聚在他的指间，他唇齿微动，正要念出咒语……

"砰"又一声枪响，正要扶人逃走的黑衣人摔向斜坡边上，轰然倒地，血从颈项激射出来，像喷泉一样淋在坐在地上的黑衣人身上，这个人顿时震惊，“啊”了一声。他停下正在施动的符咒，扑过去要扶倒地的黑衣人，却无论如何也止不住血涌。

血咒是道术中的禁术，可以使对方全身血气的运行瞬间停止，马上进入假死状态，如果一个时辰内没有人能解开这个血咒，受术者就会全身发黑，血气败死身亡。

绿娇娇认得血咒禁术，完全知道如果被血咒施术的后果。杰克和安龙儿已经身中符咒倒下，如果自己也被击倒，身边绝对没有懂道术的可以救自己，十万火急之际，绿娇娇只有开枪。

但是紧急之下，绿娇娇的双手一直在发抖，本来要射向施术人的子弹，却射中了旁边的人。

初次开枪，连续打倒两人，地上血流成河，自己的同伴全部倒在地上，绿娇娇从未经历过如此场面。她双手举枪指着坐在地上的黑衣人，呼吸越来越重，声音颤抖得很厉害：“我的洋枪可以连续打……你不动的话……我不会开枪……”

黑衣人和绿娇娇一样蒙着脸，只看到一双眼睛，他的手按住同伴颈上的伤口，一言不发地看着她。

绿娇娇继续说：“你的道术我都看得懂……你……手指再动一动的话……我就会马上杀了你！”

黑衣人仍疑惑地看着眼前这个蒙面少女。绿娇娇从他眼神里看出他正在苦苦思索对策，于是对着黑衣人身边的地面“砰”地又开了一枪，打得地上土石飞溅，黑衣人吓了一跳，整个人向旁边一缩。

绿娇娇发疯一样对着黑衣人尖叫：“不许动！听到没有？！”

黑衣人这次有反应了，紧张地点点头，因为他发现这支洋枪真的可以不停地打出子弹。

绿娇娇知道他再这样盯着自己看，总会找到破绽对自己反击，于是对黑衣人叫道：“翻过身趴在地上！脸朝下不许看！”

黑衣人这次听话了，乖乖地翻身趴在地上。

绿娇娇极为担心黑衣人有任何反抗，眼睛不敢离开他半分，又不敢走近检查和捆绑他们，尽管双手已经酸软发痛，但还是坚持用枪指着趴在地上的人。

这时，从陡坡上追下来的捕快终于赶到，他们先绑起脚上中枪的黑衣人，给他止血包扎好伤口，再检查颈上中枪的黑衣人，发现他流血过多已经死去。

绿娇娇终于可以放松下来，她虚脱般地晃了晃，目光转向散落一地的各种器物。

地上有三支风水木杖，分别属于安龙儿和两个黑衣人；安龙儿的绳镖；杰克的套索；还有一张网，网上有十多面圆镜子，按天星二十八宿之一的昴日鸡宿星位排列成符咒镜阵。

绿娇娇这下才想明白，挂在雄鸡啼日穴祠堂正门上方反射月影邪光的，不是床板大的镜子，而是这个更具有杀伤力的昴日鸡符咒镜阵。

镜子被排成天星的阵列，再加上符咒开光的力量，威力远远大于绿娇娇想象中的大面镜子；而小镜子织在网上，就不用在使用安装时抬一面大镜子上山，收回的时候也可以简单快捷卷起就走。绿娇娇不禁佩服设计这个杀阵的人，如果不是心术不正，这个人一定是一代名师。

而刚才黑衣人在空中震倒杰克和安龙儿的符咒，也正是配合咒法，撒出这个昴日鸡镜阵，才有这么大的杀伤力。不过现在知道了对方用什么符咒，自然就有了解救的方法。

绿娇娇检查过安龙儿和杰克，发现他们都只是昏迷不醒，呼吸和体温都正常，于是叫捕快先抬他们到安全地方再救治。

几个捕快分头去山那边找来何大人和两个师爷，也从温凤村找来十几个村民帮忙，来了两架骡子大板车，把杰克和安龙儿放在一架车上，两个黑衣人放一架车，浩浩荡荡地回到温凤村。

死去的黑衣人用草席卷着放在温家祠堂门外，活着的黑衣人被绑成粽子，吊在祠堂前堂的大树上，由村民看守着。

说是看守，其实村民们把愤怒全部发泄到这个黑衣人的身上，木棍和石头不停打在他身上。上吉村的村民也知道捉到布风水邪局害人的元凶，纷纷赶到温家祠堂，祠堂外的人越围越多，已经有人开始用石块砸祠堂外黑衣人的尸体。

温凤村是富村，温家祠堂地方不小，分成前堂、中堂、后堂三进院子，杰克和安龙儿就被安放在这里。

绿娇娇叫人准备好黄纸和朱砂，先给两人把过脉，脉象平稳正常。虽然和昨晚发狂的人一样，他们中的也是由星宿昴日鸡镜阵发出的邪咒，现在的昏睡应该也是沉迷于幻觉之中，但是与昨晚相比，杰克和安龙儿中的只是施术者在忙乱之中急促使出的咒术，其杀伤力远远小于由天地灵气和月亮星宿等无限力量构成的风水大煞。

绿娇娇用朱砂在两人的额头上分别写上一个化气符，再用黄纸朱砂写符烧成灰，冲出一碗水让村民给两人往嘴里慢慢灌。

绿娇娇这次不会像昨晚一样大动干戈地解咒，因为那样只是救命应急的硬方法，其实对人的身体会有很大的伤害。眼前的病人是自己人嘛，病情也不紧急，所以绿娇娇用了最温和的方法给二人解咒。

过了一会儿，安龙儿慢慢醒过来，眼里茫然而惊恐，像是做了一场噩梦。绿娇娇走到他身边，拍拍他的脸问他："龙儿，龙儿……你没事吧？娇姐在这里呢。"

安龙儿回过神第一眼就看到绿娇娇，松了一口气，神情马上放松下来，伸手就抓住绿娇娇的衣服说："娇姐，我做噩梦了……"

绿娇娇摸摸他的头说："好了好了，现在大家都没事，你休息一下吧。"

杰克这时也醒过来，他突然睁开眼睛坐起来，看到四周全是人，惊慌地大叫："娇娇！快穿上衣服！"

绿娇娇听到他的话，"啪"！甩手就给杰克脸上狠狠抽了一巴掌。周围笑声大作。

救醒杰克和安龙儿的过程，温凤村的村民和清城知县何大人等都在旁边看着，看到两人都醒过来，祠堂中庭响起一阵热烈的掌声。

两个商人打扮的中年男人走到绿娇娇身边，一个长得高大健壮，五官充满阳刚之气；另一个看起来年轻一些，身体稍为矮胖，但也给人身强力壮的感觉。两人虽然身着华服，却比普通商人多了一份说不出的利落。

两人的额头正中，印堂的位置上都有一个烫伤的疤痕，绿娇娇一看就知道这二位是前日经她手救起的受咒村民。

两人走到绿娇娇面前，向她弯腰拱手行了个大礼，高个男子说："我们是温凤村乡绅，在下是温汉风，这一位是温祖宁。中秋晚上温凤村和上吉村的飞来横祸，我们几十条人命有幸得到仙姑神医搭救，否则我们村今天已经是家家举丧，户户绝后了……还未来得及上门道谢，今天仙姑又为我们捉到了破坏风水的贼人，大恩大德，永世难忘，请受温凤村全体村民一拜。”说完，带领在场的村民跪下向绿娇娇叩拜。

绿娇娇从未受过这么大的礼，连忙伸手扶起两个大男人，不停地说：“不要客气，这是何大人吩咐办的事，小女子应当尽力而为，快请起来。”

绿娇娇接着在何大人耳边说：“何大人，祠堂前面吊着一个活口，如果再不拉回衙门审讯，这人就会被当场打死了，是不是……”

何大人“哦”了一声，马上叫过师爷孟颉，嘀咕两句，然后孟颉站到中庭对村民们说：“昨天晚上抓到的贼人，按律要送回衙门审讯，再定刑罚，衙门一定会给乡亲们一个交代，现在官差会先把贼人押回衙门，到开审定罪会贴出榜文，大家可以推举乡绅来听审……”说完一大通官话之后，和官差收拾一死一活两个黑衣人准备押送回衙门。

绿娇娇看到杰克和安龙儿醒来，黑衣人被安全送走，精神一下放松了，坐倒在祠堂的石阶上。温凤村民们马上斟茶倒水，姑娘大嫂们扶绿娇娇到祠堂的内堂坐下。

绿娇娇对何大人说：“何大人，我太累了，今天看来回不了清城了，何大人你有要事就请先回吧，我过一两天再登门请安……”

何大人连声说“好”，对绿娇娇说：“那你先在这里好好休息一下，过两天我派人来接绿小姐回清城，到时再好好感谢！”转头又对温汉风说：“温先生，好好招待绿小姐，她可是我们清城县的贵客，不得怠慢喽。”

温汉风和温祖宁自然万般乐意，马上安排住处给绿娇娇。

绿娇娇脑子里乱成一团，只想放松一下，有气无力地唤道：“龙儿，给我点一泡大烟……”

绿娇娇被安排在温祖宁家。

温祖宁家是村中大户，单家独院，里面有十几间房子，房间里一点没有乡村的感觉，可见温祖宁在城里经商已久，生活习惯完全没有了农家风味。

绿娇娇从中秋之夜起就没有一天安宁，先是客栈大战，九字印破邪救人；紧接着就是夜上鸡啼岭捉风水邪师，体力消耗不说，还要出生入死，最后留下谜团重重。

她昏昏沉沉地睡了一天一夜，脑海里却一直在回想这几天遇到的每一个细节。

太阳出来的时候，绿娇娇终于醒来了。

她在温祖宁的妻子那里换上一套宽松的蓝绸褂子，是温祖宁从京城带回来的刺绣精品，样子雍容华贵，但穿到绿娇娇身上却显得她像个洋娃娃。

她抽足大烟，梳洗过后，一晃一晃地走出房门，和温家热情的家眷们打过招呼，就走出温家前院。

安龙儿和杰克都在前院，而前院中间，有两个男孩在练拳拆招。

两个男孩你来我往，拳法沉稳刚猛，绿娇娇不懂武术，但可以看出他们打的拳和安龙儿的明显不同。

安龙儿的功夫飘逸快捷，施展起来好似脚不沾地；而这两个孩子的拳法贴身短打，马步沉稳，给人挨上一下一定很痛的感觉。

绿娇娇看得入神，恍惚间回到一个月前在广州天字码头看安龙儿练武卖艺的那个下午。那一天的安龙儿名字还叫黄毛仔，对自己而言还是一个陌生的小孩，短短一个月，他们已经成了一起出生入死的伙伴，安龙儿还要陪着她千里回乡……不能不感叹命运的安排！毕竟当初绿娇娇买回安龙儿做家仆，完全出于一盘生意经。

她抽大烟的开销越来越大，只是在风月场所给妓女们算算命起个卦的话，一个月赚个七八十两银子，比很多商号的生意都要好，不是说活不下去，但是存下来的钱会越来越少，而要赚大钱就必须要做风水。

在城里有的是风水名师，怎会有人请一个女孩做风水呢？

她只有借一个男人的名堂才可以赚到风水行业的钱，但她根本不可能让一个有相当风水水平的大男人听她的安排，赚了钱还要和自己分更不可能，所以最好的选择，就是亲自教出一个半桶水水平的小男孩。

只要在城乡里由自己做媒人把他捧成仙童，自己把握着最后的风水窍门和生意，那个小男孩就可以当个会说话的活招牌。

这个小男孩要忠心，因为他要给自己赚钱，也不能害自己；小男孩也要长得好看，长得好看又古怪更好，这样才更像一个仙童，可以开更高的价。

事实上，绿娇娇在陈家村救应不利子孙的风水穴“倒地木星局”，就是对这一套赚钱方案的试验，一举赚回二百两银子。那一个下午赚的钱，堪比辛辛苦苦在妓院里跑两个月，更比一般人家两年赚的钱还要多。眼下这一桩“雄鸡啼日穴”，更是一刀就宰了县官大人一百两黄金，可见做风水师绝对比算命好赚。

绿娇娇在安龙儿身后，看着他的一头黄发。

这几天发生的事，看得出安龙儿对自己的保护是奋不顾身的，对自己言听计从，可说是百依百顺。如果自己不是一身的事情，也许现在已经和安龙儿在省城赚银子赚翻天了。

温汉风从门外走进来，一见绿娇娇马上高声打招呼：“仙姑你起来啦，休息得好吗？”

杰克和安龙儿才看到绿娇娇一直站在身后。大家互相问候过，绿娇娇对温汉风说：“温先生，小女子也是凡人一个，只是学了一点道术，请不要开我玩笑了，你还是叫我娇娇吧。”

温汉风说：“那好，恭敬不如从命，你也叫我汉风就行了，村里的人都这样叫我。”

温汉风请大家进了大厅，温祖宁的妻子叫用人端上饭菜，大家坐下来边吃边聊。

绿娇娇睡了一天一夜，肚子空空饿得发疯，使劲地把大鱼大肉往嘴里塞，吃了一阵缓过气来，坐到一旁端起茶杯漱口；安龙儿和杰克继续大吃大喝。

绿娇娇知道温汉风这一来，不会是探望聊天这么简单，于是先打开话题：“汉风大哥，有件事我不太明白……”她放下杯子，眼睛开始往温汉风的脸上瞄。

“听说前一次有人破温凤村的灵龟饮水穴，是因为上吉村的人恨你们坏了他们的风水，花大钱请人下手。可是现在右轩先生给你们安排好一个新穴，两村合葬先人，一个月来两村都平平安安，现在突然有人来破坏，你觉得……还是上吉村的人做的吗？”

温汉风笑了笑，表情有些无奈：“这次当然不会是他们了，如果不是你出手相救，他们的人在中秋晚上也几乎死光……”

绿娇娇问：“你们还有什么仇家吗？”

温汉风沉吟了一下，还是面带微笑摇摇头说：“我们是正当商人，就算得罪些什么人，我想也就是商场上的纷争，你知道了，做生意的事情，有人赚钱，就有人亏钱……”

这种答案在绿娇娇看来，完全是撒谎。如果只是商场争斗，根本不可能引来以两村灭族为目的而设下的风水杀局，更不会有人特意请来两个水平如此之高、如此亡命的风水师。

到了这种地步，温汉风还不肯说出真相，只能说明事情背后有更大的问题。

绿娇娇隔着茶几凑近温汉风，看了他一会儿，温汉风被看得浑身不自在，绿娇娇突然小声说："这件事还没完，你这样我帮不了你。"

温汉风呵呵笑了几声，对绿娇娇说："绿小姐已经帮我们很大忙了，这是我们村的一点心意，你一定要收下。"说着，从身上掏出一张山西庄票，上面写着"纹银五百两"，双手恭恭敬敬地递给绿娇娇。

绿娇娇见到又有钱收，当然不客气，这五百两救了一村男丁的性命，绿娇娇收得心安理得。

温汉风接着对绿娇娇说："不知绿小姐今天能不能带汉风到雄鸡穴上看看，给汉风一些指点，也算是为两村百姓造百年之福。"

绿娇娇正有白天上山复坟的想法，安龙儿和杰克也想上山看看当晚的现场，杰克更是越来越对风水的力量感到惊讶，上山看穴的兴趣越来越浓厚。于是备好马匹之后，四人当即动身。

秋日的田野清爽宜人，四人骑着马先在村里走了一圈，在绿娇娇的要求下，又去看过引起无数事端的灵龟饮水穴，绿娇娇以风水师特有的好奇，仔细地勘察了一遍这个已经被破坏的吉穴，又用罗经细细测量过。之后四人一面欣赏山水风光，一面慢慢遛马上山。

到了半山腰的祠堂，右轩先生所点的雄鸡啼日穴已在眼前。

两天前绿娇娇连夜上山来到这里，是为了擒拿前来复坟的风水师，心思全在拆解杀局和捉人上，对环境并没有全面的了解，现在心平气和地来到雄鸡啼日穴，才有机会好好证穴。

绿娇娇在祠堂前下了马，叫安龙儿点上一泡烟，叉着腰迎着山风吞云吐雾欣赏风水。

鸡啼岭山势雄浑，山林茂密，虽然绿娇娇没有时间到山顶寻找龙脉的发源处，但是单从山下温凤村仰看鸡啼岭，还是可以辨别出这龙脉属雄龙结穴，最宜见山窝水潭等阴地配合，阴阳得法之下自然可焕发出王者之风。

鸡啼岭上本来就有一道山泉，九曲十八弯转到岭下，在山间结下几个清潭，果然是风水中上好的格局。

绿娇娇站在祠堂前向山下望去，山下是广阔的田野，鸡啼岭上的山泉到了山下的水稻田间，依然清水环流，缠绕在田野和两村之间，正是山肥水静，福寿富贵必然无忧。

远方是屏障一样的山脉，把山下的水稻田围得水泄不通，形成有力的堂局。

最引人注目的是远方一座高峰，形如雄鸡昂首兀立，有如将军布阵时战旗猎猎。绿娇娇从马上拿出罗经对着雄鸡高峰测去，雄鸡高峰正位于三吉六秀之少微天星大吉之位。

原来右轩先生布局后喝象为雄鸡啼日，局中所指的雄鸡并不是指鸡啼岭，而是这个穴前正对的雄鸡峰。祠堂坐东向西，当太阳从祠堂背后的鸡啼岭升起，第一缕阳光一定照在穴前最高的雄鸡峰上，此穴后人必为武贵，名扬四海。

绿娇娇禁不住赞一声："真是难得的好穴！"

大家也看够了风景，现在只想听绿娇娇讲讲她看风水的结果，听到绿娇娇有话说，都围到她身边。

绿娇娇却又不说话，转身走向祠堂前的空地明堂。

明堂里还有些积水，绿娇娇叫温汉风过来："这个雄鸡啼日穴的妙处，相信右轩先生已经给你们解释过了。"

温汉风点头说是。绿娇娇接着说："所谓雄鸡啼日，所指的雄鸡是对面那座山峰吧？"

温汉风有点惊奇地说："绿小姐真是有眼光啊，右轩先生正是这样说的。"

绿娇娇笑一笑指着被木头塞住的排水口对他说："这穴是难得的好穴，只是被人临时破坏了，排水口被人有意塞上，祠堂里的排水口应该也一样，明堂和祠堂里的积水，加上贼人自己带来的镜子挂在祠堂的大门上……"绿娇娇一边走进祠堂，一边指点给温汉风看，"通过准确的计算，在中秋之夜把月光的阴寒之气，加上星宿的方向和镜子布成的符阵，形成具有杀伤力的迷幻邪光，晚上折射入祠堂内……"

温汉风皱着眉听着绿娇娇的讲解，不断点头。

“这股邪光映照牌位和金塔的时间，就是你们互相厮杀的时间。从实际上讲，这种做法意在杀人，并没有真正地破坏龙穴，也就是说，造局加害你们的人，计划中还会来第二次，他们总是要破穴的……”

说到这里，绿娇娇看了看温汉风，他的脸色很难看，但仍是带着固定的微笑。

绿娇娇又说：“如果在中秋的晚上，这里做成的昴鸡幻月局把你们村的男人先杀光，然后现在再来破穴的话，应该就容易得多了，哈哈……”

绿娇娇说得残酷，笑声尖利。

温汉风听到这里，陪着绿娇娇干笑两声，一言不发。

“对了，这水是从哪里来的呢？”绿娇娇自言自语地走出祠堂，上下四周观察环境。

安龙儿叫绿娇娇：“娇姐你看，这地上有些洞……”

大家走过来一看，果然看到地上有像用凳子轧过的痕迹，而且这痕迹还断断继继地向祠堂后方延伸出去。

祠堂后方是山坡，山坡上一道山泉缓缓流下，大家沿着地上的轧痕，走到祠堂后方的密林中，这里就是前天晚上发现黑衣人的地方，大家在地上看到很多粗大的毛竹，有些被砍断，有些则被剖开一半，而剖开一半的毛竹比被斩断的那些长得多。

大家看到这里明白过来，原来贼人是用毛竹架出一条山泉水道，从祠堂后的山坡接出泉水，让泉水从毛竹做的运水道上流进明堂和祠堂的。

绿娇娇冷笑着挖苦温汉风说：“你现在知道害你们的人请来的是多高水平的风水师了吧？呵呵，你的生意还真是值大价钱……”

温汉风低头呵呵地赔着笑，说：“难说啊，难说啊……”

杰克对那晚的事记忆犹新，他好奇地问温汉风：“当晚你也在现场打斗，你们是怎么打起来的？”

温汉风想起中秋晚上的事，禁不住摸摸额头上的伤疤：“我们当时正在喝酒聊天，因为和上吉村的人早就有仇怨，现在一时也无法互相太过信任，大家都带了兵器……然后我觉得对方的人在拔刀，而且人人都向我杀过来，我也只好应战了……其实根本不知道自己已经变成一个疯子，我当时只觉得自己好像是喝多了酒，一开始是很冲动，后来身体越来越力不从心，越来越冷，直到完全失去知觉，醒来之后才知道发生了这么大的事情，自己居然在鬼门关上走过一回……”

绿娇娇呵呵一笑：“你们在中秋之际摆和头酒，原本是好事，可是双方带刀赴宴可就说不过去了，多少有点自讨苦吃。”

温汉风叹口气说：“唉……绿小姐你有所不知，我们村一向比上吉村富裕一些，这也是他们很不顺心的地方，因为灵龟穴的事我们也主动和谈过多次了，甚至我们愿意赔钱和解，但是对方出手太狠，我们何止谈不拢，简直是见面就打呀，一个照面不小心都可能会出人命……”

绿娇娇突然对温汉风说：“你不是商人，你是武将。”

温汉风怔了一下，马上笑着说：“哈哈，汉风哪有这种福分啊，何大人和我们都很熟，我也行商多年了，这还有假吗……绿小姐何出此言？”

绿娇娇说：“右轩先生为你们布下的风水局不只是旺丁旺财，还有催旺官贵之效，这穴远处的雄鸡峰也是战旗峰，这会使这穴的后人成为位列三公的武官……应期在三年之后己酉之年。”

绿娇娇的眼睛一刻不离开温汉风的脸，他脸上的表情毫无变化，只是笑容越来越收敛，绿娇娇慢慢地说下去：“作为风水师，右轩先生当然很清楚，他也会告诉你这个穴的发事和应期。祠堂里门开两扇，神台上左边梁家，右边温家，但只有你们温家那一边，可以正对雄鸡峰，上吉村的梁家只能攒个富贵平安，右轩先生的布局，完全倾向温凤村！”

温汉风笑容全部消失，取而代之的是一张毫无表情的脸。

绿娇娇口中不停，人却慢慢走到杰克身边：“刚才山下看到的灵龟饮水穴，主要的气点也在这座战旗一样的雄鸡峰上，也就是说，你们一开始设下的灵龟饮水穴，也是以武贵为目的。那个龟背一样的山丘，实际上是一个战阵中的中军帐，和前面的旗峰形成一个不易察觉的风水局——十面埋伏，同样是三年后己酉年运行至旗峰发武贵。这样说来己酉年一定会发生什么事呢？这和雄鸡啼日穴不是巧合吧？”

温汉风头上冒出细密的汗珠。他走到山边面向山下的田野，也许不想让绿娇娇看到他脸上的变化。

绿娇娇可不想拖延时间，说话的声音咄咄逼人：“我看过你们先人的灵牌，你们村没有考科举之人，刚才在村里我也注意到，现在都没有人为官，而村中风水最好就是你和温祖宁的家，你们两人现在是商人的身份，要在三年后位列三公，莫非想自己封个官来做做？”绿娇娇一边试探，一边已悄悄地走到杰克身后，带着一个深不可测的微笑，侧头看着温汉风，等待答案。

温汉风长叹一声，说道："绿小姐简直是神仙再世，只可惜……"

大家都沉默着，绿娇娇把杰克的右手放到他腰间的左轮枪上。

温汉风依然面向山下的村庄和田野，太阳暖暖地照着山冈，而山风吹过，却让人心里发冷。

绿娇娇看到温汉风背在身后的双手同时做出两个不同的手势：左手拇指和食指弯曲，中指、无名指和尾指伸直；右手握拳，食指和拇指张开成八字，虎口向着地面。

绿娇娇看了一会，眼睛盯着温汉风的背影，轻轻地一字字道："三……八……二十一。"

第七章 洪门暗号

温汉风听到绿娇娇念出这几个数字，又沉默了一会儿，慢慢地转过身。

杰克的右手闪电一样拔出左轮手枪，只听得“哗啦”一声，右手拇指同时扳开枪后的击锤。温汉风眼神锐利地看向绿娇娇时，枪已经指住他的头。

安龙儿还不知道发生了什么事，不知如何是好，看到杰克用枪指住温汉风，他只好横跨两步站到绿娇娇和杰克那一边。

温汉风面对着枪口，恢复了一如既往的微笑，当一切都摆明了之后，人反而更平静。

原来温汉风背着手做出的手势，正是洪门暗号。

洪门是清朝著名的反政府组织，从未停止过反清复明的武装行动。白莲教、小刀会、天地会等许多反抗组织，都起源于洪门。为了防止清廷奸细渗入洪门，这个组织设定了大量的暗语、手语和著名的茶杯阵。洪门兄弟见面出手不离三，一定会用手势表示出数字“三”，就算闹市之中不能对话，也可用手势交流。

温汉风手上摆出的是“三八二十一”，这一行数字组成了一个“洪”字：“三”是左边三点水，“八”是右边共字的下部两点，“二十一”就是右边

"共"字的上部，"廿"字的下边再加上一横，正好组成一个"洪"字。

"三八二十一"是洪门兄弟相认的秘密暗号，非经过严格审查背景的人以及没有加入洪门学习过暗号者，不可能解读。

温汉风听绿娇娇读出手语，心里有了一半底，知道还可以谈下去："绿小姐真是无所不知，到底是什么来头？莫非你是山上的八妹？"

温汉风这一问也有机关在其中，洪门组织以地区分"山头"，"山头"下设不同的堂口，门中已婚的大姐大嫂暗语称为"四姐"，未婚的小妹称为"七妹"，"八妹"对洪门暗语来说完全是胡扯。

温汉风问得如此狡猾，只想看看绿娇娇能否听出暗语有错，也可知绿娇娇入洪门的深浅。

绿娇娇早从温凤村的风水中看出此村布局有如兵阵，对于一个村子而言，一定有古怪，但是要造反的人，也得看是什么来头，所以咄咄相逼。

现在绿娇娇终于得到了自己想要的结果，心里的疑团抽出一条线索，对着温汉风咯咯地开心大笑。笑够了，她对温汉风说："我是山上的七妹，哪来的八妹呢？汉风大哥不用担心，我是何大人花一百两黄金请上山复查你们村风水的，我只是路过清城，过两天还得赶路回乡呢。"

温汉风听到绿娇娇正确地自称为"七妹"，神情放松下来，说："原来都是兄弟姐妹，这洋枪可以收起来了吧？"

杰克和安龙儿面面相觑——这两人说的都是人话，自己怎么就听不懂呢？

绿娇娇笑着按下杰克的枪，拍拍他的屁股让他把枪收起来，对温汉风说："这两位小哥是我的兄弟，也是你们的救命恩人，汉风大哥也不要为难他们。"

温汉风朗声大笑道："两位兄弟智勇双全，是我们村的大贵人啊，怎么会为难他们呢？绿小姐，风水看得差不多了，不如到舍下坐坐？"

绿娇娇知道下一步要做什么。按洪门规矩，入山就要拜山头，这一去不是去温汉风的家，而是要到温凤村的洪门堂口。为了走下一步棋，这个堂口一定要拜。

在温汉风的带领下，四人一起策马下山。

回到温凤村，温汉风带着绿娇娇一行骑马穿过村里七拐八弯的巷子，到了一座大宅前下马，温汉风招呼大家进门。

进门一路都有用人和温汉风打招呼，走入大宅中部是一片露天的庭园，两边分别排着兵器架，插满长枪大刀。

再走入去就是中堂，堂内两边排列着十二张太师椅，正前方一块牌匾高高在上写着“国泰民安”，牌匾下挂着一幅山水画。

绿娇娇暗中一数画中的山脉，共有九条，于是对温汉风说：“汉风大哥，这是九龙山吧？”

温汉风笑笑说：“知道就好。”

原来在洪门划分的山头里，广东地区为九龙山，这幅画是洪门堂口的标记。绿娇娇一口道出九龙山，温汉风自然心中了了。

温汉风等大家都走进来后，叫用人关上门，自己从九龙山水画下的案台下捧出一个小香炉放在案台上，再抽出一扎黄香放在香炉旁边，然后伸手抓住九龙山水画拉起一翻，把画翻到另一边去，现出一幅《关公夜读图》。图的两边是一副对联，写着“亭无终日好，花有半朝香”。而后他站到一旁，面带微笑地向绿娇娇做出一个“请”的手势。

这分明是要看绿娇娇接下来的动作，只要绿娇娇的举动有半步差池，温汉风必然怀疑她的来历。

绿娇娇伸手抽出九支香，给杰克和安龙儿每人三支，叫他们跟着自己做。

她把香点着，自己站在中间，双手用食指和中指夹住三支香，拇指展开，无名指与小指屈起，做出洪门中代表“天”的手势，双手合起高举过头，慢慢跪下，朗声念出四句诗：

“洪水泛滥于天下，
三千结拜李桃红。
木立斗世天下知，
洪水结拜皆一同。”

读完诗，跪在地上拜三拜，然后站起，用双手食指和拇指捏着香，其余三指伸直，以代表“地”的手势把香插到香炉上。杰克和安龙儿不知为何，却也不敢怠慢，乖乖地一一照做。

三人上过香，温汉风已是满面笑容，热情地迎上一手搭着安龙儿的肩，一手拍着杰克的手臂说："能有这样的好兄弟，何愁大事不成啊！绿小姐，今天晚上在我这里吃饭，汉风叫上全村兄弟姐妹一起来感谢你们的大恩大德！"

绿娇娇当然高兴，因为温凤村的事情这才算是刚刚有点眉目，想要知道更多的事情，还要进一步了解。于是她应下温汉风的晚宴邀请，说要先回房中休息一下，就带着杰克和安龙儿回了温祖宁的家。

回到自己的房中，她马上找出大烟枪狠狠地抽上几口，然后给杰克和安龙儿讲解洪门的秘密和刚才所做每一个细节的含义，并且反复叮嘱他们两个：洪门的事情宁死不能泄露半分，否则不单朝廷会要他们的人头，洪门的人一样不会放过他们。

杰克奇怪地问："娇娇你知道这么多事情，你是洪门的人吗？"

绿娇娇冷笑一声："哼，我们现在是在温凤村，整个温凤村都是洪门堂口，我能不是洪门的人吗？"

到了晚上，绿娇娇一行三人在温祖宁家人的陪同下，来到温汉风家。

温汉风家已经摆了三十几张大桌子，从露天的中庭摆到进中堂，座无虚席，好不热闹。绿娇娇等三人被安排在主席位，和温汉风、温祖宁两家主人坐在一起。

还没有上菜，一户一户人家轮流不停地来到绿娇娇的面前道谢磕头，这些都是中秋晚上被救的大汉和他们的家眷。

被绿娇娇救过的大汉样子都很好认，因为他们的额头上都有一个被艾条烫伤的印记，他们一抬头看着绿娇娇，她就会注意到那些伤疤，忍不住笑出来。温凤村的村民们还以为这仙姑有多喜欢他们，大家也都欢天喜地地喝酒划拳。

村民们都来表过心意，主席桌上清静一些，长得有些矮实的温祖宁要给绿娇娇敬酒。这人外表粗豪，说话声却很文雅，他对绿娇娇说："祖宁的命也是绿小姐救回来的，想不到你也是我们的兄弟姐妹，祖宁真是三生有幸。绿小姐，我敬你一杯。"

绿娇娇今天滴酒不沾，她说："小妹一向不会喝酒，今天以茶相代吧，谢谢大哥。"

温祖宁自己干过一杯后，借点酒兴就问绿娇娇：“绿小姐，我听汉风大哥说过你今天上山看雄鸡啼日穴的事，有件事我不是很明白，想请教一下。”

绿娇娇放下茶杯说：“是什么事呢？”

温祖宁说：“我们温风村男女老少几百口人，为什么中秋的晚上，只是我们这些去清城喝酒的人会出事呢？”

绿娇娇说：“想不到温大哥还是很细心的人，连这些事都注意到了……其实这个用水布出来的风水杀局，利用月亮的光影移动产生煞气，除了时间上只有两个时辰的效力外，还因为光线要从祠堂外的明堂折射到祠堂里面，折射的路线远，光线当然也窄了，越窄的光线，对要伤害的人就越集中。”

温祖宁说：“所以就集中在我们这一群人身上了？”

绿娇娇看了看旁边的温汉风：“实际上，布局的人非常清楚地知道要先对付村里的哪一批人。这个布局的那一道煞气，从昂日鸡方位的坎卦攻入祠堂，只杀村中有孩子的中年男人……”

绿娇娇干脆对温汉风说：“我今天早上提过，对方的计划完全可能是先杀村里最强壮的男性，然后再真正破局对付全村妇孺。汉风大哥你认为黑衣人会是什么人呢？”

温汉风对绿娇娇说：“我们还是进里边谈吧。”说完安排杰克和安龙儿在外面继续吃东西，又叫上了温祖宁，和绿娇娇三人一起走入内堂喝茶。

这时，温汉风终于愿意原原本本地说出事情的始末。

原来温风村属洪门九龙山泰安堂，温汉风正是泰安堂的堂主。为了反清复明的大业，温风村泰安堂一直经商筹集经费，等待有朝一日起义。为了在清城地区得到良好的屯兵积粮的环境，温风村一向与清城衙门过从甚密，这样一来可以迷惑官府视线，二来可以制造贪官污吏，三来可以从中得到不少朝廷的动向。并且他们早已做好打算，一旦起义，就可以首先一举拿下清城。

两年前，洪门九龙山龙头发出密令，己酉年南方各山头同时起兵攻城掠地，先占领中原南部，再向北部推进。

于是泰安堂在屯兵积粮之余，更从江西花大价钱请来一个名叫赵建的风水师来修坟造穴，打算在风水上做做文章，力求己酉年起义一举成功。

温汉风告诉他，温凤村一向尚武，他正在花大钱买通官府，想先弄个武举人当一下，希望四年后可以扶遥直上，当个大官。

赵建一口答应，布下了十面埋伏穴。

谁知道这个十面埋伏穴对地气的消耗极大，河对面的上吉村一落千丈，引出后来赵建收重金自己回来破穴的事情，局面才变成如今这般。

温凤村元气大伤，马上发出江湖追杀令，追杀赵建，同时花钱和上吉村和解。但是上吉村民却一直苦苦相逼。这样下去，一来自然会引起官府注意，二来很容易暴露温凤村作为洪门泰安堂的真正身份。事情传到洪门龙头山主那里，山主意识到此事影响可能会很严重，于是从身边得力的左右二相中派出右相右轩先生重新勘地，并作了一场戏给上吉村民看，使他们能安居乐业下来，不再打打闹闹。

但是右轩先生刚走，想不到就有黑衣人来布下杀局……

绿娇娇听了事情的大概，分析应该合情合理，不会有多少假话，于是对温汉风说："你想过是朝廷派人来布局杀人吗？"

温汉风说："这是最有可能的。老实说，中秋节晚上死的六七个人，全是上吉村的人，可能是因为我们村的男人都练武，就算再失去理智，身上的功夫都不会比对方差……所以，上吉村不可能请人回来布个杀局杀自己。"

绿娇娇说："如果朝廷对温凤村的动作有证有据，就会直接挥兵进村捉人。现在他们这样出手，证明他们找不到证据。只是你们布下的风水穴太过张扬，虽说风水好没有犯皇法，但是朝廷则会万分忌讳……你们是捐税大户，朝廷不能直接对付你们，只好先布下杀局，杀伤温凤村的主要战斗力，然后就是破穴，让这里九代都无人发迹……神不知鬼不觉地完成诛杀。"

温祖宁接过话头："这一次在鸡啼岭上，两个黑衣人一死一伤，如果我们再有什么举动，朝廷就会以莫须有的罪名屠村，但是我们置之不理，又会被对方继续破坏……真是头痛。"

温汉风说："我们现在不能轻举妄动，就算我们的财力足够，现在起事也是非常被动，拖累其他堂口不说，说不定还正中对方的诡计，眼下……还是要守。"

"装傻吧你们……"绿娇娇抽着大烟，嘴里一边喷着烟雾一边说话。

“何大人和你们很要好是不？”绿娇娇认为这是一个棋子。

“对，我们在他身上花了不少银子，当然我们也有钱赚……”温祖宁样子五大三粗，其实心思细密得像个女人。他是泰安堂的军师，洪门内称军师为“白纸扇”，专门负责管理、策划和谈判。

他不紧不慢道：“何大人方面，只想平息这事，让我们好好赚钱给他花，那黑衣人到了他手上，应该要受点苦了。”

绿娇娇笑笑说：“这黑衣人受不受苦，得看朝廷想不想把对你们的怀疑捅到地方上，现在还不知道怎么样呢。”

温汉风点点头：“对，明天看看黑衣人怎么处置，就知道我们还能不能平安压着这事。”

绿娇娇开始困了，站起来幽幽地说：“现在还不知道何大人那边的想法，你们最好有两手准备，实在逼紧了，还是要先撤出温凤村……还有，从现在起雄鸡啼日穴上要布防了。”

第二天大早，衙门果然派来马车接绿娇娇回清城，温祖宁也从家里赶了一架马车出来，一起到清城县衙门，意在看看何大人要怎样处置黑衣人。

中午时分到达清城县衙，见过何大人和两位师爷，绿娇娇马上问黑衣人的下落。何大人的师爷孟颉说：“犯人收监后就一直在严刑审问，但是他一个字都不说，现在已经昏过去了。”

绿娇娇看一眼温祖宁说：“不说没问题，人还在就好。”

温祖宁明白绿娇娇的意思，这个人还在，证明何大人这边并不怀疑黑衣人的来历，只当成是盗墓贼来看待了。

孟颉摇摇头说：“其实大清律例里发冢盗墓也不是死罪，破坏风水的话更是没有条例可考，顶多判盗窃破坏他人阴地，三五年流放也就打发了，他好像也没必要这般嘴硬，哼，真是奇怪……”

“那岂不是让他在这里白吃了几天饭？”绿娇娇语带讽刺。

察颜观色是师爷孟颉天生的本领，他听出一点绿娇娇的意思：“莫非绿小姐想看看这个人？”

温祖宁开口打圆场：“他破坏的是我们的祠堂，我们也想见见他，看能不能问出些什么，孟师爷，方便吗？”

孟颉看看何大人，何大人满面堆笑表示同意——对何大人来说，谁审都一样，不用他审就行了。

于是孟颉带大家到羁留所。牢房深处，奄奄一息的黑衣人一身血迹，双眼无神地躺在角落里。

黑衣人看到一大群人在牢房外看他，眼神闪烁了一下，又合上双眼。

狱卒把黑衣人架出来扔在审讯房的地上，一条铁链拴住黑衣人，铁链的另一头绑在刑具架子上。其时他遍体鳞伤，脚上又有绿娇娇开枪打的枪伤，只能趴在地上。

温祖宁走到他面前蹲下问道："我们温凤村和你无怨无仇，你犯的也不是死罪，我们其实可以花钱让你过得好很多……你知道，我们只想知道是谁派你来的。"

黑衣人头靠在地上，翻开眼看着温祖宁，过了一会儿又合上眼趴在地上。

绿娇娇从黑衣人的眼神里，看到他对温祖宁的反应不是不理睬，而是不屑一顾，而这种不屑一顾只有一种可能：他知道自己可以平安离开这里，他要做的只是拖延时间。

她也急于想从中知道一些事情，于是蹲到温祖宁的身边。黑衣人看到绿娇娇，眼睛紧紧盯着她。

黑衣人四十岁上下，虽然被村民和狱卒打得满脸是血，但仍可看出额头天庭饱满，山根隆起，脸旁两腮地阁方圆，可见此人少年起运，早入官场，现在定有官禄在身。而多年的官场升迁，现在这年纪起码已经是六品官，论官阶应该比何大人还要高。

绿娇娇压低声音问他："一个月前，广州郭家的鬼镜照堂是不是你们干的？"

黑衣人眼睛睁大了一下，喉咙里"啊"出一声。

大家终于听到黑衣人开口，都围了过去。

黑衣人断断续续，每说一个字都像是费尽力气："我只……和她说……你们……出去……"

绿娇娇眉头一皱，心里打一下鼓，这一招非常狠毒啊！

黑衣人一点也不简单，只用一句话，就在温家的心里留下一个疑团，绿娇娇和温家的关系马上成了一个拆无可拆的死局。

谈？还是不谈？

谈的话，出去之后面对温家，无论如何不能让人相信她会全盘说出黑衣人说过的话，而温家也会怀疑她和黑衣人之间有什么关系。

不谈更傻，只证明绿娇娇心虚回避，温家更会对她怀疑到极点。

绿娇娇和黑衣人一交锋就处于下风，现在已经不能退出这次审问。

干脆豁出去，绿娇娇不在乎和温家的关系，她首先要搞清楚的是自己的事情。于是绿娇娇示意全部人出去，她单独和黑衣人谈。为了防止不测，手里拿着杰克的手枪。

黑衣人问她："你……是村里……请来的？"

绿娇娇说："你还没有回答我，一个月前广州郭家的鬼镜照堂，是不是你干的？"

黑衣人显得很痛苦，身上的伤让他不断低声呻吟，但却努力在说话："一身……都是……命，半点……不由……人。你以为……你枪法好，其实……我……师弟……早……知道……会死……在那天……夜里……"

黑衣人答非所问，绿娇娇明白他是在拖时间，一来他要拖到有人救他，二来他要分化温家身边最强的人。

假设他是朝廷的人，而他假设温家是洪门，那么这个离间计使得非常有效。

绿娇娇只能顺着谈，尽量从一点一滴中得到更多的情报："明知道要死，何必还来呢？身不由己吗？"

绿娇娇一句"身不由己"，暗示了对方的公门来历。天下求财之人无不贪生怕死，只有朝廷公门，生要去死也要去，根本无可选择。

黑衣人苦笑了一下说："你……这样问……我……就知道……你们……是洪门……"

绿娇娇说："什么洪门呀，我们和你没仇，一会儿我们就给你包扎好伤口，带你到安全的地方养伤。"

黑衣人也知道绿娇娇说的话是对他的恐吓，只要温家现在把他带出这个牢门，国师府派人来见不到他，他的下半生就要被朝廷追捕。

他很艰难地翻过身躺在地上，仰天张开嘴无声地笑着说："你们……来不……及了……"

绿娇娇笑一笑说："我就知道你没事。"

黑衣人看着绿娇娇的脸说："你道术高……当然……知道了。姑娘……你命不好……不要留在这里……害自己。"

绿娇娇蹲在地上，低头看着他的脸说："我知道我的命不好，这不用你说。只是你们天星派一向只在钦天监里给皇宫里司礼择日撰写皇历，为什么要到这里出生入死，害人害己？"

黑衣人听到这里，眼睛慢慢闭上，过了一会儿再睁开眼："姑娘……真不……简单，如你所说……身不由己……"

黑衣人间接承认了自己的身份，却让绿娇娇心惊肉跳——第一次杀人就杀了个朝廷命官，如果朝廷追查这件事，她马上会被全国通缉，并且立斩不赦。

绿娇娇没时间和他一字一句地耗，只能抓紧时间追问下去："你们现在破穴的方法，效果很差呀，没有更好的方法吗？"

黑衣人头放松了一些，脸转向一边说："还有什么……方法，拿个锄头……把坟挖掉……就行了……"

绿娇娇气得翻白眼，这样完全问不出关于《龙诀》的内容。

黑衣人喉咙里呼呼作响，呼吸越来越困难，但他还要努力地说话："为什么……那天晚上……我发出……的天星……幻咒……你用三清诀……可以挡住？"

"三清诀"是基本的凝神护身道诀，绿娇娇在当晚一见黑衣人的幻咒在半空闪出、快如闪电的情形下，也只能随手捻诀凝神，尽力一挡。

绿娇娇把头凑到黑衣人的耳边，狠狠对他说："不是三清诀厉害，而是那天晚上我刚刚来月事，见红了……"

黑衣人一听这话，惨叫一声昏死过去。

绿娇娇听到审讯室外有人敲门环，然后师爷孟颉急匆匆推门走进来，他对绿娇娇说："广州府的知州派来公差，说他们那边也出过类似的盗墓案，一直没有破案，听说我们县衙捉到一个，现在来提人回去审理。"

绿娇娇看看昏死在地上的黑衣人，不禁佩服此人卦术高强，开口说话的时间拿捏得刚刚好。

几个佩刀官差走进来，看了一眼绿娇娇，又看了看地上的黑衣人，问孟颉说："就是他了吧？"确认之后，就叫狱卒架起黑衣人出了衙门。

原来门外早准备好囚车，活着的黑衣人被扔进车上的木笼，死去的黑衣人用席子卷着绑在囚车后，广州府公差和清城县衙交换好公文，马上赶车离开，前后不过一刻钟。绿娇娇和温祖宁眼睁睁地看着黑衣人被人带走，消失得无影无踪。

在衙门的角度来看，这件案子已经告破，终于为乡亲破了案做了好事的何大人最开心，一直抚着手掌笑呵呵地乐着。

事到如今，温祖宁只好谢过何大人和孟颉，和绿娇娇离开衙门。

绿娇娇说奔波了几天，想和杰克、安龙儿回客栈休息，温祖宁却显得面有难色，他还想知道黑衣人对绿娇娇说了些什么。

绿娇娇非常了解现在的情况，这个场面和关系，正在黑衣人意料之中，也许，黑衣人现在因为计谋得逞，已经笑醒过来。

绿娇娇说："不如这样吧，祖宁大哥不嫌弃的话，先和我们一起回客栈，也休息一下，我们晚上再谈。"

能跟着绿娇娇，温祖宁当然满口答应，他现在最担心的就是绿娇娇带着黑衣人的秘密不辞而别。

一起回到客栈，绿娇娇叫人准备好热水浴桶入房，她要好好地泡个热水澡，只有这当口，那温祖宁才不会叼住不放，自己可以好好地想想事情。

绿娇娇还住到刚到清城下榻时的江景上房，从这里打开窗户可以看到碧绿的北江，江上渔船和商船不时掠过窗前。

太阳已经西斜，阳光照在房间一角的床铺上。绿娇娇泡在浴桶里，吸着大烟慢慢清理自己的思路。

从黑衣人的话中，绿娇娇肯定了很多个猜想，这也是她一直主动努力为温凤村解救风水煞的最终目的，雄鸡啼日穴一战总算有收获。

天星派风水术，最擅长择吉定向，当然反过来用的话，也最擅长通过时间和方位杀人，一向是皇宫内的司祭天文机构钦天监的专用术数。

绿娇娇和黑衣人的对话里，黑衣人的态度和默认，再加上温凤村的秘密背景，都让绿娇娇几乎肯定黑衣人是来自朝廷的安排。

从温凤村和广州郭家的死人事件来看，这是出自同一门派的杀人手法，如果都是朝廷派出的天星风水高手所为，为什么广州官员郭大人也会被杀？

或者天星高手在下手时，并不以官员或叛党为依据，而是他们有一套自己的归罪方法——

任何人都可能是他们下手的对象，只要……只要他们富贵在即，或者说，只要他们的祖坟有很好的风水，都可能是天星高手们下手的对象。

而且，天星高手们下手的地域很广，短短一个月，就从广州搞到清城，他们对每个地方的地理龙脉都非常熟悉，这可是民间风水师不太可能做到的事情。

龙脉变化万千，或隐或现，寻找一条好龙脉跑几个月是很正常的事情，每一个风水师都有自己熟悉的地区和地理环境。风水名师到了一个新地方，没有三五天或是半个月，都不可能拿捏准确山水的来龙去脉……只会骗钱的俗师根本就找不到龙脉。但是来自宫内的天星高手们，来到广东偏远的南方，似乎下手很准很肯定，好像他们对天下龙脉都已经看得一清二楚，正在有策略地开展一次风水大战。

如果朝廷在有策略地进行大规模风水战，那对他们来说，最有用的莫过于安家收藏了上千年的《龙诀》。

《龙诀》风水术，世间没人听过更没人见过，根本就不是现在世上各门各派的风水，知道这个秘密的只有安家的几个家人。

就算《龙诀》来自天子禁宫，朝廷如何得知《龙诀》在安家手里呢？

这不是现在可以找到答案的问题，但是绿娇娇在广州的家被破坏，对方留下明示是完全不用猜想的事实。再加上现在绿娇娇所杀的人，九成是朝廷命官，如此说来她现在已经是身带死罪的重犯，朝廷如果想要她的人头，理由已经相当充分。

实际上绿娇娇现在已经退无可退，不能装成没事一样再和安龙儿回广州看风水赚银子了。

隐居江湖的话，朝廷迟早会通缉她，回江西找父亲解决《龙诀》的事情，也是前途未卜……

但是如果就这样被幕后操纵得服服帖帖，最后让对方顺利得到《龙诀》，自己就会安全了吗？

绿娇娇心里把事情背景大概组织了一下，却感到自己像一条入了网的鱼，下一步棋该如何走呢？

她从浴桶里站起来，擦干身子穿好衣服，走到杰克和安龙儿的房前敲门。

来开门的是杰克，一看见绿娇娇就眉开眼笑："我的娇娇，你身上真香啊……"一边说着一边让绿娇娇入了房间。

安龙儿正坐在窗边看书，看到绿娇娇进来，马上站起来拉凳子，倒茶给绿娇娇。

绿娇娇叫杰克关上门，三人一齐坐到桌子旁边。这一刻，让绿娇娇恍惚感到这是一个家。她看着安龙儿和杰克，忍不住露出笑意。

安龙儿少年老成，为人正直，保护自己奋不顾身；杰克放下广州的华洋贸易，陪自己走上险路却从无怨言，爱护她，也教给她许多新知识。看着这两个男人，绿娇娇几乎要感谢老天爷，他们像是老天爷给她的礼物，陪着她面对危险。

绿娇娇从衣袖里掏出两张银票，每张十两银子，放到安龙儿和杰克面前，说："这几天大家都辛苦了，看风水呢……也有些进账，大家都分点银子开心一下。"

安龙儿一辈子没见过这么大张的银票，禁不住喜上眉梢，手拿着银票左看右看。

杰克皱着眉头，两只手指捻起银票说："你喝我的酒，坐我的车，用我的子弹，还让我帮你捉贼，才值十两银子？我认为起码要二百两……"

绿娇娇从衣袖里再掏出二两银票说："早知道你这奸商要讲价，我可没叫你上山捉贼，你要加二百两也可以……"说着在桌下踢了杰克一脚，"不过以后你就别指望有罪了……"

杰克想起来，中秋那晚上的"原罪"还没发生呢，他可不想纯洁地回广州。

"二两，要不要？"绿娇娇抖一抖手中的小银票。

杰克一手扯过银票说："要，都要。"

绿娇娇又踢了他一脚说："什么都要，我还不给呢……龙儿别眼红，这奸商出了点成本，这二两是我给他回本的。"

安龙儿问绿娇娇："我们是不是准备上路去江西了？如果出发的话，我今晚就收拾马车和行李。"

绿娇娇笑笑说："不急，先聊聊天。你们都打过猎吗？"

安龙儿说："我打过小鸟……"

杰克说："我打过狗熊，也打过狼。"

“那就好，那么你们在打猎时最怕猎物怎么样呢？”绿娇娇接着问。

安龙儿说：“打鸟最不想被鸟儿发现自己，鸟一发现人走近，就会飞走。”

绿娇娇看着杰克，杰克说：“打熊当然也怕熊跑丢了，不过熊要是发现猎人的话，就要往回扑，要伤人，我们也不想给熊扑回来咬一口。狼的话……”

绿娇娇很好奇：“狼是怎样的呢？”

杰克耸耸肩说：“狼很狡猾，如果不小心跟不住，让狼跑丢了，狼还可能会绕到猎人的背后，反过来袭击猎人。要是为了打猎做食物，我们都不愿意打狼，除非狼偷吃我们的羊太厉害了，我们才会组织好围猎狼群。”

绿娇娇点点头，若有所思，“如果只有一两个猎人，却要去跟踪狼的话，一定是很危险的事。不想被发现，不想被正面反扑，更不想被反跟踪……”

安龙儿问：“娇姐，我们要去打猎吗？”

绿娇娇合着嘴唇狡猾地笑着，摇摇头说：“嗯……不是，我们是狼，要找出猎人是谁。”

杰克听到这里，西部牛仔独有的冒险精神又被激发起来，喜形于色地把头凑近绿娇娇小声问：“我们又要干什么大事了吧？”

绿娇娇用手推开他的头：“晚上再跟你说……龙儿，去江边包一条大船，请上祖宁大哥到船上吃饭。”

北江江面壮阔，水深流静，风景如画，也很适合商船运输，所以江边的船运业非常发达，甚至有专门接待游人上船游江和吃饭的船家。

安龙儿包了一条可以放四围大桌子的大船，安排好菜式就通知温祖宁、绿娇娇和杰克上船。

绿娇娇一上船就叫船家把船驶到最宽的江心，把饭桌开到船头最当眼的地方。四人坐在船头喝茶吹风，好不惬意。

菜还没有做好，桌上点着抽大烟的灯泡，绿娇娇躺在船家的大靠椅上，抱着心爱的大烟枪，时不时抽上一口。

她慵懒地向温祖宁转过头问：“祖宁大哥，你知道我们为什么要在船上吃饭吗？”

温祖宁说：“绿小姐是喜欢清城北江的风景吧？”

“唉……”绿娇娇叹一口气，呼出一口烟，“我们一直被朝廷派人跟踪着，如果在岸上吃饭，我们说的话，全都会被人家听到。现在船家两公婆正在船尾做菜，我们说话小声点……龙儿，去帮船家做做菜，别让他们过来船头。”

“是。”龙儿领命去看住两个船家。

温祖宁坐到绿娇娇身边，压低了声音问：“今天中午，黑衣人说什么了？”

“他承认了自己是朝廷的人，他叫我不要插手他的事……后来从广州提犯人的公差是他们自己人，他不会有事的……”绿娇娇有力无气地坦白着。

“啊……是这样，还有说别的吗？”温祖宁又问。

“他肯定你们是洪门……至于为什么还不下手剿杀就不知道了，这种事他也不可能告诉我……”绿娇娇把黑锅推到黑衣人身上，其实当时就是她主动挑出黑衣人的身份，使黑衣人肯定鸡啼岭下是洪门堂口。

温祖宁对绿娇娇一无所知，他们根本不知道何大人会花钱请绿娇娇来帮他们，也许这就是平时往衙门送黑钱积的德。于是他问绿娇娇：“绿小姐是因为什么事被朝廷跟踪呢？”

绿娇娇很小声地在温祖宁耳边撒了个谎：“湖南洪门衡山顺义堂被端了，那个黄毛小孩是顺义堂堂主的儿子，我要保他到广州……”

“那洋人呢？”绿娇娇是洪门的人温祖宁是比较相信的，但他一直想不通那洋人是干什么的。

“那是我们的军火商，我们的洋枪全是他那里来的，他要到广州接货，顺路护着我们上路……你知道啦，有洋人在的话，官府不会乱动的。”

绿娇娇给了温祖宁一个合情合理的解释。

温祖宁这回有点紧张了：“朝廷跟踪你们是不是想钓出下一个堂口？”

“军师呀，还是你聪明……”绿娇娇给温祖宁一个帽子，“我们本来不敢接近自己人的堂口，碰上你们是很意外的呀。你知道，我们一直被朝廷派人吊着尾巴，现在跟瘟神似的，到哪儿害哪儿……”

温祖宁心里马上扑通扑通地打鼓，心想这下麻烦大了，想不到接回来一个瘟神，温凤村肯花大钱底子一向清白，才保得住到今天平安无事，要是这绿娇娇再进村里搞几下，朝廷铁定钉死温凤村是洪门堂口。

“原来是这样啊……三位都是洪门义士，佩服佩服……那绿小姐什么时候起程？”温祖宁言下之意是想赶人了。

绿娇娇一听，知道这下得手，终于可以全身而退。

如果自己一味要走，温凤村洪门泰安堂口一定不会放她，因为黑衣人留下一个烂摊子根本就搅和不清；而自己不走的话，对自己的事也一点好处没有。让对方自动赶人是最好的方法。

绿娇娇翻着白眼，无神地看着天上的红霞，喃喃地说："快到广州了，如果现在不能甩掉身后的尾巴，到了广州也是害死那边的堂口……不能就这样南下呀……"

温祖宁有点着急了，心想，这瘟神不是想留在温凤村吧？于是仗义地对绿娇娇说："洪门兄弟遍天下，绿小姐有什么要我们帮忙的，尽管说出来，祖宁一定给你安排！"

绿娇娇一听，这是踢皮球踢上脸了，忍住不笑继续哭丧："我们想从清城转水路，在什么地方上个岸，多几个来回，甩丢朝廷的密探再联系广州的兄弟，祖宁大哥有什么好去处能安排一下吗？"

温祖宁听绿娇娇这么说，知道他们想走，心里踏实很多，想了一会儿说："现在你再到洪门堂口，对谁都不好……这样吧，我在花县棺材铺有些兄弟，他们不是洪门的人，但也是反清义士。你在路上想办法甩掉密探，到了他们那里就先住下，那个地方距离广州只有九十里，你联系广州堂口的话，进可攻退可守啊……"

去花县的话，实际上是在走回头路，绿娇娇听完温祖宁的话，心里不停盘算，默默地抽着大烟。温祖宁在旁边心急如焚。

绿娇娇终于开口说话了："好，就去花县棺材铺。"

温祖宁呼出一口大气。

绿娇娇问过温祖宁花县棺材铺里的兄弟叫什么名字、怎样相认后，船家也做好了饭菜。

大家在船上开开心心地吃喝一通，然后温祖宁独自上岸，因为他想在今晚赶回温凤村家里，所以要早点回去。可是绿娇娇却游兴甚浓，叫船家在岸上又叫来一队唱曲的姑娘，到船上吹拉弹唱。

他们三人继续在船头的桌子喝酒快活，船家在船尾帮忙侍候酒菜，六个姑娘加一个带班的班主大姨，在游船中间的船舱表演歌舞，一时间船上热闹得有如广州白鹅潭上的花艇。

绿娇娇这样安排大有目的——如果他们现在是被人跟踪的话，在房间谈话有可能被人偷听，所谓隔墙有耳，有墙的地方最不安全；在食肆谈更不可能，身边的耳朵比人头多；最好的地方莫过于宽阔的江面。

在这条游船上，最危险的偷听者是船家。他们当然不会是密探，但是当绿娇娇一行上岸后，就会有人用钱撬开船家的嘴，这样一来船家听到的每一句话，都可能传到密探和幕后人的耳朵里，所以对船家的隔离非常有必要。

船头距离船尾有五六丈，白天在船头小声说话，船尾听不见，但是在宁静的晚上，听见的可能性非常大，绿娇娇找来一队唱曲的姑娘在游船中间喧哗，是对船尾船家最好的隔离。

绿娇娇点了最热闹的曲目，姑娘们卖力地表演，绿娇娇在嘈闹的乐曲声中给杰克和安龙儿安排工作。

"我们要向跟踪我们的人反扑，杰克，我们现在就是反过来偷袭猎人的狼。"她明确地告诉大家下一步的目的。

杰克和安龙儿点点头，他们和绿娇娇一起经历过这么多事情后，都对绿娇娇的安排充满信任。

"杰克，你一会儿回去就收拾好行李，然后只能睡三个时辰，明天早上你自己一个人，赶着马车卯时出发。"

杰克脸上露出惊讶的神情："啊？我们要分开吗？为什么？"

杰克不想和绿娇娇分开一分一秒，他越来越爱这个巫师一样的神奇女孩，让他陪着绿娇娇下十八层地狱他也敢去，要他离开绿娇娇却万万不可。

绿娇娇看着他，深情地笑一笑说："我会等你回来的，但是现在你要帮我把跟踪的人引开一会儿……你赶着西洋马车最为显眼，你去引开对方是最合适的。"

杰克真的急了，紧张地对绿娇娇说："叫龙儿去不行吗？他引开对方，我和你在一起……"

绿娇娇没想到还要说服这个大个子去办事，只好耐心地慢慢解释："在逃跑时，你太高大了，非常显眼，而且龙儿还是小孩，很多事情他自己做不了主，可能会影响下一步计划。你就不同了，你一个人处理事情的时候，我放心。"

绿娇娇带着温柔的笑容和眼神看着杰克，手在桌子上握住杰克的手。

杰克的心脏扑通扑通地狂跳，他实在无法抗拒她的温柔和笑容，心一下子就软下来。

“娇娇，我们要分开多久？”讲条件是商人的天职，杰克这方面决不含糊。

看到杰克认真地确认分开的时间，绿娇娇真是有点感动：“我们只要分开五天。听我说，你明天早上先向北方走一天，然后找个地方住下，第二天再原路走回来清城住一天……”

绿娇娇顿了一下，看看杰克听懂了没有，杰克点点头，示意明白。

“第三天到第五天，你从原路慢慢返回广州，实际上，第五天你会到达花县，就是上次那个倒地木星局的附近，然后你在县城住下，等我们来找你。”

“就这么简单？”杰克对这个安排有些惊讶，还以为有多刺激呢。

绿娇娇说：“对，头四天会很简单，你不紧不慢地走就行了。他们在第一天的晚上就会发现我和龙儿不是和你在一起，但是跟着你总会找到我的下落，打后的四天会跟得寸步不离。”

“我明白了，我们是分开为两群的狼，你想伏击跟在我身后的猎人，对吗？”打过猎的杰克顿时明白绿娇娇的想法。

“嗯……第五天，如果顺利的话，你不一定能在花县的县城过夜，因为那一天可能会很忙，明白吗？”娇娇对聪明人说话，不用说得太露骨。

杰克说：“明白，我会准备好枪和子弹，今天晚上我也会给你准备多一些子弹。那你们两个人呢？有什么计划？”

绿娇娇说：“我们想办法从对方的眼皮下消失，直到与你在花县会合。你不用担心，龙儿是条好汉，他会保护我的。”

说到这里，绿娇娇拍拍安龙儿的肩膀，安龙儿看着他的娇姐笑了。

杰克心情真是很难过，他没有遇过一个女孩子让他如此痴迷，依依不舍地握着绿娇娇的手说：“无论如何，五天后我在花县县城等你，如果见不到你的话，我会用一辈子去找你……”

绿娇娇可不会在这个时候破坏气氛，她对杰克说：“好的，我一定会被你找着，放心吧。”

ZHAN LONG

第八章 吊魂咒

三人回到客栈已经是三更时分，客栈里的客人都陆续吹熄灯，上床睡觉了。

在绿娇娇的安排下，安龙儿一回到自己和杰克的房间，关上门后马上收拾有用的行李，包扎在藤箱里背在身后，在夜幕中从临向北江的窗户爬了出去。

窗下就是北江，从窗台到江面有两丈多高。安龙儿从客栈的临江外墙像壁虎一样游爬到旁边的码头，花了点钱从那里叫来一条窄小的平底快船，然后静悄悄地划到绿娇娇的窗下。

这时，绿娇娇和杰克的房间都早就熄了灯，但是绿娇娇的房间却开着窗子，特别容易辨认。

安龙儿站在小船上，从身上松开准备好的绳子，绳子的一头打了个大头结。他轻轻甩出绳子，用缓慢的速度把绳子无声无息地投入绿娇娇的窗子。窗前早就垫好棉被，绳子打入窗户没有发出一点声响。

绿娇娇收拾好自己的行李后，换上和安龙儿一样的素色紧身短衣，把左轮枪挎在腰间，再用一块灰布围在那里，像一条短裙一样斜斜遮在枪外面。毕竟一个女孩子背着洋枪到处走，既会引起官差注意也会吓着老百姓。

她接到绳头后，麻利地把绳子绑在床脚上，拉了一下——床很沉重，完全可以承受她轻飘飘的身体——然后背起准备好的藤箱，从窗户沿着绳子往下滑。床被她的体重拉得一点一点地往外移，发出轻微的“吱吱”声，在绿娇娇的耳朵里，这轻微的声响惊心动魄。

慢慢小心地下滑到船上，绿娇娇双手紧张得冷汗津津。

安龙儿扶绿娇娇坐下，拿起绳头又打了一个大头结，把整条绳子甩入绿娇娇刚爬出来的窗户，这样一来从外面不会看出任何痕迹。

一切妥当之后，平底快船悄悄地向广州方向顺流南下，飞快地离开了清城。

杰克在旁边的房间，熄了灯后一直站在窗前，从窗户缝里看着绿娇娇从绳子滑到船上，心情也是极为紧张。直到看着他们飞也似的离开视线，他才茫然若失地坐下，从来没有过的孤独感突然涌上心头。

绿娇娇安排的时间是经过周密计算的。马车永远比船走得快，马车走一个白天的路，船就要走两个白天。

到达花县地界后，绿娇娇还要转陆路在到达花县之前的官道上提前埋伏、拦截杰克的马车、找出跟踪者，所以一定要安排杰克慢慢走，才有可能让自己在第四天顺利截击。

小船在北江中间顺流全速前进，绿娇娇一直背过身看着远去的清城，和一直向后退去的漆黑的水平线。

视线的最远处，总是看到似有似无的船影，好像有船跟在远方，却又从来没有肯定地看到过。

绿娇娇不断地催促船家加快速度，就这样在北江上高速行进了一夜，船家和安龙儿都累得半死。为了达到相当的速度甩掉跟踪的人，安龙儿和船家一直轮流划船。

天亮时，小船已经离开清城十几里路。

广东是江南水乡，境内水脉纵横，水路的支流非常多，要把自己隐藏在水路中，最好的选择是进入支流。

绿娇娇随意地指着一道顺水支流，让船家冲进去，一路顺流沿着小河前进。

到了支流的深处，绿娇娇叫船家放慢速度，自己一直回头看着后面的河面。

船划到一个乡间小码头，绿娇娇付清工钱给船家，另外再加工钱请船家划着空船顺流而下，到下一个码头休息两个时辰后再回清城，如果可以不走原路回头那当然更好了。

船家收了一张足顶他一个月工钱的大银票，重新鼓起干劲向下游前进。

绿娇娇和安龙儿躲在码头边榕树下的茶寮暗处，叫上一壶茶守在小河边，眼睛一刻也不离开从上游下来的每一只船。

清晨的乡间，小河面上没什么船经过，偶尔有一两只小渔船划过，船上的人都晒得炭一般黑，船上堆着渔网，一看就知道是当地的农民，这些人正眼都不会看一看码头，明显不是跟踪者。偶尔也会有大一些的平底货船经过，船上载满货物，吃水很深，因为船工都刚刚起床，零星在船头船尾洗洗漱漱，船只缓慢而平稳地在小河中间漂过，决不是从昨晚起就追赶一条小快船的架势。

坐了一个时辰，喝些水吃过两个包子后，两人都休息得差不多，绿娇娇又准备出发。

这次她看中了一条有顶的小船，小船的中段用草蓬包成圆拱形，顶子的前后还有帘子遮阳。

她和安龙儿躲入船里之后，马上叫安龙儿睡觉，自己则掏出大烟枪抽上几泡提提神。

有草蓬顶的船都不会很轻快，船家在船尾慢悠悠地划桨，船缓慢地前进。

绿娇娇等安龙儿睡了一个时辰，把他叫醒，换自己睡。两人就这样一直躲在草蓬下轮换睡觉，直到太阳下山。

等两人都睡足了，绿娇娇开始从船头的帘子向外看去，她想随便找一个地方上岸。

要对方无法跟踪自己的行走路线，最好的方法莫过于连自己都不知道下一步要到哪里。跟踪一个没有目的地到处乱走的人，是一件非常困难的事情。

她看到小河边有一片甘蔗地，甘蔗都长得比人高，有一条很窄的田间小路伸到小河边。绿娇娇突然叫船家停船，干脆利落地给钱后，趁着最后一点阳光，和安龙儿跳入甘蔗地里。

脚一到陆地上，绿娇娇马上爬到一棵树上。举目看去，这片甘蔗地根本看不到边，只有远远的山影描出大地边际的轮廓，眼下是被秋风吹得像海浪一样起伏的蔗叶。

绿娇娇从树上跳下来，带着安龙儿就往甘蔗林里冲。跑了两刻钟，绿娇娇已经气喘吁吁，她叉着腰拉安龙儿蹲下，拔出左轮枪，拉开枪扳机，然后左脚单膝跪在地上，左手按地，右手拿枪架在右膝上，低下头闭着眼睛，慢慢地深呼吸，尽可能让自己平静下来，倾听身边的每一点声音……

绿娇娇给杰克的安排，其实只是她计划中的后备部分。

如果对方只是一个人进行跟踪，那么无论他们三人是分开还是在一起，那个跟踪者都只会死死盯住绿娇娇；但是如果对方有两个人以上，那么杰克就有可能分散跟踪者的力量，使绿娇娇可以逐个击破。

绿娇娇的真正想法，是自己和安龙儿在头三天快速逃逸，在途中解决跟踪自己的人，然后在第四第五天才从杰克的笨重大马车背后解决可能存在的另一个跟踪者。所以自己带安龙儿尽快找到适合的战场、速战速决是最有利的结果。

绿娇娇从水路快速顺流南撤时起卦算过，分明背后一直有人，但是却没有明确地看到，或是有证据肯定这个卦象的结果。卦象显示出跟踪者只有一人，是二十多岁的年轻男人，身材矮小形容猥琐。如果这个人一直紧跟在自己后面，经过这一夜一日的水路，应该已经甩掉，或者是已经被自己发现。但是今天在草蓬船里休息时，再算出的卦象却显示此人一直阴魂不散地在身边不远的地方，没有被甩掉也没有被发现……

绿娇娇简直有点冒火，这家伙难道是鬼魂不成？他是怎样跟踪自己的呢？天下还有这样都甩不掉的狗皮膏药？

潜入大片甘蔗林，是对跟踪者的挑战。

大片甘蔗林高过人头，绿娇娇和安龙儿两个小个子潜伏其中，和石沉大海没有区别。他们藏身的地方，方圆一里都没有大树，这样就避免了被人从高处监视的可能。给跟踪者留下的最大困难是，在四通八达的甘蔗林里，他无法想象绿娇娇会向哪一个方向走——他能追上来的话，绿娇娇就会给他一个截击；他追不上来的话，绿娇娇就会从他眼皮下逃脱。

绿娇娇和安龙儿静静地坐在甘蔗林里足足有一个时辰，天色已经全黑下来，四周没有一点动静，远远从甘蔗林的边缘传来一两声狗吠，证明那边有些看林的人家。

绿娇娇咬着安龙儿的耳朵说："你向那边的小村庄走过去，不要走出脚步声，走两刻钟。如果听到枪声肯定出事了，你马上回来，如果没有听到枪声，就在村庄边上停下等我，我在一个时辰后会去找你。去吧……"

安龙儿点点头，起身向村庄走去。

黑暗中村庄那边的一点点灯光非常显眼，但是要走到那里，两刻钟是不够的。

绿娇娇并不想安龙儿进村，她只想安龙儿的走动，可以引出跟踪者，而她则在跟踪者经过自己身边时截击。

安龙儿在甘蔗林里走着，根本看不到他的头，只听得一片窸窸窣窣的声音，在寂静中分外刺耳。

他功夫底子很好，要走路不发出声音并不是难事，这样对方就不会知道在走路的是一个人还是两个人。他身边的甘蔗叶子却是避无可避，一直在发出响声，这正是绿娇娇最想要的效果，不发出点信号，跟踪者怎么会上当跟上来呢？

果然在安龙儿走出十多丈远之后，在绿娇娇进入甘蔗林的小河方向，响起了甘蔗叶晃动的声音。

绿娇娇心里一阵狂喜，终于可以调动对方了，只要他去跟上安龙儿，从自己附近经过……

可是这些声音里听不出有脚步声，常理来说，也可能只是一只狗在地里翻东西吃。

大概是人走了十几步的时间，蔗叶不再发出声音，好像一个人走了一会儿之后，又停下来。

绿娇娇再等一会儿，四周恢复了万籁无声。

她这一次真是气急败坏，有没有盯梢这么厉害的人呀？连这样的计谋都可以识破！看来之前搞的小动作完全没用，只会让对方看着偷笑。现在干脆找个好地方睡个好觉，另想法子再对付这盯梢鬼。

绿娇娇跑了一天一夜，吃没吃好睡没睡好，大烟都没抽上几口，搞得腰酸背痛，这辈子没熬过这种苦，也没试过像今天这样心里充满挫败感。

她从地上站起来，火冒三丈地向着河岸那边用土话破口大骂："操你家翻兜！老娘现在就睡觉去！你自己在这里玩甘蔗吧！"然后从甘蔗林里站起来，气鼓鼓地走向安龙儿的方向。

杰克这时正在大床上翻云覆雨，大床被摇得嘎吱作响，大概快要散架了。床上的女孩身材纤细娇小，皮肤洁白，正是杰克想象中绿娇娇的身体。

她要死要活地叫着，从床上到地下，从地下到桌子上……

杰克不只是体力超人，而且还充满想象力，就算是这个阅人无数的女孩子也没有想到会接上这么一个会侍候女人的嫖客。

她叫得越大声，杰克就越兴奋，这半个月的多余精力一气地发泄了出来。

绿娇娇对他的若即若离，一路上奔波不停意外不断，都让杰克没有喘口气歇息一下的时间。

自从他来到中国，还没试过这么久不碰女人。

在广州十三行，一边是淘金地，一边是销金窝，只要有钱，可以买到任何东西和女人。

杰克相信上帝，却并不是清教徒，他知道如果你活着的时候不去享乐，死了之后就什么都做不了，他决不是喜欢为难自己的那种人。

从清城向北走，要乘船渡过北江，而杰克赶着大马车要渡河的话，马上就会被人发现车上没有人。

杰克在早上卯时准时出发，没有到码头渡江，却向着东北的小路快速地赶车前进。

这条路沿着北江逆流而上，路面越走越颠簸，四周的山岭也越来越多，到了天黑的时候，杰克的马车走到一个叫洲心的小镇。

今天杰克的目的只是引开跟踪者，到什么地方他并没有所谓，只要在路上跑够了时间，他就算是完成任务。

洲心镇不像清城一般人来人往工商繁荣，地方不算大，可是山灵水秀别有风情。

镇上最好的客栈位于闹市正中旺地，也就算得个干净整洁，谈不上富丽堂皇服务周到。杰克在这里安顿好住房和马车，从客栈掌柜那里了解到，原来洲心镇最出名就是当地的洲心鸡。洲心鸡骨架虽小却皮脆肉滑，是驰名广东的名菜。

杰克听到掌柜这样推荐，心想要是不去尝一尝的话太可惜了，于是问过掌柜哪里有正宗的洲心鸡，马上出发寻找美食。

按掌柜指的路，杰克在镇上左右拐过几个路口，走到洲心镇的边缘，看到客栈掌柜所说的食肆，食肆大门上写着“丰庆居”三个大字。

杰克一个人坐在桌子旁边，桌面上放了四五个碟子，中间是正宗的洲心白切鸡，其他的碟子里是猪肚牛肉之类的店家推荐菜式，他从身上掏出自带的龙舌兰酒给自己倒上一杯，摆好吃饭的架势。

洲心鸡的味道果然不同凡响，尝上一块唇齿留香，满嘴流油。再喝上一口龙舌兰酒，美妙的感觉让杰克想起绿娇娇。

这么好吃的东西，要是绿娇娇吃到一定很开心，说不定也会问自己要酒喝呢……杰克想到这里，脸上禁不住露出微笑。

会合了绿娇娇之后，再经过这里，一定带她来吃正宗洲心鸡，杰克已经想好了这个行程。

嘴里爽快、心里挂念的时候，身边站过来一个女孩子，杰克嘴里叼着鸡骨头抬头一看，差点以为是绿娇娇跟到了这里来。

这个女孩子也是身穿绿褂身材娇小，不同的只是绿娇娇脸色苍白，脸形清秀，而这个女孩脸色红润，脸形更为丰满。她手上挽一个香荷包，全身配套的衣着在这个朴素的小镇显得过于华丽。看到杰克叼着骨头的样子，女孩掩着嘴笑起来，杰克恍惚间回到刚刚认识绿娇娇那一天，绿娇娇用团扇掩住半边脸的微笑。

女孩问杰克：“洋大人，你就一个人吃饭吗？”

以杰克的丰富经验，他马上明白这是来兜搭生意的妓女，如果自己不喜欢这个女孩，可以当即叫她离开。

不过杰克没有，因为这个女孩有几分像绿娇娇，而今天刚刚和绿娇娇安龙儿分开，他还没有习惯一个人吃饭生活，于是他招呼这女孩子坐下：“对，我一个人，要不要坐下一起吃？”

那女孩说：“啊，谢谢洋大人，翠玉就不客气了……”

杰克叫店家在桌子上加了碗筷，翠玉坐下来就吃，真正的不客气。

杰克说：“不要叫我洋大人了，你叫我杰克吧，你多大年纪了？”

“是，杰克少爷，你的中国话讲得真好……呵呵……翠玉今年十七岁了。”翠玉对答如流，完全没有怕生的感觉。

杰克这时才想起来，他从来没有问过绿娇娇的年纪。不过在西方礼节上，问一个女士的年纪是非常失礼的事情。

对翠玉则不同，因为一会儿可能有肉体交易，之前还要讨价还价，如果不了解商品情况，倒是不好还价，年纪也是商品的一部分，还是要问的。

杰克和翠玉边吃边聊天，翠玉很知情识趣地给杰克倒酒夹菜，在杰克身上摸摸靠靠，逗得杰克颇为开心，心想要是绿娇娇也可以这样的话，这辈子可算是死而无憾了。

酒足饭饱后，杰克和翠玉熟络不少。翠玉问他：“杰克少爷，你想来我家玩吗？”

杰克嬉皮笑脸地说：“好啊，让我看看你的房间，不过看房间要多少钱呀？我怕身上没这么多钱哪。”

杰克考虑到自己客房里面各种钱银物器不少，给外人进去也太不安全了，翠玉那里毕竟是专业场地，可以玩得更加尽兴。

翠玉双手抱着杰克的手，用丰满的乳房顶住杰克的手臂，非常贴心地回答杰克：“那个你不用担心，你来了再说嘛……”

杰克被翠玉顶得忘乎所以，直说：“不用钱的话……可要里里外外看个清楚了……快走吧！”

翠玉带着杰克向镇外走去，在夜幕中走到一间张灯挂彩的小客栈。客栈店门很小，没有招牌，进门是一个小厅，小厅四周分别开了五六个小门。厅里空无一人，翠玉把杰克带入其中一个房间，房间里到处随意扔着翠玉的衣服，看得出这里真是她住的地方。

杰克终于有机会释放活力，怀里抱着翠玉，脑子里想着绿娇娇，狠狠地过了一个时辰的瘾。

杰克重新穿好衣服，翠玉却赤裸着身体坐在地上，双手抱头靠着出去的房门。

杰克对翠玉是满意的，主动问翠玉：“你一般收客人多少钱？”

翠玉看也不看杰克，仍是抱头坐在地上：“随便，你想给多少就给多少吧……”

杰克大概也知道城里的价格，一楼一凤的价格远不如花艇和大寨花馆，只要二百文钱就有交易，如果年轻的女孩多打赏一点，三百四百也非常够了。眼下这里是乡村价，当然会便宜一点，于是杰克说：“二百文可以吗？”

翠玉还是那个姿势坐着，从嘴里挤出声音：“我收人家最少三百五十文。”

杰克心想，倒不是给不起三百五十文，而是这生意风气真让人不习惯，这地方的妓女怎么都事后讲价呀……以后出来玩还真得小心一些。

埋头蜷着身体的翠玉，看上去更像绿娇娇了……杰克总是禁不住想起绿娇娇，这让他没有心情和翠玉讲价钱。

他摸出三百五十文塞到翠玉手里，翠玉拿了钱站起来，重新上床盖好被子卷起自己。

杰克给了钱，推门往外走去，谁知刚刚迈出一步，脖子马上被一把冷冰冰的菜刀架住。

杰克身材高大，反应却一点不慢，他条件反射地往后退一步，人刚好退回翠玉的房中。门外拿刀想架住杰克的人手上一空，一个踉跄扑在门前。杰克退入房间的同时，右手以极快的速度拔出腰间的手枪拉起扳机，左手把手边的门板用力摔出去。

“咣”的一声，门板正好撞到拿菜刀的人，翠玉在床上发出一声尖叫。杰克现在才看到，那是一个满面横肉的男人，一身酒气，光着膀子，还剃了个大光头。

光头男人被门板撞了一下，痛得手上的菜刀也扔到地上，手捂着脸嚎叫着倒在一边。随即杰克听到一个男人的吼声——“什么事”，紧接着房门口出现一个干瘦的男人。那人双手拿着铁铲冲进房间，一眼看到杰克蹲在地上，把铁铲举过头顶就想往下砍，砍到一半听到一声巨响从自己的裤裆发出，干瘦男人只觉得自己的裤裆被一个大鞭炮炸了一下，没有任何感觉，不知道是太疼痛而麻木还是幻觉，心里蓦然有种巨大的恐惧感：一定出什么事了……然后他发现自己的裤裆被一支很热很硬的东西顶住，原来是杰克蹲在地上，用那支大号左轮枪贴住了他的小弟弟。

其实杰克的子弹并没打向瘦子的小弟弟，而是紧贴着他的裤裆从下向上开了一枪，子弹从瘦子一条腿边上的屁股擦了过去。但是开枪时的气浪和热力，足以让瘦子麻上好一阵。

双手高举着铁铲的瘦子张大嘴巴，一动不动地站着，他在用力地感觉自己身上是不是少了点什么东西。

门外有几个人在惊慌地叫着“出什么事了”，但是再也没有人进翠玉的房间。

瘦子的裤裆开始被鲜血染红，他的双脚开始发抖，杰克对他说：“举起手不要动，把铲扔到背后！”

“咣当”一声，瘦子听话地从头顶把铁铲扔到身后的地上。

杰克仍是蹲着，用手拍拍他的胯部说：“双手向前伸直，转身……踢开铲子……站着别动。”

然后杰克慢慢站起来，右手拿枪顶住瘦子的后脑勺，左手把瘦子脑勺后的辫子绕着右手用力一甩，辫子在杰克拿枪的手腕上缠了几圈，把瘦子的头和自己拿枪的手绑在一起。

杰克这时才转头，狠狠地瞪了翠玉一眼。

翠玉已经躲到床铺最里边，蜷着身用被子蒙着头，被子一动一动，她好像在紧张地呼吸，又好像在抽泣。

杰克把枪管放在瘦子的耳朵旁边，枪口指向门外，推着瘦子慢慢走出翠玉的房间。

瘦子颤巍巍地向门外走去，裤裆下还在流血。

杰克站在瘦子身后，向厅里一看，外面有四个男人，那个光头男人还捂着头蹲在墙边，其余三个男人分别躲在几张桌椅后面，伸头张望。一看到杰克，都好像很吃惊，其中一个男人说：“怎么是洋人？怎么搞出来个洋人了？”

杰克推着瘦子走出大厅两步，马上拉着他挡在自己身前退到大厅墙角，保证了自己的身后没有敌人，然后喝道：“你们想干什么？说！”

瘦子心情最紧张，忙乱地说着：“不要动，你们别乱动……别开枪，饶命啊……饶命啊……”说着说着还哭起来。

杰克听到他哭，感到烦死了，左手从瘦子身后一巴掌扇到他脸上，瘦子马上停下一切声音，杰克用枪架在瘦子的肩上，指着距离自己最近的男人说：“你说！”

那男人长着小胡子，被杰克用枪一指，禁不住惊叫一声，整个人抖了一抖。

他结结巴巴地说不成话，杰克为了给他点动力，左手又狠狠地扇了挡在自己面前的瘦子一巴掌。

那小胡子男人马上扯着喉咙叫道："洋大人饶命，我们只是想赚点小钱啊！洋大人饶命啊……"然后哭丧似的跪在杰克面前。

杰克看到场面基本上没什么危险，但是心里可不敢放松。"你们是干什么的？"他要问清楚情况，这事要是不解决，他一走出这个客店，可能背后就是一刀捅过来。

跪在地上的小胡子说："我们只是开个妓寨混口饭吃……"

"开妓寨就开妓寨，为什么要用刀砍我？说！"杰克真是发火了。

小胡子看杰克的架势很凶恶，哆哆嗦嗦地解释："洋大人不要生气，我们不是想砍洋大人……我们只是不知道那丫头私自接客，所以……她是我们买回来的人，不能私自接客……"

"我们是想抓住翠玉接的男人问他要钱……翠玉不能自己收钱，要……要是我们知道她接的是洋大人，哪里敢乱来……洋大人，是误会啊……误会啊……"

杰克听了这几句，好像还有点道理，于是问道："我现在能走了吧？"

厅里的四个男人一齐点头说："可以可以！"

杰克看现在都快三更天，再和这帮人玩下去今天晚上就不用睡了，于是问跪在地上的小胡子男人："锁呢？大门的锁，找一把给我！"

小胡子连忙到处找锁，很快就找到拿给杰克，杰克又命令他："把锁打开，挂在大门外面的锁环上，然后回来！"

小胡子男人照办了。杰克拉着瘦子往后退到客店的大门外，右手松开瘦子的辫子，一脚踢到他屁股上把他蹬回厅里，然后拉上大门锁上，才一步三回头，小心地离开客栈。

杰克走出十多步，刚刚把枪插回腰间的枪带，就听到客栈里有女人的尖叫声，他马上听出这是翠玉的声音。

"不要！不要啊！"

翠玉不停地叫着，几个男人的声音也越来越大，不时伴有一两声响亮的耳光。

翠玉的声音越来越凄厉，杰克最容不得男人欺侮女人，一听明白这场景，毫不犹豫地大步走回客栈门前。他右手拔枪对着门锁开了一枪，把门锁轰开，然后径直冲入翠玉的房间。

翠玉的房间房门洞开，五个男人全部挤在里面，翠玉已经被他们从床上拖到地面上。

那个被杰克要挟过的瘦子脱了裤子在检查枪伤，听到大门的枪响又走出房门看看是怎么回事，这次杰克不留情面，顺着冲进去的势头，一脚就从下而上踢向瘦子的裆部，瘦子惨叫一声摔入房中，手捂着裆部满地打滚。

其他三个男人还按着翠玉，那个被杰克用门板拍中光头的男人背向着房门，已经脱下裤子，分开翠玉的双脚正要施暴。

翠玉一见杰克冲进来，马上大声哭喊："杰克少爷救命啊！"

杰克踢开瘦子后，一刻不停走向正在站起来的光头男人，向着他的头一脚横扫过去。光头男人刚刚转过脸想看后面是怎么回事，一下子被踢个满脸开花，应声摔到墙边昏死过去。

杰克全身都是正宗西部牛仔的装备，脚上蹬着镶有钢马刺的厚马靴，被这马靴踢中绝对是很痛苦的事情。

他连续打倒两个人后，自己退后一步守住房门，用枪指住其他三个男人。那三个男人马上退后贴墙，双手使劲摆着说："不要……不要……"

杰克满面怒气地喝骂他们："你们也会说不要啊？不要什么！"

翠玉挣扎着爬到床脚，双手抱在胸前埋头痛哭。

杰克叫翠玉站起来，然后自己走到床边，拣起一张被子盖在翠玉身上，把她整个人一手卷起，扛在肩上，慢慢退出房门。他对还清醒的三个男人说："谁走出这个房门，我就一枪打爆他的头！"说完"砰"一枪打中地面。

三个男人马上缩到墙角，杰克看场面已经镇住，扛着翠玉大步走出小客栈。

离开小客栈一段路，他把翠玉背在背后，再用被子一披，一路小跑回到洲心镇的客栈。

翠玉在杰克的背上不停地哭，杰克也管不得这么多。他不知道那伙是什么人，会不会追过来，只是想尽快离开这个地方。

回到自己的客房，他找出绿娇娇没有带走的衣服给翠玉穿上，翠玉和绿娇娇身材差不多，衣服穿在她身上刚刚合身。

然后杰克收拾行李带上翠玉，连夜向清城进发。

折腾了一晚上，马车上路不久天色就开始发亮，回清城的路杰克昨天来的时候走过一次，既熟悉路面又可以看到前面的路况，马车越赶越快。

一路马不停蹄回到清城，已经是中午时分，杰克带着翠玉住回临江的大客栈。

杰克到了掌柜的收银台前，那掌柜就是绿娇娇在中秋晚上救过的人，见杰克回来非常开心，说道："杰克老爷，你又回来啦，这次开几个房？"

杰克说："两个房，我和她每人一个。"

翠玉马上走近柜台说："不用，我和杰克少爷住一个房就行了。"

掌柜"啊"了一声，笑眯眯地说："开一个房间就行了吧老爷，有个人侍候也方便啊……"

杰克的眉毛挑了一下说："不行，我们……那个……还是两个房吧。"

翠玉无力地扶着杰克的手，一如和杰克刚见面时的动作，用柔软的乳房贴着杰克的手臂小声说："我一个人睡……害怕……"

掌柜非常知情识趣："一个房行了，就一个房，来来来，我给老爷带路，来吧。"

杰克被翠玉半推半拉地扯进掌柜推荐的上房。关好门后，他把帽子扔到桌上，然后走到床边，仰天摆个大字形躺到床上，长长舒出一口气，对翠玉说："你还有什么家人？要去哪里？"

翠玉走到床边坐下，低声说："翠玉以后跟着杰克少爷做牛做马。"

杰克听到这句话，整个人从床上弹起来："不！你不能跟着我！"

杰克在美国西部从放牧到淘金，赚到点儿小钱后又万里漂洋来中国做外贸，没有一件事不是出生入死，但还没听过这么可怕的事情——有一个女人突然说以后要跟着他，天哪！

杰克瞪着情深款款看着他的翠玉，认真地说："绝对不能这么干，你知道吗，我马上就要出发去找我的女朋友了。"

翠玉看杰克坐起来认真地拒绝，于是抱着杰克的手，把头靠在他肩上温柔地说："杰克少爷，你就当带着个仆人嘛，我什么都会做，你叫我做什么都行……"

"好了好了，不要说那些话，这没用，我是不会让你跟着我的，你从哪里来回哪里去……对了，你是哪里人？"

杰克一手推开靠在他肩上的翠玉。他才想起从昨晚风流快活完之后，一直不断地逃跑，没有一刻停下来，根本没有空了解身边这女人是干什么的。他突然有点理解绿娇娇的心情：很烦躁也很无助，又必须面对一切。

翠玉被杰克推开，顺势就跪到地上正面仰头看着他，但是双手仍是不离开杰克，这回她的手改成抚摸杰克的大腿了。

杰克站起来走到房子的另一角，坐到椅子上指着翠玉说："你不要过来，就坐在床上，坐在那里说，你是哪里的人？为什么做这种买卖？……对了，昨天晚上是怎么回事，你和他们是怎么回事？"

翠玉小嘴一扁，又要哭出来。杰克发现她除了身材，嘴唇也很像绿娇娇，可是他从来没有见绿娇娇这样扁过嘴，不由就想到，如果娇娇这样的话，也会很好看吧。

翠玉从床边站起来，低着头小声抽泣，脚步一点点地向杰克挪过去，好像犯了错误的小孩试探会不会得到父母的原谅。

杰克看到自己把女孩子弄哭了，不好再吓唬翠玉，由得她挪到自己身边。

翠玉一边哭一边嘤嘤地说："我是云南的汉人，十五岁时被拐卖到这里，他们就一直逼我做买卖，还天天都欺负我。"

她嘴上嗫嚅地说着，手上可不清闲，一直往杰克的大腿内侧摸去。杰克心里很不喜欢这样，可他是一个尊重事实的人，舒服得很实在，身体可不会骗人，算了，就先这样听着吧。

杰克喘着气，翻着白眼在听翠玉说悲惨的往事。

"一开始他们怕我跑，天天锁着我接客，不让我出门。后来时间长了，他们看我又听话又肯侍候他们，就放松了看守，还会让我在店里做些杂事、看看门……其他的女孩都在房间里锁着，只有我可以在店里走动一下……"

杰克发现她的手已经伸到最深处，总不能这时候叫人家停下来，喘着气对翠玉说："说……下去，不要停……"

"他们有时候去赌钱喝酒，我就会偷偷接客，想自己存点盘缠逃走……"

杰克实在不能让翠玉在这个时候停下来，因为翠玉一只手已经伸进裤子里，他靠在椅子上仰着头，张大嘴说："昨天……怎么就会让我……撞上他们了……啊……"

翠玉的呼吸也随着动作越来越急促："本来是够时间的……杰克少

爷……你太久了……足足一个时辰……他们都回来了你还在玩……"

杰克实在是没力气说话，用力地吐出一句："Sorry……很抱歉，是我影响你了……噢……"

说到这里，满脸潮红的翠玉已经骑到杰克的身上……

绿娇娇和安龙儿从甘蔗地里走出来，半夜三更地找到一户看田的农家借宿，闹得又是一阵深夜狗吠。

农村人心地善良，自己身无分文也会帮助别人，绿娇娇和安龙儿顺利地睡到柴房。待他们睡到自然醒来，已经是第二天晌午。

两人在农舍的水槽边上梳洗好自己，昨夜收留他们的农民老伯也从田里回来。

绿娇娇走上前去，帮农民老伯放好水桶和锄头，就问他要吃的："伯伯，我们两姐弟身上带的干粮不够，能不能卖点吃的给我们？"

憨厚的大伯呵呵地笑着说："哎呀不用钱，进来家里一齐吃吧，不过只有蕃薯粥，你们吃得习惯就行了！"

绿娇娇连忙说："谢谢伯伯，你能吃的我们当然能吃了。"

"进来吧，进来吧……"农民伯伯亲切地招呼他们走进泥砖屋。

好久没有吃上热食物，绿娇娇和安龙儿捧着番薯粥稀里呼噜地喝着，觉得这碗免费的番薯粥直暖到心里头。

绿娇娇对老伯说："伯伯，我们姐弟本来想去清城投靠亲戚，但是我们迷路了，不知道从这里到清城是哪个方向。"

农民伯伯说："清城要往北走，你沿着这条小河向北走就是大燕河，你们过了大燕河之后，还是沿着小河一直向北走就到清城了，很快，走两三天就到了。"

"要是我去广州很远吧……"绿娇娇又问老伯。

"去广州可不能走着去，要走十天八天呢，你们要是去广州还是坐船吧。"老伯说。

"要从哪个方向去广州呢？"绿娇娇明知故问。

"走路去广州要从东南方。就是那个方向——"老伯用手指一指东南方说，"不要走错了，不然会走很多冤枉路，你们要坐船就从这里向北去大燕河找船，船会绕北江出去，坐三天……"

绿娇娇在谈话中有意把方向和目的地搞得很乱，因为她知道，这个伯伯在他们走后，完全可能会对随后而来的跟踪者说出他们的行踪，这样的话，利用他来迷惑对方就是最好的方法。

绿娇娇吃饱肚子，把一百文铜钱悄悄放在桌子底下，谢过老伯就和安龙儿上路。

绿娇娇的目的地是花县棺材铺，位于半湖塘去广州的路中间，也就是说向着东南方向直走，就会到达花县。

这两天绿娇娇的行动已经明确告诉跟踪者：追逐游戏隆重开始。以跟踪者的正常心态，一定会怀疑绿娇娇走出的任何一步都可能是伪装，这种情况下，直接走自己要去的方向，才会使跟踪者受到最大迷惑。

东南方是茂密的山林，绿娇娇和安龙儿沿着官道慢慢前行。

虽然已经入秋，但是广东的秋天比夏天好不了多少，幸好路上树木高大，还不算太晒。他们每人头上戴了一个用树叶编成的草帽，像两棵小树在路上移动着。

绿娇娇的心里一直在盘算昨天的事情。

跟踪自己的人，为什么有时好像被甩掉了，但最后总会跟上来？比如在江面上就是很奇怪的事，明明小船在黑暗中划得飞快，明明后面没有船，明明进入大燕河后，他们马上停在一旁伏击跟踪者，却见不到跟踪者追来？

跟踪者可以做到这样，只有一种情况，就是他不需要看到绿娇娇，也有办法知道绿娇娇逃跑的方向。只要这个方向没有错，他找到绿娇娇只是迟早的问题。

这么说，这个人不是跟猎狗一样了吗？绿娇娇被这个阴暗的疑团搞得心惊肉跳。

更可怕的是，在甘蔗林中，他在看不到绿娇娇的情况下，却可以知道离开的人不是绿娇娇，他的目标非常明确，他只会跟绿娇娇一个人，换而言之，安排杰克兵分两路是完全没必要的做法。

绿娇娇有点懊悔自己的自作聪明，要是现在杰克在这里的话，就可以坐马车抽大烟。唉，真是自作自受。

什么手法都会有破绽，上一次行不通的方法，反过来用也许就行得通。

昨晚在甘蔗林里，她是想由安龙儿引跟踪者出来，由自己去伏击，却被跟踪者识破，如果……把这个方法倒过来用呢？

对呀，绿娇娇一拍脑门，就这样干。

她在安龙儿耳边说："我们今晚太阳下山的时候，又要打埋伏了，这次由你来……"

安龙儿点点头说："行，娇姐你教我怎么做就行了。"

绿娇娇指着远处的小河说："那现在先原地休息吧。那边有小河，去洗个脸，到树荫下睡个觉，今晚上看来又没得睡了……"

安龙儿从地里搬来大垛金黄色的干草，在小河边的大树下垫成一个舒适的草窝。绿娇娇洗完脸和手脚，光着脚丫卷起裤脚，跳到小床一样的草窝里，一脸满足地伸了个懒腰，然后点起一泡大烟陷到草窝中抽起来。

安龙儿看到绿娇娇放松满足的神情，心里甜滋滋的——当只有自己和娇姐两个人的时候，安龙儿的心情就特别好。

安龙儿亲眼看着自己的父母死在洋人的枪下，他对杰克没有一点好感。尽管杰克一直对他很好，也常和他开玩笑逗他开心，但他还是从心底里讨厌杰克，讨厌他这么高大，讨厌他一身的金毛、褐色的眼珠，也讨厌他身上不知从哪里来的香味，笑起来还那么大声……尤其讨厌他走近绿娇娇！

这个秋日的午后，没有杰克，只有自己和绿娇娇一起坐在小河边，安龙儿心里充满了安全感。绿娇娇身上穿着自己的衣服，两个人打扮得一模一样，这也让安龙儿分外满足，他觉得可以和绿娇娇混为一体，有着奇妙的快乐。

安龙儿悄悄坐在绿娇娇的草窝旁边，从藤箱里翻出一本书看。

绿娇娇听动静，把躺在草窝里的身子转向安龙儿："看什么书呢？"

"现在看《撼龙经》。"安龙儿向绿娇娇晃了一下书的封面。

绿娇娇笑了笑说："真有你的，天天逃命还可以带本书在看……《易经》看完了吗？"

"嗯，看完了，不过要使用的话还要多试试。"

"很快就有机会给你试了……对了，怎么不看《三命通会》？"绿娇娇发现安龙儿没有按她给的书目次序来看。

安龙儿有些不知所措，挠挠头说："是这样……本来是在看的，不过后来我看到你破解倒地木星局和金鸡啼日穴，觉得风水很有用，又可以马上跟着你学，所以我就先看了风水书……娇姐，对不起。"

绿娇娇"嗯"了一声说："算了，都是你自己的缘分……这一回，我也把你拉下水了，这一路很辛苦，你怪娇姐吗？"

安龙儿是个老实人，娇姐问他话，他更是老实回答："刚开始的时候觉得很不舒服，老是一个人在家，出门只有我们两个人……"

"是啊，你在老蔡那里还有一帮小兄弟陪你玩，跟着我可是要做下人了……"绿娇娇抽了一阵大烟，人开始有点迷糊犯困。

"我在蔡叔那里也做很多事，在娇姐家倒算是清闲了，还可以读书……"安龙儿放下书，看看绿娇娇。绿娇娇很少和他聊上几句，安龙儿却很珍惜和绿娇娇的每一次聊天。

"对了，你那时在卖艺班里不是有个耍九节鞭的圆脸小妹对你很好吗？呵呵……"绿娇娇自顾自地笑起来。

安龙儿忙说："不是，她是蔡叔的女儿，她和我们都很玩得来。"

"现在没有圆脸小妹妹陪你玩喽……哈哈哈……要不要娇姐给你找一个？"绿娇娇居然和安龙儿开起玩笑，笑声很好听，看着安龙儿的眼神带着诱人的媚态，笑的时候露出整齐的牙，轻轻地咬着一点红红的舌头尖。

安龙儿和她的眼神一接触，马上看向小河的远方，脸上一阵阵发热，不好意思地赔笑着："不用……呵呵……"

绿娇娇长长吐出一口烟，喷到安龙儿身上，安龙儿闻到鸦片烟的香味很浓郁。她对安龙儿说："你现在身上的银子，足够你赎身了，以后一路万水千山，还不知道有多少危险，你如果觉得不喜欢的话，可以放下钱自己走。"

安龙儿的笑容马上收敛起来说："娇姐，我不走。"

"你喜欢跟着我吗？"绿娇娇的声音懒洋洋的。

安龙儿的回答很肯定："喜欢。"

绿娇娇喜欢这种肯定，还是小孩的安龙儿说出这句话，竟然让她感到稳重可靠，但她还想听多一次："什么都不怕吗？"

"不怕，什么都不怕！"

绿娇娇和安龙儿聊了一会儿闲话，就在午后的树荫下枕着藤箱睡着了。醒来的时候太阳已经西下，他们吃了些干粮，整理好行装连夜上路。

如果可以保证路上的安全，晚上在官道上行走的确比白天舒服，没有烈日当空，凉风徐徐吹来，人走在路上分外清爽。

绿娇娇完全不像白天慢条斯理的样子，脚步走得很急。一来是因为休息得好、精力充沛，二来她急于找一个适合布局的地形，以便安排安龙儿抓人。

她不在河边休息时给安龙儿安排计划，因为停在一个地方说话最容易给人偷听，现在两人都在路上疾走着，她走近安龙儿身边小声地安排一会儿要做的事情。

"龙儿听着，一会儿有适合的地方，我会指给你看，你就过去躲起来埋伏着，我会一直向前走，引他经过你身边。"

"好。"

"你躲得好一些，不要让他发现，然后你准备好绳索，如果见到有一个二十多岁的男人，中等肥瘦，不是很高——就是比我们高半个头的样子，脸长得很丑陋，那就是他了。"

"明白。"

"如果他是一个人的话，就用绳子把他捉起来；如果有两个人以上，你千万不要暴露，也不要走开，就留在原地，我一个时辰后会回来找你。"

"行，没问题。"

"如果他是一个人，而你不够他打的话，不要死缠烂打，你往我这里跑，追上我就行了，他不会想在我面前出现，到我身边你就安全了……"绿娇娇在极力想象最坏的情况，她要力保安全地由安龙儿独力完成这次计划，"还有……如果对方有两个人，又发现了你还要捉你的话，你就全力逃脱，到花县和杰克会合。这里是十两银票，够你在路上乱花了，该怎么花钱就怎么花，人一定要安全到花县，明白吗？"

安龙儿接过银票，眼眶一热，几乎流下眼泪。在他的记忆里，已经忘记了有人会关心他。

"娇姐你放心吧，我会按你说的做。"

现在是八月下旬，中秋已经过去很多天，月亮要到下半夜才会升起。官道两旁边是一丈多高的茂盛大树，浓密的枝叶遮住天空的星光，使道路中间黑暗得认不出人样。

绿娇娇和安龙儿走上一段又窄又直的上坡路，这里前不着村后不着店，两旁是斜斜的山坡，山坡上的树林同样高大茂盛，更使这一段路显得漆黑一团。

走到上斜坡的三分之一位置，绿娇娇看前后无人，用手按一按安龙儿的肩，手向路边的大树上一指。安龙儿马上会意，从身上解下绳子，双手各拿住绳子的一头，手腕一翻打出一个大活套——这是前几天杰克刚刚教他的西部牛仔套结——然后他把活套拉大一些，轻轻放在道路中间人一定会走过的位置，在黑暗中，完全看不出有条绳子放在地上。

绿娇娇看到这里，明白安龙儿的想法，脸上忍不住笑容，心想这小黄毛头干这种坏事还真是有天分。

安龙儿轻轻放长绳子，自己牵住绳子的另一头，纵身一跃，无声无息地潜在树上。绿娇娇并不停下脚步，头也不回径直向前走去。

安龙儿跳到树上后，放慢自己的呼吸，听着绿娇娇的脚步声向斜坡上越走越快，越走越远，直到从斜坡的另一头消失。他定下心神，仔细地听着他们走过来的路，没有任何人，除了偶尔响起虫鸣蛙声，路上再没有其他声音。

过了一会儿，路上走过一个赶牛的男人。男人长得五大三粗，手上拿着一条有树叶的软树枝，一甩一甩地轻轻打在牛屁股上。以安龙儿的看法，这人是刚刚耕完田，要从田里赶牛回家的寻常庄稼汉，要跟踪人的话，不会赶一头牛吧……

应该不是这个人，安龙儿这样想着，看着壮汉赶着牛从自己身下经过。

然后又走来一个挑着菜的中年妇人，肩上挑着两个装满青菜的小箩筐，前面的箩筐上有点反光，走到安龙儿藏身的树下，安龙儿发现那是一小碗水，大概是为了给青菜保湿之用。

应该不是挑菜的女人，娇姐不是说是男人吗？安龙儿想，现在才过了三刻钟，再耐心等等。

从斜坡上又走下来三个男人，边走边在大声说笑，安龙儿听到他们说着德贵村有个孙寡妇才十八岁，每天晚上和他们家老爷睡一个房子……

这三个肯定不是跟踪娇姐的人。不过安龙儿发现，原来跟踪或是偷听人家的事时，人会有一种很特别的感觉，紧张之余又忍不住要继续做下去，因为他现在很期待下一个走过的人，很想看看这次会是谁经过。

过了不久，从斜坡下又走上来两个男人，其中一个已经喝醉了，另一个骂骂咧咧地扶着他。

他们从安龙儿蹲点的树下经过时，安龙儿闻到一股酸臭的白酒味，很显然这人是真喝醉了。安龙儿想，没有人喝醉酒跟踪人的吧？要是娇姐突然换匹马跑掉了，他这样也赶不上呀，应该不是他们。

一个时辰里，只有四拨人经过这个黑黝黝的斜坡，但都没有绿娇娇说的丑陋年轻男人。安龙儿算算时间差不多了，只好在树上耐心地等绿娇娇回来。

安龙儿在树上蹲点的一个时辰里无所事事，绿娇娇却跑得半死，气都喘不过来。

和安龙儿分开后，她一路小跑上斜坡，然后向斜坡下跑去，跑多远不是问题，只要前面没有分岔路口，她可以跑半个时辰。

快速移动有利于调动跟踪者加快速度追上自己，这样对方被安龙儿发现的可能性就会更高。

其实以绿娇娇的体力，根本不可能连续这样跑，跑了三刻钟后，她已经坐在路边的大石头上连连喘大气。

闻了几口大烟提提神，绿娇娇开始原路往回走。因为刚才小跑三刻钟的距离，走路回去就要花四刻钟的时间，加上休息，一来一回刚好一个时辰。

绿娇娇好不容易又翻过大斜坡，回到安龙儿蹲点的大树，看看没有出事的痕迹，于是拍拍树干示意安龙儿下来。

“累死我了……累死我了……”绿娇娇终于可以说出话，但是声音还是喘得嗞嗞作响。

“桀屋里死人……”绿娇娇一激动就忍不住用母语骂人，可是安龙儿没听过绿娇娇骂人，也听不懂江西话，一边收地上的绳子，一边顺口问：“什么？”

“我骂他个死人头，给我捉到看我不打他几巴掌，裹个扑街……”绿娇娇还在咒骂着。

这一句安龙儿能听懂，广府白话都这样骂人。

绿娇娇回过气，拉安龙儿爬到路边的山坡上，找块大石头坐了下来。

“刚才有没有人经过？”绿娇娇问道。

安龙儿说：“最先是一个农民赶着牛经过……”

“那人我看到了，我停下来时从我身边过去了。”绿娇娇首先过滤掉这一个。

“然后是一个挑菜的女人。我看是女人就没管她……”

“女人？我没看到女人经过……然后呢？”绿娇娇顿时觉得问题在这个女人身上，但还是要了解全部情况再作分析。

“然后是三个男人从坡上下来，是从你那个方向来的，娇姐你见到他们吗？”

“见到，那三个人和我迎面而过，嘴巴还不干不净的……算了不说这些，还有人经过吗？”绿娇娇也排除了三个男人。

“最后是两个男人，有一个喝醉酒了给另一个扶着，走得很慢，你回来时看到了吗？”安龙儿也开始知道绿娇娇的思路，只要两边一对照见到的人，就可以知道谁是跟踪者。

“那醉猫现在还躺在路边，我看到了，一身酒气看来是真喝醉了，不像是他们两个……还有人经过吗？”绿娇娇走回来时，小心地注意过躺在地上的人，他吐得一地都是脏物，吐出来的东西可假不了，醉成这样的人也应该被排除。

安龙儿无可奈何地说：“没有了，只有四拨人，娇姐不是说没见到挑菜的女人吗？你回来的路上有没有岔路？”

“没有分岔路……一路两边全是山，没有人会挑着菜爬到山上吧？你说说那个女人。”绿娇娇沉吟了一下，从藤箱里拿出盛水的皮囊喝一口水，然后递给安龙儿。

安龙儿接过水喝了一口说：“那个女人看起来像三十多岁，穿着农妇的衣服，裤脚卷起……嗯，穿着鞋子……”

“她有多高？”绿娇娇需要知道每一个细节。

“可能比我们高一点。”

“能看到是大脚还是小脚吗？”绿娇娇问。

“太黑了看不清楚，不过走路挺稳的。”

“她挑着什么菜？筐有多大？”

“什么菜看不清，筐不是很大，她走起来也不显得很重。”

“她的菜是满筐吗？”

“全满筐。”

“菜上有盖什么吗？”

“有，对了，菜上面放了一碗水，我从上向下看到有点一闪一闪的反光，所以记得。”

“一碗水？”绿娇娇停下问话，慢慢闭上眼睛努力组织着安龙儿告诉她的图像。

“那碗水是给菜保湿的吗？我觉得是这样……”安龙儿说出自己的想法，他也想和绿娇娇一起搞清楚这些事情。

过了一会，绿娇娇睁开眼睛看着山坡下的官道，果断而低沉地说：“你已经见到跟踪者了，就是那个挑菜的女人！”

安龙儿亲眼见过这个女人，只觉得普普通通，听绿娇娇这么一说，心里直打鼓，好奇地问道：“娇姐是怎么知道的？”

绿娇娇把头转向安龙儿，靠近他耳边用唇齿的声音细细地说道：“晚上收的菜放到第二天不新鲜，菜农要卖菜的话只在早上收菜，然后白天就要马上卖出去，所以卖菜的人，到晚上不可能有一整筐菜挑来挑去，这是其一；如果要保持菜叶新鲜，应该在菜上盖上湿布和鲜草，或是新鲜的树叶，而不是在上面放一碗水，这是其二；真正挑菜的人，在走路时菜筐会上下抖，这样走起来省力很多，但是这样的话就会把碗里的水打翻，你就不会看到有水了，这证明那个人不在乎那两筐菜重不重，她只在乎那碗水打不打翻，这是其三；天这么晚了，筐里却盛满菜，只能证明那些菜是铺在筐上的伪装，筐里有其他的东西，可能是她的行李……对了，那女人背上还有别的东西吗？”

安龙儿听了绿娇娇的分析佩服得五体投地，心里莫名地激动，真想不到自己看起来平平无奇的事情，在绿娇娇眼里却破绽百出。他回答道：“没有，她身上只有衣服，还有一顶草帽挂在担挑的后面。”

“背上没有行李的话，那两筐东西就是她的行李。”绿娇娇基本上肯定自己的分析结果。

“她不知道你在中途停下来，于是一直追着我，当我往回走的时候，她马上躲到山坡上先让我过去，然后再从后跟上……问题是，她已经知道我是一个人走回头路，也就是说她完全可以认为，她被你见过……”绿娇娇细细地整理着自己的思路，使之连贯起来。

“可是那碗水是做什么用的呢？我不明白……”安龙儿其实还有很多不明白，他只是先问了最迷惑的部分。

绿娇娇不说话，她把皮囊里的水倒了一些在大石头平面的小坑里，大概也是像半碗水的样子，然后从藤箱里找出一个针线包，拿出一支最细的缝衣针，一手拿着针尾，把尖尖的针头在石头的平面上快速地来回拖了两下，针头被磨得晶亮；再从地上捡起一片小树叶放在石头坑里的水面上浮起，最后把细针放在树叶上面。

树叶托着细针浮在水面，细针带着树叶慢慢旋转，转了半圈后，针头居然停下来，正正指向南方。

绿娇娇拿出自己用的小罗经递给安龙儿，安龙儿对照罗经上的磁针和树叶上的缝衣细针，两针所指的方向分毫不差，安龙儿嘴巴张成圆形，惊讶地看看绿娇娇。

绿娇娇把食指放在自己的嘴上，对着安龙儿无声地做了个“嘘”的动作，她不想安龙儿惊动对方。

她用更低的声音对安龙儿说：“他那碗水里也有一个这样的指针，但是他的针不是指向南方，而是永远指向我……”

安龙儿更惊讶地再次张大嘴巴，绿娇娇马上用手捂住他的嘴。

安龙儿对绿娇娇点点头，示意可以放开手了，迫不及待地凑到绿娇娇耳边问道：“娇姐，那是什么东西呀？”

绿娇娇吸了一口气慢慢在安龙儿耳边说出来：“那是‘阎王吊魂咒’……”

“好可怕的名字……”安龙儿听到这个名字后，想象出来的全是妖魔鬼怪。

绿娇娇给安龙儿略为解释了一下：“阎王吊魂咒有几种变术——散魂术、迷魂术、收魂术，还有一种是回魂术。他用的这一种可以跟踪人的魂魄，就是追魂术。把被追那个人的生辰八字融合到符咒里，再把吊魂的灵力加持到指针，这个指针就会永远指向那个人的方向，道行高深的人可以把持咒的范围不断扩大。方士为苦主找失踪小孩的时候就会用上阎王吊魂咒，在孩子刚刚走丢、没有走远的时候非常有效，但是这回……”

“原来这个阎王吊魂咒还可以做好事呀？”安龙儿还以为名字可怕的

东西都是害人之物。

“道术只是工具，像风水一样，可以救人也可以杀人……问题是他们怎么知道我的生辰八字？”

绿娇娇想了一会儿说：“算了，现在不想这个问题。现在知道他用什么道术，我就有办法对付他。这两天总算没有白辛苦，三天之内，我一定要把他捉到手！”

安龙儿看到绿娇娇胸有成竹，也满有信心地点点头“嗯”了一声。

绿娇娇跑了几个时辰，全身骨头都生痛，等她休息到可以重新上路，已经是下半夜，一弯残月从东方的山顶悄悄升起，官道被月色照得明亮起来，绿娇娇和安龙儿也可以加快脚步向花县方向前进。

第九章 白鹤点水

在清城北江边上的豪华客栈江景上房里，当杰克睁开眼睛，已经是大白天。

身材酷似绿娇娇的翠玉睡在杰克身边，也迷迷糊糊地醒过来，一手搭在杰克身上，把脸往杰克身上贴。

杰克转头看了一眼翠玉，手就从被窝里摸向翠玉身体，眼睛又慢慢地闭上。

突然杰克又睁开眼睛，一下坐起来说："糟糕，今天要出发了！"

说完就要下床，翠玉马上拉着杰克坐起来，另一只手扯过被子遮在胸前："杰克少爷，你要走了吗？我和你一起走。"

杰克匆匆忙忙拨开她的手，自己起来找衣服穿上，然后洗脸刷牙，一路乒乒乓乓地收拾东西。

翠玉见这场面真是像要马上出发的样子，也连忙起床，穿起杰克给她的绿娇娇的衣服。

杰克一边收拾东西一边对翠玉说："我要去找我女朋友，你现在也没事了，快回家去吧，这是银票，你用来做盘缠。"说着递给翠玉十两银票。

杰克大概算过，翠玉满打满算地做生意半个月也能赚这么多，但钱会被几个龟公拿去，根本不会到她口袋里。如果她真是要回云南的话，这十两银子足够有余。

翠玉一听这话，没有接银票，却扑到杰克脚下，跪在地上抱着杰克的双腿，急促地说："杰克少爷，我几年没有回家，这样回去也没脸见人，你就带我走吧，你叫我做什么都可以，不要赶我走，杰克少爷求求你了……"

杰克看到穿着绿娇娇衣服的翠玉，心情真是很复杂。如果上帝在这里，上帝一定会叫他帮一帮翠玉；但是如果带上她，绿娇娇一定非常生气，而且绿娇娇还要面对许多事情，现在可不能带个这样的女孩子在身边。

杰克把翠玉扶起来，按到椅子上，看着她的眼睛对她说："翠玉你听我说，我有很重要的事情，马上要离开这里。我要做的事情也很危险，你不能跟来。你没地方去我可以安排你到清城知县何大人那里，何大人是我朋友，他会帮助你……好了，不要哭……"

翠玉一双大眼睛开始流出眼泪，杰克从来没被女孩子这样哀求过，现在完全是手足无措。

"好了……不哭了……我现在就带你去何大人那里，走了走了，快。"

杰克把银票塞到翠玉怀里，一手拖起她一手背起行李就出门。到客栈的马房架好马车，拉翠玉上了车厢，自己跳到车夫位置赶马车出发。

临江客栈距离衙门只有几个街口，杰克的马车拐几个弯就到了县衙大门。他跳下车，走到马车厢旁边打开门，看到翠玉在车厢里依然泪流满面，不停地抽泣着说："杰克少爷，不要扔下我……我不去何大人那里，你让我跟着你吧……求求你杰克少爷……"

翠玉哭得越来越厉害，杰克实在想不明白她为什么非要跟着自己，只得板起脸对翠玉说："好，你不下来我就叫里面的官差拖你下车。"

翠玉一听真的慌了，双手一把扯住马车上的靠椅，说不出话，流着眼泪用力地摇头。

杰克真是无法想象自己把女孩子弄哭了，还弄得这么伤心，一手叉着腰，一手挠挠自己的后脑勺。他想大概是自己表情凶狠，吓着女孩子了，于是尽量温和地像神父一样开导着翠玉："何大人是清城的官员，他会帮助你的，翠玉你下来吧，只要到了衙门，你的困难都可以解决……"

听到这句话，翠玉终于哭出声音，双眼血红，像发疯一样喊叫出来：

"官府里没有一个好人！你根本不知道他们怎么玩我打我……从来没有给过我一个钱！不是你被他们欺负，你当然喜欢他们！我恨他们！我好怕他们……呜呜……我一进去就死定了！"翠玉像崩溃了一样跪在马车厢里，激动地用手捶打着车厢底板，眼泪从她脸上滴下，把木板染湿一大片。

翠玉的话让杰克呆在马车门前，他很清楚翠玉说的话有可能是真的。他还记得自己在美国西部淘金时，在酒吧里见到的妓女，如果把她们送到当地警长那里，同样不能想象后果有多糟糕。

杰克不再说话，这时候说什么都是对翠玉的伤害。他爬进车厢，把翠玉拥抱进怀里，用手拍拍她的背试图给她一点安慰。

翠玉被杰克抱住，从背后感觉到杰克的手像妈妈一样拍着她，毕竟她还是一个十多岁的孩子，却多年没有感受过这样的安慰和呵护，压抑在心里很久的恐惧、委屈和耻辱失控地爆发。她哭得咳嗽起来，喘着气双手紧紧地扯住杰克的衣服，慢慢地倒在车厢里，双手抱着头靠在椅脚。

杰克想起他第一次进翠玉的房间，翠玉问他要钱的时候也是这个样子，不同的只是上一次翠玉全身赤裸靠在他要走出去的门上。

杰克找出一件自己的外衣，一言不发盖在翠玉身上，然后关好车厢门跳上车夫的位置，赶车离开清城，沿官道向南奔去。

马车不紧不慢地走着，翠玉在车厢里休息了很久，情绪慢慢稳定下来，她爬到车厢前敲敲车窗叫坐在车头赶车的杰克，说想坐到车头吹吹风。

杰克停下马车，让翠玉和自己并排坐到车夫的位置。

翠玉坐到他自身边之后，一直沉默着不说话。

"你饿吗？要不要找点吃的？"杰克可受不了这样的沉默，总得找点什么说说。

"嗯。"翠玉点点头。

"我车里有些'牛耳朵'，也有酒，本来还有面包，不过车上人多很快就吃完了，哈哈……"杰克想调节一下气氛，忽然眼前一亮，"你看，田里有番薯，我们烤番薯吃好不好？"

翠玉忍不出笑出来，高兴地点点头，她真心笑起来的样子原来比勾引嫖客时的笑脸可爱得多。

杰克看到她不再伤心，心里也舒服很多，拉转马车就向农地里赶过去。

从民户手里买到一堆番薯和一大捆木柴，杰克在田地里找个树荫位置，搬来几块大石头垒灶生了火，把番薯埋到火堆下面，和翠玉坐在一旁看火等吃。

杰克这时候不敢乱提翠玉的去向问题，他想只能等和绿娇娇会合之后，再和绿娇娇一起考虑，毕竟绿娇娇是中国人，他们自有中国人的办法。现在要杰克扔下一个身无分文又无依无靠的女孩子，他是怎么都做不出这种事情的。

翠玉对杰克说："杰克少爷，你不喜欢翠玉侍候你吗？"

杰克的头一下子就大了，哪壶不开提哪壶。他对翠玉说："我当然喜欢，只是你要明白，我有女朋友。"

"你说过很多次你女朋友了，就是你的情人吧……翠玉不敢想别的，翠玉只是想跟着杰克少爷侍候你，我不要工钱……"翠玉这话其实也说过几回了，他们俩一直在这样绕着，杰克想必须要讲点实际的东西。

"这样说吧翠玉，我爱我女朋友，但是她不会喜欢你。"他一脸尴尬地说。

"我知道，我是妓女……但我没想过要和她争，我只想有人收留我，把我当成一个正常人一样收留我就行了……"翠玉的眼神越来越失落。

杰克看到翠玉的神情，又有些慌乱起来："不是不是，不是这个原因。谁都会有不快乐的过去，很快我们都会忘记的。主要是我女朋友和我还有很多地方要去，而且要办的事情也很危险，我们的生活一点也不正常，我们给不了你正常人的生活，我们每天在冒险……你明白吗？"

翠玉迷惘地摇摇头。

杰克深深叹口气："比如……只是比如啊，我们是被官府通缉的人，我们在逃亡……当然其实我们不是被通缉，我们只是在冒险，但是你不能这样过日子。"

翠玉眼眶又红了，半哭着说："你就是不要我嘛……"

杰克看这情形知道肯定又要历史重演，马上用树枝从火堆里挑出一个大番薯，送到翠玉面前分散她的注意力："快看，大番薯熟了，很香的！"

翠玉从昨天到现在都没有吃过东西，现在闻到香味也顾不得伤心了，撅着嘴接过烤熟的番薯，剥开皮就吃起来。吃了几口，还掰出一小块往杰克嘴里送，看到杰克就着她手吃东西，很快又咯咯地笑起，似乎已经把刚才的事全部忘掉。

杰克面对翠玉无可奈何，只好见一步走一步。他现在只想着尽快会合绿娇娇，永远和她在一起，一个没有同伴的洋人在中国走江湖实在太可怕了。

绿娇娇和安龙儿白天借宿在乡村小镇，晚上则星夜赶路，已经形成了昼伏夜出的习惯。晚上走路清静凉快，人也更精神，最重要的是可以创造机会让跟踪的人暴露行踪。

在大斜坡千辛万苦地创造机会让安龙儿见过跟踪者一面，绿娇娇终于知道自己身后的人在用什么方法进行跟踪，走在路上每一刻钟想的问题，也从如何发现对手变成了如何对付对手。

不停地走了两天，他们已经深陷在深山老林中。本来花县一带都是平原田野，但是在从清城去花县的途中，却隆起一道山脉。

山中树木高大繁密，山势并不险峻，不但不会无路可走，相反有一条贯通南北的官道从山中越过。

现在是和杰克分开的第四天，绿娇娇已经顺利到达经过山岭的官道，和安龙儿在路亭里休息等着杰克。

在她的计划中，没有杰克的帮助，根本不可能活捉使用阎王吊魂咒跟踪自己的道术高手。

路亭设在半山腰，五六丈见方，宽敞的草篷下有大条原木搭的长凳，长凳上侧躺着用头巾盖着脸的绿娇娇，她身边坐着正在看书的安龙儿。

路亭前的官道偶尔有一两个客商来往，这里毕竟是在山上，不会出现车水马龙的局面，但这里又是清城到花县的必经之路，所以也不会荒无人烟。

绿娇娇睡了两个时辰后醒来，依然躺在长凳上，她叫安龙儿给她点上一泡大烟，然后自己靠在路亭的一角抽烟，策划着杰克来了之后的下一步行动。

抽过一泡烟，她觉得等杰克的时间太久了，对安龙儿说："龙儿，起个卦看看杰克怎么样了。"

安龙儿放下书说："我没有试过起卦算事，不知道会不会算错……"

绿娇娇说："算错了也无所谓，你试试吧。在算卦前凝神敛气、心无杂念，不然会算不准。"

安龙儿应了一声，从身上掏出三个铜钱合在手掌里，闭起眼睛让自己静下心，然后用最基本的文王卦起卦法，一步一步地按书照做。

三个铜钱连开六次，安龙儿记录下每一次的阴阳变化，用小树枝在地上画出六道或连或断的横线，然后仔细一看——

“水火既济卦上六爻变风火家人卦……”

“嗯？怎么有关系卦？”绿娇娇心里冒出一个大问号，安龙儿起卦不会错得这么离谱吧。

“龙儿你解卦我听听。”

“嗯，既济卦是阴阳交通卦，代表逢凶化吉，杰克是安全的；互卦为火水既济，为欲合未合之象，代表过程中有争执之事；最后变成风火家人，家人卦木火通明也是吉象，又是既济卦的关系卦，就是说杰克在路上遇到熟人或者是认识人了，关系还很亲密……”

安龙儿一边解卦，一边自己也觉得不太对劲儿，杰克只是一个在广州做生意的洋鬼子，在清城哪里来的熟人？心里有点纳闷，这卦也解不下去了。

绿娇娇看了一眼安龙儿在地上画出的易卦，心中了了，冷笑了一下问安龙儿：“你看这熟人是男是女？”

“既济是阴阳卦，可能是女的，对吗？”安龙儿试探着问绿娇娇。

“断卦要铁嘴直断，没有可能，只有是或不是。”绿娇娇从长凳上坐起来，“你说是男是女？”

“是女的。”安龙儿肯定自己的断卦结果。

“你看是什么关系？”

“前面是阴阳互卦，后面变成亲缘卦，他们是亲戚关系。”安龙儿受了绿娇娇的教育，也不管杰克是什么背景和推断是否实际，只管依卦直说。

绿娇娇又冷笑一声：“哼，亲戚关系……杰克和这亲戚在一起多久了？”

安龙儿认真推论说：“以既济阴阳交通卦开始，就是说他们一开始就在一起了，互卦未济有水火分离之象，这代表过程中他们试过想分开，但是卦像演变到最后成了家人卦，他们到现在一直在一起。”

绿娇娇又问：“这亲戚是什么人你能算出来吗？”

安龙儿皱起眉头想了想，然后向绿娇娇摇头说：“我不会解了。”

绿娇娇说：“既济卦合中有冲，代表这女人不是清城当地人；动爻的卦就是外卦，代表外人，这里是上卦坎卦有变爻，坎为娼盗酒色江湖人；杰克在清城不可能有亲戚，他们本来不认识，你算出的亲戚关系是指他们上过床就变了亲戚，哼哼……杰克这回粘上麻烦事了，等着看戏吧龙儿。”

安龙儿看到绿娇娇的脸色很难看，不敢再说话，又躲到一旁看书去。

他并非真的在读书，他也在等杰克来到面前，他很想知道第一次算卦的结果，希望第一次就可以算准卦；但是也知道如果这一卦算对了，绿娇娇一定会很不开心。

绿娇娇茫然若失，虽然她很了解男人，在广州陈塘的几年生活里，早让她看透了男人的心，她也不在乎男人有老婆，而且杰克又不是自己的什么人，只是一个出钱出力帮助自己的仗义朋友，人家一个大男人要干什么自己管不着，但心里酸溜溜的，不舒服就是不舒服。

她发自内心地希望是安龙儿心怀杂念算错了这一卦，自己却根本不敢起卦再算。

她和安龙儿一样盼望着杰克的马车快点来到，她要看看真实的情况是什么。绿娇娇多年没有忐忑不安过，这一卦却让她焦虑得胸口发闷，又点起一泡大烟。

远远传来马蹄声，两人很熟悉杰克的马车，一听就知道是他正在赶车过来。

绿娇娇收起烟枪站到长凳上，伸长脖子看着官道的尽头。她已经没有心情按原计划伏击跟在杰克背后的人，她只想尽快看看车里有没有其他女人。

安龙儿知道按原计划他们是要潜伏起来的，但是现在看到绿娇娇翘首以待，他明白这回不会按计划办事，于是收起书整理一下行李，也站到路边。

杰克的马车走得很慢，他记得今天是按计划由绿娇娇伏击跟踪者的日子，他怕走得太快的话，绿娇娇随时在他后面发起攻击，他来不及快速回头帮忙。

翠玉还在车上，杰克叫她无论发生什么都不要出来，如果听到有枪声响起，她就要马上下车在原地等着，而杰克会单枪匹马往回赶去。

坐在马车前方的杰克谨慎地赶着车，眼观六路耳听八方，转出一个弯道后，却远远看到绿娇娇高高地站着，杰克开心得在车夫的坐位上站起来，大幅度地扬着马鞭，一边大声叫着：“娇娇！我来啦！”叫完后还使足劲儿吹了一声很长很响的口哨，传到山里山外很远的地方。

看到杰克热烈的反应，绿娇娇心里放下一块大石。

杰克拍着马屁股催促两匹大马跑起来，一溜烟儿就到了路亭旁边，绿娇娇看到快乐的杰克，站在长凳上期待着……

“娇娇，我很想你……”杰克脸上带着激动的表情跳下车，冲到绿娇娇面前，双手张开，一把抱起绿娇娇转了几圈，绿娇娇咯咯地笑着，然后脸上被狠狠地亲了一下。

杰克放下绿娇娇走到安龙儿面前，弯下身也拥抱了他一下，拍拍他的肩说：“嗨，龙儿！见到你真高兴。”安龙儿对杰克笑笑以示回应。

绿娇娇趁杰克去拥抱安龙儿，自己跑去打开马车门。

门一打开，就看到一个相貌姣好的小姑娘坐在车厢里，还很合身地穿着自己的衣服，看起来娇俏可爱；看看自己却是一身男装打扮，布衣麻衫、灰头土脸，刚才的笑容还没有收起，登时不知道应该做何表情。

那小姑娘走下马车站在地上，对绿娇娇欠身低头，正正式式地道了个万福说：“娇姐万福，我叫翠玉，杰克少爷是我救命恩人，他常对我提起你。”

绿娇娇脸上笑容凝固着说：“啊，你是翠玉……”

杰克马上转过身对绿娇娇说：“翠玉不能回家，她没有地方去，我想等见到你再和你商量她的去向……翠玉，她就是我女朋友绿娇娇，长得很漂亮吧？”

绿娇娇还是站在马车门前面无表情地看着翠玉，脑子里一片空白。杰克走到她身边抱一抱她的肩膀说：“都上车再说，龙儿你一会儿帮忙赶一下车好吗？我要和娇娇说些事。”说完就扶绿娇娇上了马车。

杰克和安龙儿在收拾行李，绿娇娇和翠玉坐在车厢里，翠玉低头看着地板，绿娇娇坐在她对面，眼睛一直盯着翠玉的脸。绿娇娇非常有必要给这个女孩子看个相，她要尽全力了解这个人的一切。

杰克也上车后，安龙儿赶着车往花县方向出发。

杰克对绿娇娇说：“翠玉几年以前就被坏人拐卖到洲心镇做……就是……”

翠玉低着头小声地说：“做妓女。”

绿娇娇对妓女一点儿也不陌生，从翠玉的面相上看，的确命带桃花劫，她瞳孔清亮，圆杏眼形，不像是奸诈之人，再听翠玉如此诚实地自报家门，倒是有几分同情。

“后来她被几个坏人折磨的时候我救了她出来，本来想送她到清城何大人那里，但是翠玉被官府的人欺负过，无论怎样都不敢进官府，非要跟着我，所以我先带她离开清城，和你商量一下怎么办？”

杰克如实讲了翠玉的情况，但把上床的事全部漏掉没说。

翠玉听杰克说完，马上对绿娇娇说：“娇姐，翠玉无家可归，你就收留翠玉为奴为婢吧！”一双眼睛期待地望着她。

绿娇娇气不打一处来，心想我自己还无家可归呢，现在这两个狗男女居然合伙要我留人，让他们可以天天一起风流快活？真是开玩笑！

绿娇娇说：“要不这样吧，杰克你带翠玉回广州安置她的去向，我和龙儿回头北上继续赶路就行了。”

杰克听出绿娇娇话里有话——如果他留下翠玉的话，绿娇娇就会叫他回广州，这当然不是他的本意。他连忙说：“娇娇，我和翠玉说了，你是我女朋友，你去哪里我就去哪里，我不会自己回广州。我们帮翠玉安排好去向就行了……”

“朋友不是男的就是女的，她也是女朋友啊，你跟谁去不一样？”绿娇娇态度很明确，她在吃醋。

翠玉看到这情形，突然在狭窄的车厢里跪下，红着眼眶对绿娇娇说：“是翠玉命苦，翠玉从来没有任何想法，如果娇姐不喜欢翠玉留下，在前面的镇上放下翠玉行了……我被杰克少爷救出来的时候身上没有衣服，才借了娇姐的衣服穿着，有机会翠玉再重新做一套新衣还给娇姐……”说到这里，翠玉忍不住又小声地哭起来，她极力地压住自己的声音，哭得非常辛苦。

绿娇娇和杰克对视了一眼，杰克说：“要是随便在一个陌生的地方扔下她，她还不是要做妓女？”

绿娇娇也不想再说难听的话给翠玉听，一脸灰沉地低声说：“这是她的命，天下这么多妓女，你救得过来吗？”

“但是她不想当妓女，我们能帮一个人，不是比放弃一个人好吗？”杰克提高了音量，他的态度和绿娇娇明显不同。

绿娇娇在风月圈中打滚了三年，经她手算命的妓女没有一千也有八百，每算一次命就像在看一个悲惨故事，她对妓女的难处不能说理解至少也是了解，她听到杰克的话沉默了很久，眼睛一直盯着跪在地上的翠玉。

“翠玉，起来吧不要哭了，我们这两天要去一个村子，看看那里的人能不能收留你吧。”绿娇娇也是一身的事情，她不想因为这件事失去杰克支持自己的力量，也不想翠玉在自己身边拉扯太久，这会严重影响她的下一步计划。

她看了看杰克，杰克马上点头：“我说的就是这个意思！娇娇……”说着讨好地把手搭在绿娇娇的手上，绿娇娇一手甩开，翠玉重新坐回座位上，靠在角落低下头。

两匹马走路发出密集的马蹄声，这时在车厢里谈话最不容易被外界偷听，绿娇娇想趁现在前不着村后不着店的时机，和大家谈好下一步安排，于是她问翠玉：“翠玉，你会赶马车吗？”

翠玉摇摇头，绿娇娇说：“我要和龙儿说些事，你去车头帮忙看路，不会赶车没所谓，你不要拿缰绳，让马自己慢慢走就了，这路上没有岔道，不会走错路的。”

然后她叫安龙儿进车厢，对杰克说：“你那些风流事就不要说了，现在要讲正经事。”

杰克嘿嘿一笑，挠挠头默认了绿娇娇说的风流事。绿娇娇会知道这些事杰克一点儿也不奇怪，他觉得没有什么事可以瞒得过巫女绿娇娇。

绿娇娇给杰克说过这几天试图逃脱跟踪的过程，也说了安龙儿发现跟踪者的事情，说到跟踪者使用的阎王吊魂咒，生性爱冒险的杰克大感兴趣，直恨当时自己不在现场。

解释过前因后果，绿娇娇说：“我们的目的是破解吊魂咒，把跟踪我们的家伙抓住，我有很多事情要问他。”

安龙儿接着问：“然后呢？”

“然后什么？我只是要知道整件事情的来龙去脉，难道还杀人灭口呀。还不是找个地方审他几天，再给个机会让他自己跑掉。”绿娇娇觉得安龙儿的问题杀气腾腾，她有必要及时制止安龙儿过分的想法。

安龙儿“嗯”了一声，绿娇娇又说一次：“我知道你功夫好，但是不能杀人，打不过人家的话你宁可逃跑，知道吗？”

“知道了。”安龙儿乖乖地回答。

“我想尽可能一次捉到人，见不到这贼人也就罢了，一旦见到，速战速决，把她绑到棺材铺去……今天晚上我先做一个替身，这个替身引诱跟踪我的人，我们三个人同时埋伏在替身后面，两条洋枪再加个武林高手，我们捉定她了。”绿娇娇先简单地说了一下步骤。

杰克对绿娇娇层出不穷的道术极为好奇，问道：“娇娇，你说的替身是什么东西呀？”绿娇娇知道他会问，早就准备好答案给他：“阎王吊魂咒跟着我的生辰八字，而不是我的身体和气味，所以可以用天师道的替身符，把自己的生辰八字附到一个人形上，草人和纸人都可以。比如算命发现有灾祸时，就可以提前做出替身转移灾祸。”

安龙儿大概听明白了原理，他又问：“八字的主人会怎么样呢？”

“那个人就会失去一切命运。有意外来到时，他再也没有好运气保护，他也没有得到意外福禄的好运气……这时候的人最脆弱，但是也最自主，没有命运可以左右他。但他需要强大的外界力量来保护自己，或者自己有强大的力量……直到灾祸过去，解咒回魂才可以重新回到自己的命运里。”

绿娇娇的解释让安龙儿和杰克莫名其妙，他们眨巴着眼睛看着绿娇娇，绿娇娇说：“你们不用管这些，保护我就行了。”

安龙儿还是喜欢听绿娇娇给他下达简单明确的命令，说：“行！不过，我们放下你的替身后，那个替身不是停在原地了吗？上次在甘蔗林里，你一停下来，那个人就不动了。如果替身不走，那个人也不会动，我们走回头找人的话，她就会知道中了计，不会再冒头……”

绿娇娇听了安龙儿的话，眼睛转一转说：“对啊，这一手是很麻烦。嗯……如果能让这个替身走起来……”

杰克说：“把替身放在马车上，让马车继续向前走？”

绿娇娇想了想说：“这样是可以，但是我无论如何要追回马车，不然马车带着我的替身跑丢了，我可很麻烦……”

安龙儿说：“由翠玉赶着车慢慢向前走行不行呢？”

绿娇娇斜过眼睛看一眼杰克：“她？”

安龙儿提出让翠玉赶马车，是出于直觉对她的信任。

他从见到这个女孩到现在，还没有和她说过一句话，但是翠玉眼神里的简单让他感到莫名的诚恳。他不知道翠玉的来路背景，只是觉得她不是绿娇娇那么鬼灵精怪的女人。

杰克和翠玉相处了四天，他认为翠玉不是胆大包天的人，反而觉得这个小姑娘很愿意听别人的话。他觉得，十多岁的女孩子就算有足够的胆量，也不一定有足够的聪明，再说，还有谁比眼前的绿娇娇更狡猾呢？

绿娇娇可不是这么想，她现在怀疑一切人，但是安龙儿的话倒让她有兴趣做一件事。

“试试吧，如果可以的话，她倒是一个好帮手。”绿娇娇突然像换了个人。

“杰克你能去问问翠玉的生辰八字吗？还有问一下她的真名是什么，没有人会用爹妈给的姓名当妓女。”绿娇娇对杰克说。

车还在慢慢地向前走，杰克打开车厢门跳下车，快跑两步后跃上马车的车夫前座，坐到翠玉身边，和翠玉聊了一会儿天。

再次跳回车厢里，杰克对绿娇娇说：“翠玉在家里的名字叫李小雯，生辰八字道光九年，六月十七日酉时。”

绿娇娇听了杰克报出的八字，出于风水师独有的好奇，马上运算起来。

“这不是八字，而是她的生日，要算命的话，还要换算成天干地支……”绿娇娇一边说，双手一边同时快速地掐算。这是绿娇娇的家传术数，双手齐算天下只此一家，比江湖上著名的盲师算命还要快捷。杰克和安龙儿看着她的手指翻飞，一阵眼花缭乱，还没有看清是怎么回事，绿娇娇的手指已经停了下来，眉头紧紧地皱着。

“她的生辰八字是……己丑，辛未，乙酉，乙酉……这真是她的八字吗？好苦的命……”绿娇娇自言自语地沉吟着。

半晌不说话的绿娇娇，并不是为了故弄玄虚，而是她算出来的结果，无法说出来。

她一言不发，也像杰克那样在马车前进时打开车门跳到地上，然后快跑几步跳上车夫位置。翠玉看这次上来的是绿娇娇，顿时不知所措，她发自内心感到绿娇娇给她极大的压力。

绿娇娇坐在翠玉的身旁对她说：“翠玉，我们想请你帮个忙，不知道你愿不愿意。”

翠玉已经六神无主，紧张得话都不会说，只是紧闭着小嘴，看着绿娇娇点点头。

“明天我们会在半路下车办点事，你也像现在这样坐在马车头，看着马车慢慢地向前走，后面发生什么事你也不要管……”绿娇娇嘴上这样说着，眼睛却一直打量着翠玉的脸，她想从她的脸上，找出与她的八字相关的线索。绿娇娇这种做法，正是玄学应用中的“命相合参”，看过八字再配合面相作分析，比两者分开单独运用更为准确。

翠玉一听绿娇娇的话，吓得眼眶又红起来，眼泪在眼眶里打转转。她觉得全车人都要离她而去，就扔下她一个人向前走，不就是不要她了吗？

绿娇娇知道她怕什么，马上接着说下去："别哭，我们不是扔下你不管，我们的行李都在车上呢。我们会在一两个时辰后追上你，你如果听到车后有鞭炮声的话，就把车拉停等我们赶上来。"

绿娇娇同时用手拉住马缰，轻轻向后一扯，一直在溜达的两匹大马停了下来。然后她用马缰一抽马屁股，马又开始向前走。

"看到吗？就这样拉停马车等我们。"绿娇娇的眼光移到翠玉的白皙光滑的脖子上。

翠玉知道不是要甩掉她，点点头说："好，翠玉能做的一定照做。"

翠玉的额上光洁却不平整，有若隐若现的细碎横纹，这代表着她早年运程艰难坎坷；脖子上有不明显的折纹围在颈肩的位置，这可以看出几天里她一直有房事；眼肚的位置是相学里的子息宫，现在红润光洁，分明有喜在身，很可能已经有了身孕，而这个孩子会是谁的不用猜都知道；两眼中间的鼻梁位置叫做山根，翠玉的山根位置有三条横着的小细纹，像是挤着鼻子笑出来的笑纹，女孩子这个样子特别可爱，可是这并不是笑纹，而是早夭凶死之兆……

绿娇娇把翠玉脸上的一切看在眼里，她的面相，和算八字得出的结果全部吻合，但是绿娇娇还要作最后的测试。

绿娇娇突然问翠玉："你在妓院时，每天有喝酸汤吗？"

翠玉惊讶得轻轻叫出声："啊？！娇姐，这些事你都知道啊？"

原来妓院每天都会给妓女们喝一种叫"了子汤"的酸汤，是用柿子蒂为主要材料熬成，喝了这种汤，妓女们可以安全地避孕，接多少客都没有问题。长年喝这汤的妓女，会失去生育功能，但是年轻的妓女，却要天天喝才可以避孕，有时还会避孕失败，使妓女陷入极大的痛苦中。绿娇娇长年在风月场打滚，对这种妓院内事极为了解。

"哼，娇姐什么都知道，你别想骗我，你认识杰克后就没有喝汤了吧？"绿娇娇连唬带问地对翠玉说。

翠玉一脸惊恐地摇摇头说："翠玉不敢骗娇姐，我也不知道是什么汤，平时不喜欢喝，都是他们逼我才喝……出来后就没有喝了……"

"好了没事了，你继续坐着吧，我先回后面车厢。"绿娇娇说完一个翻身就跳下车，回到杰克和安龙儿坐着的车厢。

“怎么啦？”杰克很少见到绿娇娇皱着眉头这么久，他担心绿娇娇和翠玉闹起来，翠玉铁定吃亏。

“没事，看戏吧。”绿娇娇从藤箱里翻出缝衣服的针线包，挑出一支细针，用一条红线绑在针中间，提起细线的一头时，针就横吊在空中四面乱转。

绿娇娇叫杰克和安龙儿和她一起坐到后排，她自己坐在中间，正对着翠玉的背影，然后她叫安龙儿手提红线，把针悬在她和翠玉之间。

绿娇娇左手往自己背后一摸，再抽出来时竟用两根小手指夹着一张金纸。她右手捏成剑指道诀，和拿金纸的左手同时一翻腕，低沉地喝一声“着”，金纸在她的手指上“呼啦”一响烧成一个火球。

安龙儿的手一直吊着针，放在她和翠玉之间。绿娇娇右手捏剑诀立在胸前，左手双指朝天，捻着火球在针下方快速绕了三圈，余光未尽，她已经将手指收回，双手再从背后抽出来的时候，竟是左手拿着一条六寸长的黄色符纸，右手拿着一支暗红色的朱砂粉笔。

绿娇娇左掌托符纸照在面前，右手飞快地在符纸上写字，同时口中念念有词：“乾元亨利贞，太极顺吾行。云南李小雯生于己丑辛未乙酉乙酉，真魂正魄吊入红线银针指分明，阎王敕令鬼兵吊魂火急如律令急急如律令！”

绿娇娇念咒的声音像豆子流落在银盘上一样清脆好听，符纸上飞快地显出一行奇怪的符号，安龙儿认出这是李小雯的八字镶在符图的中间。

咒语念完，符也写好，绿娇娇把指间夹着的符纸飞快地贴到安龙儿的额头上。

安龙儿眼前一花，眼里竟看到马车前方的路面，这分明就是翠玉的眼睛所见，安龙儿定在那里不敢乱动，用力地理解当前发生的事情。他手上的红线吊针也不再乱指，而是直直地指向翠玉的背后。

“阎……王……吊……魂……咒……”

杰克的头凑到安龙儿吊起的针面前，颤抖着声音不自觉地说出咒法的名字，两只眼睛对成斗鸡眼，定定地看着银针。

绿娇娇一手推开杰克，跳出车厢爬到前座去，拉停了马车，她对翠玉说：“翠玉，你到那边看看有没有山泉，我们想接点水喝。”

翠玉应了一声就爬下车，走向山坡那边。

绿娇娇马上翻身下车，到车厢边一头钻进车厢里，用手推开还在看针的杰克，自己去检查那根细针。

细针的针尖慢慢地转向，像是有人用无形的手摆弄着，始终指向翠玉的方向。

绿娇娇窜到车厢里，把符纸从安龙儿的额头上取下，很快地折成一个小三角包，塞到安龙儿的怀里。翠玉眼中的景象从安龙儿眼里消失，但是指针仍是指向翠玉。

"嗯，翠玉的名字和八字都是真的。"绿娇娇肯定地说，"以后她就交给你了龙儿，符和针可不要弄丢了，针不用的时候可以插在三角符纸里。"

"太厉害了……"安龙儿抹一抹额上的汗，杰克连忙凑过来问安龙儿刚才的情况。当安龙儿说到可以看到翠玉的眼里看到什么，杰克也和他一样，用手抹着额头惊叹不已。

翠玉很倒霉，走了一转没有找到山泉，但是回来之后绿娇娇对她的态度却好了很多。她把杰克赶到车夫的位置去，叫翠玉回到车厢休息，顺便陪她说话。

绿娇娇从车厢里大声喊正在当车夫的杰克："我说杰克少爷啊，今天晚上我和翠玉睡一个房！"

杰克擦着脸上的汗，干巴巴地笑笑，算是听到了。

马车在太阳下山前到达冯村，这是一个不大不小的乡镇，人口比较多，商铺、食店、客栈一应俱全，过惯好日子的绿娇娇看到花钱的地方，心情顿感舒畅。这五天一直在荒山野地奔波，没好吃没好睡，天天穿着灰布衣服爬山涉水，还有两天没洗澡，绿娇娇都快被这种生活逼疯了。

绿娇娇选了一个开窗就能见到小河的客栈，安排大家入住。

这一次并不是因为她想住风景好的上房，绿娇娇自有她的目的。不过打开窗户有小河风景的客房，九成也是价钱最贵的上房。

她和大家在街上的酒家吃过饭，就由得安龙儿和杰克在镇上的夜市游玩，自己早早带翠玉进了房间。

她叫客栈里的用人搬来两个大浴桶放在房中，在浴桶中倒满热水，然后招呼翠玉一起洗澡。

"翠玉，我以后不叫你翠玉了，叫你小雯好不好？"绿娇娇很理解妓女的心态，出来卖身的名字是一个面具，是对自己尊严的最后一道保护线，她们不会让客人知道原名，也不会让家里人知道那个做生意的艺名，每一个妓女都用两个名字过着两种生活，叫她的原名，等于拉下面具，现在正是李小雯应该忘记翠玉这个名字的时候。

"当然好，很久没有人这样叫我了。"完全看不透绿娇娇的李小雯，惶恐地接受着绿娇娇突然给她的尊重。

"小雯，来，脱下衣服一起洗澡吧。"绿娇娇一边说一边宽衣解带。

以翠玉的名字当过三年妓女的李小雯，对脱衣服一点不陌生，但是在女人面前脱反而觉得不自然。尽管心里觉得古古怪怪，绿娇娇的话对她而言却有莫名的权威，她应了一声，就开始脱下自己的衣服。

绿娇娇脱下穿了几天的灰布男装，解开头发披散在身后，走到桌子旁边点了一泡大烟，拿着烟枪赤裸着身体走入浴桶。她坐在浴桶里让水没过胸口，嘴里慢慢地吐着烟，眼睛一直看着正在脱衣服的李小雯。

在暗灯映照下，李小雯的身体上泛着游离不定的红光，这种色调很容易让人情欲高涨。

绿娇娇发现李小雯的身体和自己真的好像，虽然矮小却长得很苗条，腰很细但是乳房却相当丰满。仔细看来，李小雯还是比自己隐约多了两分肉感，光滑的皮肤里透出少女桃红色的血气。绿娇娇很清楚自己的皮肤白皙过人，但也许是鸦片烟抽得太多了，那色泽只是没血色的苍白。

到底杰克是天生喜欢这种身材的女孩，还是因为喜欢我，所以勾搭上身材相貌和我相似的翠玉？绿娇娇在大烟的作用下，思想开始飘浮得不太实际。

黄色的烟让房里的灯光都混浊起来，李小雯也泡到浴桶中，绿娇娇闭着眼睛找闲话和李小雯聊天。

"你家里还有什么人呀小雯？"

"我还有个妹妹，被拐走的时候有父亲和娘……"

"那时你娘病得很厉害吧？"绿娇娇算过她的八字，对她家里的情况心中有底。

"对呀，娇姐你真是什么都知道啊！"李小雯一直不知道绿娇娇是什么人，只道她是杰克很喜欢的一个情人，所以对着杰克有几分脾气，想不到绿娇娇对她妓院里的事和家里的事都颇为了解。

李小雯坐在浴桶里，双手攀着桶边，把身体凑向绿娇娇："娇姐会看相的吧，我觉得你跟神仙似的……"

"呵呵……才不是呢，我瞎猜的，你妹妹比你小很多吧？"绿娇娇觉得知道了也不必说太多，现在并不是收了客人的算命钱，用不着卖弄神通。

"也不是，比我小六年，我记得的她还是小孩子，现在应该长成大姑娘了……"李小雯失神地回忆着家乡三年前的事情，那时她还是少不更事的乡村农家女。

绿娇娇绕了这么久弯子，就是想讲到这里："你喜欢你妹妹吗？"

"喜欢，她老是打烂东西，爹发现了老是来打我，不过我还是喜欢带她玩。"

"你很喜欢小孩吧？"绿娇娇看似无意地问了一句。

"是呀，我最喜欢带我妹妹玩，那时她的脑袋很大，很可爱！"李小雯说到孩子的话题，脸上带着笑，两眼闪光。

"你不烦吗？小屁孩一天到晚地哭……吵死了。"绿娇娇吸烟吐烟，若无其事地问着她最想知道的问题。

现在李小雯身上怀着杰克的孩子，天下只有绿娇娇一个人知道，告诉杰克和李小雯，等于叫他们俩一起回广州，自己的事就不用办了。

如果可以保住李小雯母子平安，她就可以在杰克帮她办完事回程时，再带他找李小雯，让他自自然然地发现这件事。如果顺利的话，孩子还没有生下来他们就可以再见。

但前提是要搞清楚李小雯是不是愿意带小孩的女人，这比一切都重要。

"我不觉得烦，邻居的小孩也常给我带，我可以同时对付好几个呢……"李小雯微笑着躺入浴桶中，她从来没有在浴桶里这样泡过，在暗灯摇曳的客房中，闻着浓香的烟味，让她舒适得慢慢放松了对绿娇娇的警戒。

"你还真行，一个对几个，我看到一个小孩都顶不住，哼哼……"绿娇娇知道了李小雯对小孩的态度，也知道了下一步要做些什么。

半个时辰后，街上打出二更的梆子声，已经到了亥时，绿娇娇等的就是这个时间。她叫李小雯起来擦干身子，两人一起换上洁白的蚕丝薄衣。

她推开窗户，再和李小雯一起把房中的八仙桌抬到窗边，窗外正对着经过冯村的小河，小河对岸的青竹林在夜风吹动下，远远传来呼啦啦的声音。

绿娇娇对李小雯说："小雯，娇姐会算命，算出你的命很苦，娇姐想帮帮你，你愿意吗？"

李小雯表情惊愕，随即明白了绿娇娇的意思，马上对着她跪在地上："娇姐，我就知道你不是普通人，小雯一生没过好日子，在乡下穷得没饭吃，被拐到广东又……又……"

她已经说不出话，只是流着眼泪向绿娇娇磕头。

绿娇娇由得她跪在自己面前，说："你先不要哭，你的苦还没有受完，我不一定能帮得到你，我也只是尽力而为。你命中注定在二十岁前有一个生死大劫，躲得过，以后会慢慢有好日子，但是你未必躲得过……"

李小雯听到绿娇娇这样说，向前跪行几步抱住她的脚哀求："娇姐救我！我知道你可以救我的……"

绿娇娇平静地说："好，你想活就行了。要是你自己不想活，神仙都救不了你。"

绿娇娇说的话，包含着玄学里的一个大原理。

玄学中任何一种术数存在的本质，就是为了改变命运，如果大家都当命运的顺民，逆来顺受闷吃亏，天下根本就不会有玄学。

每一人都必须独自承受属于自己的命运，如果这个人自己不想去改变，外人用道术横加干涉的话，就成了逆天而行，为施术者和命主本身都会引来天机的恶报；但是如果命主本身有愿望要去改变命运，这个愿望也会成为命运的一部分，那么施术者的成功率和福报都会同时增加。

绿娇娇在决定是否帮助李小雯之前，要明确知道李小雯自己的愿望。听到李小雯亲口说出愿意面对这个劫数之后，她叫李小雯跪在房间的中间，面向窗外，窗下放着她们刚刚搬过去的八仙桌。

她对李小雯说："不是我想救你，你要谢就谢杰克少爷吧。我会施术平衡你的八字，帮你度过生死大劫，你在二十岁前要按我说的做。今天晚上的事情，不许对任何人说，包括杰克也不能说，否则天机泄露，你就会全身流脓活活烂死。"

后面几句是为了让李小雯守口如瓶而吓唬她的鬼话，但很有戏剧效果，李小雯不断点头说："小雯什么苦都吃过了，娇姐你叫我做什么都可以。"

绿娇娇说："那好，首先记住，你永远不要回云南，你和你父亲相克得很严重，你母亲可助旺你的命，但是她已经死了，你没有必要再回云南老家。”

“小雯已经没脸回老家了，所以才求杰克少爷收留，小雯一定听娇姐的话。”

“好，第二你不能向西走。你属木命，但命元极弱，以属金的西方为致命的七杀星，你向西走必死于刀兵战乱之中。”

“是，小雯记住了，一定不向西方走。”

“第三，你以后一定要住在水边，海边、河边、井边都可以，离水源不能超过十丈。”

“是，娇姐，小雯一定住在水的附近。”

“这三点好好记住了……现在跪在那里，双手撑到地上，闭上眼睛不要看，直到我叫你起来。”绿娇娇走到李小雯的身后，看一看位置没问题了，然后到行李箱中找出符纸、朱砂笔和四炷香。

她把符纸和笔先放在桌上，然后在桌上拿起四个茶杯，其中三个茶杯在窗前一字排开，茶杯里满满地倒上茶水，再用一双竹筷子平放在三个茶杯上。

四炷香在灯火上点着，绿娇娇轻快地把其中三炷香分别插入那双竹筷子中间，刚好一个杯子插一支。

三个香头在黑夜中忽明忽暗，绿娇娇拿起第四支香，挺胸拔背，含颌聚气面对窗外的小河。

她双手交叉，手背相贴，两手的尾指和无名指互相反扣；在上方的右手掌心向上，拇指和中指捻着一炷香；在下方的左手用中指和拇指夹着第四只茶杯的杯壁轻轻捻起；其他手指自然散开，构成一个优美的手形，这是天师道术中呼唤龙神的不传之秘——白鹤点水诀。

白色的薄丝轻衣在晚风中轻轻飘荡，不时贴在绿娇娇的身上，白鹤点水诀高高举起，隐隐看出少女身体的曲线，在黑暗中显得神秘诱人。

绿娇娇保持着这个姿势一会儿，等自己手上的香烟飘到窗外，口中开始喃喃念咒。

李小雯只听到绿娇娇碎碎地念着，声音很轻也很清晰，很好听却听不懂她在念什么，也不敢抬头看。

随着香烟飘到小河上，河水开始异样地翻动。竹林依然吱吱嘎嘎地响，河水的哗哗声也没有变化，但是窗外的河面上，水色却越来越白，一股白色的水气从四面八方慢慢地聚合在河中心。

绿娇娇用咒语呼唤着面前这条小河的龙神，咒语温和绵长，小河中的白气拧成一道白柱慢慢地升上半空，隐约现出龙形，同时半空中传来低沉的龙吟，似有似无像远远的闷雷声。

李小雯的八字百无一用，凶险重重，主要原因是命中无水，她是木命人却弱之又弱，而木以水为活命之源，要救这条人命度过生死劫，只有借用风水中的水龙神力给她的命运重新注入水气。

李小雯听到远远的闷雷声后，开始听到绿娇娇口中念的咒语，因为绿娇娇的声音越来越大："五灵元君五火之精，还火入水河海澄清。火玲震动海龙潜惊，吾取真气急急如律令敕！"

绿娇娇咒语停下，河面上的白色龙气开始向窗前快速流动，一股白气扑入窗里，只听得"轰"的一声，李小雯感到从头顶上压下一层水气，清清凉凉浑身通畅。

绿娇娇的衣服和头发都被白气扑得湿漉漉的，白鹤点水诀衔着的空杯子中，突然满满地盛了一杯龙神送来的无根真水。

绿娇娇手脚麻利地放下杯子，站到八仙桌前用朱砂笔飞快地写出一道符，在香火头上一扬，符纸突然着火，一瞬间就烧成纸灰。绿娇娇把符纸烧成的纸灰往龙神水中一点，用手指在杯子上方划出一条复杂的曲线，蹲到地上把杯子递给李小雯："喝下去！"

李小雯很听话，接过杯子一饮而尽，发现这水居然清甜无比，自己在乡间生活多年，从来没有喝过如此让人精神爽利的山泉。

"向龙神磕三个头！"绿娇娇一边叫着李小雯，一边自己也站到窗前双手合掌向河面拜了三次。然后她站到八仙桌前写下一道水德星君符，折成三角纸包交给李小雯："小雯，双手接符，从此贴身带着。记住：符在，你的命就在。"

李小雯双手接过这道符贴在胸前向绿娇娇磕头说："谢谢娇姐的救命之恩……"

绿娇娇轻轻地冷笑一声："哼，应该谢我的不是你……起来吧，收拾东西睡觉。"

为了不让其他客人听到这里的声音，两人轻轻收拾好家什，绿娇娇累得头昏眼花，吹熄油灯就倒在床上。但是她上的却是李小雯的床，上床后从背后一把抱住李小雯。

绿娇娇用大腿压在李小雯的大腿上，一手伸进李小雯的衣服里，缠着她的腰，然后游移着向她的乳房摸去。

李小雯不知道绿娇娇想干什么，一动不敢动。她的乳房细滑柔软，绿娇娇的手用力在她的乳房上抓下去，她忍不住轻轻“啊”了一声。

“舒服吗？”绿娇娇迷迷糊糊地问。

“嗯……”李小雯根本不知该如何作答。

绿娇娇的手还在她身上一寸一寸地摸着，她很想试试杰克摸过的女人，摸起来有多舒服。

她快睡着了，手摸到李小雯的肚子上停下，她的手一夜搭在那里。

第十章 无脸人

绿娇娇总算可以睡个好觉，醒来时发现李小雯比她还能睡，居然还在熟睡中抱着自己。

绿娇娇扳开李小雯的手，摇醒她一起起床梳洗，然后走出房门到隔壁的房间找杰克和安龙儿。

天色已经大亮，站在客房门前就可以听到街外人声嘈杂。绿娇娇走到杰克的房间敲门进去，看到杰克正在擦枪装弹，安龙儿在压腿打拳放松筋骨，大家都像在剧烈运动之前热身一样战意高昂。

床上放着几张大网，还有几捆绳子。一问之下，原来是杰克偷偷向客栈老板买了绳子，连夜和安龙儿在房间里编织出来，为今天的擒拿计划做了充分的准备。

绿娇娇向安龙儿要了两套干净衣服，叫大家准备出发，就回到自己的房间。

李小雯和绿娇娇都换上了安龙儿的衣服，一身男装打扮，头上包着头巾遮住头发，再和包起黄头发的安龙儿站在一起，远远一晃眼根本分不清谁是谁。

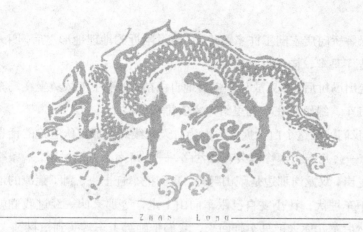

绿娇娇向店家问了许多路线，了解过附近的地理地形之后，四人打包行李上了马车，向棺材铺出发。

走出冯村后，杰克放马车慢慢地自由前进，李小雯依然坐在马车前面假装赶车，绿娇娇在车厢里给大家安排任务。

“我们就在这个白天捉人，因为白天光线好，那家伙逃跑的话也没地方躲。一会儿走到狮岭镇会有分岔路，一条路南下去棺材铺，一条路北上到双龙岗。双龙岗那边是荒山野岭，我们把车赶上去。到了荒凉的地方我们就下车埋伏，让小雯自己跟车向山上走，等那家伙一经过我们就捉住他，然后龙儿你去把马车赶回来，我们把她绑上车转头到棺材铺去。”

“都明白了吗？”绿娇娇左右看看两个男子汉，他们很认真地点点头。

绿娇娇把自己的左轮枪斜背在身上，接过杰克给她做好的子弹，一颗一颗插到宽大的枪皮带里；杰克和安龙儿身上都背着一捆绳子，昨晚编好的网放在身边；杰克的鞋子里插着一把匕首，他拔出来擦了又擦；绿娇娇发现安龙儿的绳镖换了绳子，新的绳子用钓鱼丝线编成，比原来用的棉绳更细更坚韧，因为身上挎了大捆绳索，他不能再像过去那样把绳镖的绳子缠在身上，而是一圈一圈绕在手臂上。

马车走了快有两个时辰，他们经过一个市镇，一问之下原来已经到了狮岭镇，绿娇娇叫安龙儿出去赶车，把李小雯换进车厢里。

安龙儿坐到车夫位置后，拉转马头就向北方的小路前进。他赶着马车越跑越快，不断用马鞭催促着马匹加速。两匹大马几天没有飞跑过，正憋了一肚子气，现在主人家打屁股让它们跑，开心得不得了，撒开八只蹄子在路上带起一道烟尘。

马车跑得很快，转眼就跑到荒无人烟的小路，再向前去就是双龙岗。叫双龙岗是因为从山下的田野往山上看，有两座瞩目的龙头峰，双龙岗后其实连着完完整整一行山脉，上山的路自然窄小，马车要继续这样飞奔上山是不可能的。而这种地形，正是绿娇娇心目中最好的伏击地。

绿娇娇看看车后没有人跟来，田野四周也没有闲杂人等，大声叫安龙儿：“龙儿，渐渐放慢速度吧！”

车速慢下来，她从身上掏出一个布娃娃。

布娃娃用碎花布缝制而成，用小扣子钉出两只大眼睛，身上穿着一件小旗袍，一眼看去着实有几分像绿娇娇。

杰克从来没有见绿娇娇还有这种女孩子玩具，他伸手去摸布娃娃说：“娇娇啊，你还有这种小玩意儿，这娃娃可爱，样子长得真像你……”

绿娇娇一手拍开杰克的手说：“别碰，这是我从广州带来的，有正经用。不要说话了，要做正经事。”

说完从身后摸出一张符纸压在布娃娃身上，只露出一个娃娃头，右手提起朱砂笔，闭上眼睛定一定心神，然后右手食指和拇指夹住朱砂笔捻成道诀立在布娃娃面前，开始喃喃念咒。她要使用八字替身符把自己的八字转移到布娃娃身上，让这个布娃娃引诱那个使用阎王吊魂咒的跟踪者。

杰克和李小雯这一次无论如何也听不清绿娇娇的咒语，因为这一片咒语中，绿娇娇要念出自己的真正姓名和生辰八字，她不想有人听到这些，最好的方法就是压低咒语的声音。

虽然听不清咒语，但是杰克和李小雯却看到绿娇娇拿着布娃娃的手开始轻微地抖动，她手上拿住的好像不是一个布娃娃，而是一只不停扭动的小猫。

绿娇娇的咒语还在念着，朱砂笔开始在布娃娃身上的黄纸上写符，很快符纸写好，绿娇娇的咒语也喝出声音：“无刑无煞唵……敕神兵火急如律令！去！”

从绿娇娇身体前面，分离出一个透着青光的人形幻影，随着绿娇娇那一声“去”，突然而快速地向布娃娃撞去，马上又消失得无影无踪。

杰克和李小雯看在眼里，心惊肉跳地贴在车厢两旁。仔细看看那个布娃娃，正被一团灵艳艳的青色气焰包围着，那两个钮扣眼睛像活过来一样，正好奇地看着绿娇娇。

绿娇娇不管两个观众，自顾从角落提出藤箱，用衣服把布娃娃包了又包，然后重新关好箱子，放入几个行李箱的中间。

她看看窗外，马车已经走在小斜坡上，安龙儿也配合地放慢了车速，她对李小雯说：“小雯，你到前面去把龙儿换下来，然后你自己坐在车头位上，沿山路慢慢走，不用管我们。听到第一声鞭炮响你就拉停马车，我们很快会来找你。”

李小雯看不懂绿娇娇在干什么，但经历过昨晚的事情，她知道绿娇娇不是一般女孩子，听了绿娇娇的安排不住点头，手拉着她的手说：“娇姐，你一定要回来找我啊……”

绿娇娇笑一笑拍拍她的手："你要是跑了，我死都要追你回来呢。好了，去吧。"

李小雯把安龙儿换进车厢，绿娇娇对两人说："我躲在路的最前面，安龙儿爬到中间的树上，杰克拦住上山的路。那个人经过我之后，我就会向天开枪，安龙儿从树上撒网，我和杰克一前一后围捕她——明白了？"

三人合计好之后，马上带齐工具跳下马车。

没有人催赶的马车正在上山，越走越慢。安龙儿一跃跳到路边的大树上，杰克和绿娇娇则分别滚入安龙儿前后三四丈远的路边草丛里。

烈日当空，山下的小路却寂静异常，最近的村庄都在视线可见的最远处。江南的秋天是绿色的，如果不是风变得凉快起来，用眼睛根本看不出和夏天有什么区别。

天气不算很热，就算是暴晒下的秋天也会有阵阵凉风，但是绿娇娇的鼻尖仍是紧张得冒汗。

等了半个时辰，远远走来一个挑着柴的农夫，农夫头戴斗笠，短衣长裤，一身打扮平常得不能再平常，绿娇娇看到他的担子里有两捆不大不小的柴枝。农夫的脚步走得很急，担子不断地上下跳动。

绿娇娇的眼睛不住地打量着他，心里寻思着：只有人从山上打柴下来，还会有人从山下挑柴上山的吗？手慢慢地摸向背在身后的手枪。

农夫很快走到绿娇娇面前的路上，从绿娇娇身边擦过时，绿娇娇闻到一股药材的味道。

不，这不是跟踪者，担子里的也不是木柴而是药材，这是给山上送药的药材铺杂工。待杂工走过去后，绿娇娇从他背后远远向双龙岗上看去，隐约看到一座庙建在山中，可能那就是杂工要去的地方。

又过了一刻钟，远处有一驾马车慢慢走来。

从看到马车开始，到马车接近到眼睛可以看清的距离，绿娇娇等得心头发慌。

她慢慢地看清马车的情况——一匹老马拉着一驾平板车，车上架着拱形的草席顶棚，赶车的人是一个中年男人，因为距离还是太远，绿娇娇看不到车篷里有什么。

粗布衣服，脚穿草鞋，脏辫子盘在头上，一脸邋遢的胡子根让人看见就恶心，这个男人是跟踪者吗？绿娇娇看不出一点证据。

马车越走越近，当马车掠过绿娇娇的身边时，绿娇娇从草缝里看到马车的拱形草席篷里有一枝小竹子伸出来，竹子头上拴着一条线，线下吊着一只用草编成的蚱蜢，栩栩如生，惟妙惟肖。

马车在慢慢地边摇边走，小竹子吊着的蚱蜢摆动的节奏却与马车不同，像被一只手小心地提着……

如果草蚱蜢里包着吊魂的银针，那么这只蚱蜢就会永远指向绿娇娇的八字，现在应该指向双龙岗上，李小雯马车里的替身布娃娃……事实上，这只草蚱蜢的头一直稳稳地定向双龙岗，从来没有转动过。

对！就是他！

等马车走到安龙儿的树下，绿娇娇右手从枪皮套中抽出早已拉开扳机的左轮枪，从草丛中蹲到路边，双手举枪过头顶，向天打了一枪，发出捉人的信号，随即再拉起枪扳机，双手抬着枪指向马车。

李小雯正坐在马车上，由得马车自由逛荡看风景，听到绿娇娇说的鞭炮声，马上拉停了马车。

安龙儿手上的大网几乎在枪响的同时从树上向赶车的汉子罩下去；杰克手里提着另一张网，从草丛中跳出来冲向马车。

赶车的男人听到车后一声巨响，吓了一跳，正要回头望去，头上就罩了一张大网，他慌忙用手掀起网从头上扯下，人在网里才刚刚举手过头，手上就狠狠地中了一棍，一阵刺痛传遍全身，这个男人顿时发出一声惨叫。原来安龙儿从树上罩下大网后，人就随着大网从树上落下，身在空中却看到这男人想挣脱，于是从背后抽出木杖照他手上就是一下。

这个男人被大网一罩，手上再莫名其妙地中了一棍，在极度的慌乱中从马车上摔到地上，安龙儿正好落在他刚才坐着赶车的位置上。

安龙儿脚未站稳，从马车的草篷里伸出一根棍子，棍头像毒蛇吐芯一样，极快极准地点中安龙儿的脚踝，安龙儿顿时感到猛烈的疼痛，像被铁棍扫中一样失去重心，人从站立的地方被凌空抽起，整个身体横摔在马车上。

摔落在地上的男人又痛又慌，从地上抬头一看，在马车前方还有一个高大的洋人拿着网正在冲向自己，他条件反射地大喊："抢劫啊！有山贼啊！"

一边叫着救命，一边爬起来就往过来的方向原路跑回去。

这时杰克已经追近他的身边，看到安龙儿摔倒，只道那是他跳在车上不小心摔倒了，并不理会，自己乘着去势把手上的网也向个赶车男人罩去。杰克的飞网技术非常好，网分毫不差地罩到男人头身上，再用力向后一扯，这个男人马上摔倒在地。杰克正要扑到他身上，却听到身边的马车上“嘭”地响了一声，安龙儿远远地摔出车外。

杰克管不得这么多，继续从身上摸出绳子，三两下绑起地上惨叫着的男人，再抬头看车上，只见车上站着一个三十岁左右的女人，这女人体形瘦削，中等身材，长得不美也不丑，脸上没有什么特点，看过一眼她的脸之后，好像总也记不住她的样子。这是一张会让人忘记的大众脸。

安龙儿从地上爬起来，看这女人身穿铁灰色褂衫，头上用藤簪子盘着一个圆髻，脚没有缠小，穿着一双黑布鞋。这是一身典型的村妇打扮，实在看不出她有什么能耐可以把自己撂倒，还一脚踢下马车。

她站在车上看看安龙儿，又看看杰克，然后面无表情地四周环顾，好像在找人。终于她转过身看到蹲在路边正举枪指着她的绿娇娇，她的视线和绿娇娇的视线接触上。绿娇娇从她的眼神里看到一种平静，好像是认识了许多年每天都打打招呼，又不是很熟络的人的那种平静对视，绿娇娇从这一点百分百肯定她就是跟踪者。

绿娇娇算过自己的命无数次，她知道自己不是短命的人，但是此刻她的八字还在替身娃娃的身上，现在的绿娇娇完全不受命运安排，她完全可能会死在这里，死在和自己的八字分开的短短两个时辰里。她不敢走近这个危险的人，只是远远用枪指住村妇喊：“马上趴在地上，不然我就要开枪了！”

杰克一听绿娇娇这么喊，马上明白这个女人也不是善良之辈，从腰间拔出手枪，和绿娇娇一起指住高高站在车上的村妇。

村妇毫无动静地站着，绿娇娇再次大声叫道：“马上趴下！你是什么人？为什么跟着我！”

村妇听了这话，面无表情地说：“问我的棍吧！”说话的声音比男声清润，又比女声沉浊，这是一把分不清男女的声音。

话声未落，村妇的脚在车板上一点，一根齐眉棍从车板上平平弹起。杰克一看村妇有动作出现，指头扣下枪扳机，一枪就向她的膝盖打去。

哪知道棍弹在空中的时候，村妇也跃在半空，她向杰克的方向侧翻过去，在空中接过自己弹起的齐眉棍，顺着侧翻的力量运棍从上而下打向杰克的头顶。

杰克一枪不中已经惊奇，他都忘了自己有多少年用枪打不中想打的东西；发现村妇躲开了子弹，正要抬枪向空中的身影打出第二枪，马上感觉自己头顶风紧，条件反射地向后退缩一步，村妇的齐眉棍没有劈到他头上，却往他拿枪的右手腕弹下去。

杰克躲得过头顶，但是手来不及收回，齐眉棍硬生生地敲在他的手背上，左轮枪即刻跌落在地。痛感还没有传到他的脑子里，村妇的齐眉棍已经变招——她人还在空中，棍打在杰克的手上并不收回，棍头一抖就向前挺出去，正捅在杰克的胸口。

杰克这一下才感到痛，是胸口和手背同时在痛，痛得想大声叫出来，但是胸口被棍子重重地捅得透不过气，那一声大叫变成了很辛苦的干咳，随即向后倒在地上。

这一棍杰克不识好歹，傻傻地就中了招，安龙儿在旁边却看得分明——棍头一弹一捅这种刁钻的棍法，正是以阴、毒、损、滑、奸五种心法创出的“猴子天门棍”，一度打遍冀东无敌手。

武林中有“枪怕摇头棍怕点”的说法，所指的就是枪法最精之处在于枪尖抖出千变万化的枪花，让对手无从捉摸；棍法最精之处在于让对手认为棍打一大片的时候，却使出奇兵一路以棍头点击对手一击必杀。村妇击倒杰克的这一招就是连弹带点一气呵成的招式“猴子献蟠桃”。

安龙儿马上联想到刚才自己在马车上摔倒时，对方使出的也是点棍，看来此人是用棍的行家。他脚上仍剧痛不已，不过见杰克被打倒在地，这时也管不得痛，弹起身子扑了上去。

刚才从马车上被村妇踢下车时，木杖已经跌到一旁，此刻安龙儿身上没有兵器，于是从手腕上抖出绳镖就向村妇射去。

绿娇娇看到情况突变，管不上什么仁义道德了，对着那村妇的方向开了一枪，村妇似乎已经预计到绿娇娇这一枪了，打倒杰克后，身形刚刚落地，马上横滚到马车上，也正好巧妙地躲过安龙儿的绳镖。

绿娇娇的子弹打空，她随即拉起扳机举枪冲向马车。

村妇看准了绿娇娇冲过来的方向，在马车草篷遮掩住绿娇娇视线的角度，压低身形提棍就向安龙儿冲去。安龙儿的绳镖刚刚收回，见村妇冲向自己，借力转身一抡镖绳，把钢镖从自己身后重新发出，向村妇的脸飞去。

村妇面对迎面刺来的钢镖不闪不躲，依然板着毫无表情的脸向安龙儿扑来，安龙儿心头不禁一寒。直到钢镖快要刺到村妇的脸，村妇才把头很快地偏一下，让过飞速刺来的钢镖，人却没有减下速度，沿着钢镖拉直的绳子冲到安龙儿身前，提棍如枪向前就刺向他的胸口。

安龙儿的钢镖飞到村妇的身后无法马上收回，齐眉棍已经刺到胸口。以猴子天门棍的凌厉狠毒，左右闪避只会引来齐眉棍的连环扫击，安龙儿唯一可逃的方向就是纵身向上跃起，从村妇的头上翻滚到她的背后再图出招。

村妇果然从安龙儿身下连人带棍穿过，可是不等安龙儿出招或是落地，村妇已经流畅地转过身，双手把刺过的一棍往回劈落，打在还在空中的安龙儿的腰上。安龙儿再次中棍摔倒，腰间又多了一阵剧痛。

村妇原地小翻身舞出一个棍花，把棍力运足，棍锋对着安龙儿的头就要来一招“力劈华山”，眼尾余光却看到有枪指住自己，连忙收回棍势，向横里打一个鹞子翻。果然随即响起五声枪响，村妇的“鹞子翻”也连打三次，落地滚到马车的另一边。

能一次打出五枪的只有一个人，那就是杰克。

杰克这时已经重新捡起掉在地上的左轮枪，站在路边的草丛中，绿娇娇也跑到他身后，这样两支枪就不会产生交叉火力而伤害到自己人。

杰克五颗子弹打完，绿娇娇马上把自己的左轮枪递给杰克，而自己则拿起杰克的手枪麻利地重新装填上六发子弹。

杰克的手依然很痛，村妇那一棍把他的手打得皮开肉绽，他在开枪时右手一直在抖，这五连发只是一种威吓，只求逼开村妇把安龙儿从险境中救出，杰克自己根本没有信心可以打中村妇。

幸好在那个年代的左轮枪，要连发的话并不须用右手指不断地勾扳机，正确的做法是右手拿稳枪，食指一直钩压着枪扳机，左手压在枪的后上方，不停地拨动击发子弹的扳机就可以进行连续射击，所以杰克的右手受了伤，子弹还是打得飞快。

村妇见无法击杀安龙儿，转过目标再对杰克下手，她滚到马车另一边之后，绕着马车像鬼魅一样快速移动，要从马车后绕向杰克身边。

她很明白现在逃跑只有死路一条，她在逃跑时难免走成直线，而背对着杰克这个神枪手，纵使她逃得再快，也快不过洋枪的子弹，所以，她只有一个目的，就是要把绿娇娇之外的人全部杀掉，自己才可能全身而退。

村妇身形一晃已至马车后部，杰克手上刚刚接过绿娇娇的左轮枪，看到村妇的身影，虚着眼睛沉住气，感觉着村妇身形移动的方向，快速地计算出提前量。

村妇从马车后闪出来，距离杰克还有两丈，杰克的枪就响起四连发的枪声，村妇一阵鬼影般地横闪，子弹全部从她的身边和脸边擦过，其中一颗子弹擦过村妇的头发，把她束髻的藤簪子打碎，散落得一脸都是乱发。

村妇见杰克子弹打完，冷笑一声，挺棍就扑向杰克。

杰克和绿娇娇惊得向后倒退几步，绿娇娇手上的枪正在换子弹，村妇的身形已经飘到两人面前，只听得头上嗡嗡的棍风，这是一种让人感到死亡的声音，抬头看去，是村妇披头散发又没有表情的脸，杰克马上转身抱着绿娇娇扑倒在地上，试图用自己的后背抵住村妇致命的一棍。

杰克把绿娇娇扑到地上后，却听到村妇在身后发出一声惨叫，棍并没有打到杰克的背上。

原来安龙儿从地上爬起，正好看到杰克打完最后四发子弹，村妇提棍冲向杰克和绿娇娇。安龙儿手上还拖着绳镖，马上全力发出钢镖，连手上的绳子一齐放出，钢镖深深地插入村妇的背后。

村妇痛得几乎晕倒，正打向杰克的一棍也无力地打空，但是她管不得安龙儿从背后的袭击，她要尽快杀死最危险的神枪手杰克，于是头也不回，再次吸一口气，举棍向着倒在地上的杰克劈头打下。

安龙儿见飞镖得手，从马车的草篷上扯出一条搭架子的长棍，追到村妇的背后，纵身凌空一招“横扫千军”向村妇的头横劈过去。

村妇听到背后棍风响起，不能再举棍杀杰克，蹲身让过安龙儿的棍招，骂一声：“小子你还和我玩棍？来吧！”顺势转身挥棍向安龙儿的下三路还击，两人棍来棍往就在杰克和绿娇娇身边打作一团。

村妇使的猴子天门棍变化多端身法灵巧，长棍短用双头齐发，在她的密集快攻之下，安龙儿的出招节奏也被带动得越来越快。

两棍转眼间攻守数十招，完全陷入以快打快的困局，只要其中一方体力不支反应稍逊，马上会被对方寻出破绽一举击溃。

村妇手上所用的棍子是专属于兵器的白蜡杆，看起来纤细，实质上甚为沉重，棍身光滑又刚柔相济，可见是她日常所用的称手兵器；安龙儿从车上的抽出的长棍则是车上搭棚的架子材料，本来就不是用于打斗的兵器，硬度不足，韧性同样不够，就算和村妇用同一种力度使出同一招式，效果都会减低三分。

这条长棍比村妇的齐眉棍稍长数寸，但对于身材矮小的安龙儿，这棍比他的身高还要长出一臂的长度，已经不能像双头齐眉棍那样翻飞使用。幸好安龙儿学艺于卖艺班子，南拳北腿和长短兵器，只要是好看的功夫他都可以拿起手，打起来从来不用挑选兵刃，他一提起这条长棍就使出南少林“十三棍枪”的马战长枪招式，后手压定棍尾，前手运棍如枪，连挑带扎，一路猛攻。

所谓一寸长一寸强，只要长棍压得住村妇，使她无法与自己贴身缠斗也无暇攻向杰克和绿娇娇，那么绿娇娇他们就可以腾出手脚装上子弹，不停地用枪射击对方，再快的身手也总有中枪的时候。

村妇却想在混战中利用安龙儿做自己的掩体，既要杀死安龙儿，又不能让拿洋枪的对手有机会开枪，更不能离开他们太远，只要稍离开半步，都会使她难以抢在枪响之前下手杀杰克。要做到这一点，必须用密集压制的棍法逼使安龙儿停留在她和杰克之间，压住安龙儿一步一步退向杰克。

这时候，她看到杰克的枪已经上好子弹，枪口指住她和安龙儿不断移动，他总不开枪只是因为两人斗棍身形太快转成一团，怕误伤安龙儿，而只要自己出现一点点破绽或是动作稍慢，杰克的子弹决不会像刚才那样打飞。

她的身形如猴，伸缩敏捷跳跃方向刁钻，在快速的招式拼杀中，一直让自己处于杰克无法瞄准的位置。

村妇背后中了安龙儿的钢镖，还在渗出鲜血，钢镖仍然拖着长绳插在她背上。安龙儿脚踝和腰间分别中了村妇的重棍，现在也是忍痛作战，双方打得一点也不轻松，但是却不能有半点松懈，都只想着速战速决。

安龙儿急于把村妇逼得离开自己三个人的圈子，他抖棍挑开村妇的几招斜棍抢杀，长棍让出空当。村妇一见对方的棍尖不再指向她，正是进击之时，马上沿长棍滚身杀入。

安龙儿等的正是这个机会，村妇一进入长棍的扫荡范围，他马上使出一招拦棍势，如逆流争渡全力撑出船桨一般运棍回扫。棍长自然力猛，村妇的心急求胜令她吃了大亏，长棍狠狠在扫在她的背上。原本她背上已有钢镖重创，现在再中一棍更是雪上加霜。

安龙儿用力过猛，长棍不堪重击，登时断开数截，他也因为长棍断开，动作突然失去重心，一个踉跄摔在地上。村妇中棍后摔出两丈多远，人还在空中，杰克已经向她连开三枪，村妇发出一声惨叫没入路边半人高的草丛中，再也没有站起来。远远看不见有人，只是隐约看见一团灰影一动不动。

杰克捕捉这个开枪机会良久，这次有足够的信心打中村妇，他用枪指着村妇的落点跑过去，绿娇娇连忙跟在他身后，随时准备在他打完子弹后把另一支有子弹的枪交到他手上。

安龙儿从地上爬起来也跟过去看，只看到草丛里罩着一件血迹斑斑的女人衣服，村妇像从空气中消失了一样不知所踪。三人怔了一下，杰克喘着粗气说："见鬼，中国真是个可怕的地方。"

绿娇娇马上反应过来："她用的是五行遁形术，人已经不在这里，不过没有跑出多远，龙儿可以上树看看吗？"

"应该还行。"安龙儿忍着脚痛爬到树上。

杰克跑回路面，站上马车，尽可能从上而下观察四周。

绿娇娇跑过去找被杰克绑起的男人，他看到刚才的激战，害怕得自己滚入路边的草丛中躲起来，只是惊恐地睁大眼睛，不敢发出一点声音。

绿娇娇蹲到地上，用枪压住他的头恶狠狠地说："你是什么人？为什么跟着我？说！"

"饶命啊！姑奶奶饶命啊！我只是赶车的……我没有钱啊……"被洋枪压住脑袋的男人吓得哭着求饶。

"那女人是什么人？她怎么会坐你的车？！"绿娇娇追问道，其实她已经明白这个人并不知情——如果他和村妇是一路人，他的武功不会这么低；如果他失手被擒，以那村妇出手杀人的作派，也不会留下他这个活口。

"那女人给钱我赶车，她说上哪我就上哪，我真的不知道她是什么人啊……"

绿娇娇不等他说完，从地上捉起一把草，卷成一团塞到他嘴里，然后跳上马车和杰克一起找人。

风吹树叶发出哗啦啦的响声，在这个时候显得特别嘈杂，绿娇娇只想全世界都静下来，让她可以听到那个村妇的一举一动。

五行遁形术是道术里的经典，但是绿娇娇知道这种道术会极大地消耗施术者的元神，以村妇身上所受的伤而言，应该没有能力全面发动五行遁形术，人可以离开原来所在的地点，但是一定走不出视线范围。

时间一点一点过去，绿娇娇心急如焚，如果自己的猜测是错误的，那么村妇可能早已经离开这片山岭；如果村妇要逃离这里，她会向山上逃去，还是逃回镇里？

在向双龙岗上山的方向，五六十丈远的树上飞起两只麻雀，杰克扬起枪就向树干下打去。五六十丈已经是左轮枪的极限射击距离，但杰克还是准确地在树干上打出三个白洞，弹孔处冒起一阵青烟。

树下的草堆里果然有动静，从草丛中冒出一个人头，迅速地往山上跑去。

三人同时看到跑上山的人，安龙儿马上跳到路面上发足狂追，杰克和绿娇娇正站在马车上，杰克捡起马鞭往马屁股用力抽去，马车即刻向着上山的路跑起来。

绿娇娇对杰克说："这下麻烦了，她肯定是去找我的替身符……还有，我发现她不是想逃跑，她是想杀人灭口，杰克你开枪不要手下留情，想活命只能杀了她！"

杰克不断催赶马车，这时已经追到安龙儿身旁，杰克一把将他拉了上来。

这是一架只有一匹老马拉的简单大板车，车身不是很重，马也没什么力气，平常路上走路运货都没问题，要老马奔跑起来可就有点勉强了，而且这一程还是上山的小路。马车一路不紧不慢地走着，但总是比三个人一起跑步上山要好，虽然让人心急，也只好将就。

安龙儿坐在马车前，从怀里拿出吊住李小雯八字的吊魂针，给杰克指引着方向；绿娇娇在车后的草篷里给两支左轮枪全部上好子弹，然后去翻车里面的东西。

草篷里有两个箩筐，绿娇娇意识到，这就是安龙儿前几天晚上在山中斜坡路上所见那挑菜妇人的菜箩。她马上把筐里的东西倒出来，看到五六套衣服，有农民穿着的男装女装，还有商人小贩和贵妇的衣服。绿娇娇想，这次可没捉错人，就是这家伙跟了自己一路。

另外从筐里还倒出两个黑包袱，绿娇娇打开第一个，里面是很多小瓶子，拧开几个看看，里面都是各色颜料；再打开另一个黑包袱，里面有一团半干湿的面团。

用面团做出面具，再用颜料给面具上色，然后换上对应的衣服，就可以变成另一个人。这一整套家什，正是易容必备工具。

再到处翻也翻不出其他东西，那个指路的草蚱蜢并不在车上，这等重要的东西，村妇应该已经带在身上。

马车在山路上小心地盘桓前进，绿娇娇对杰克和安龙儿说："那女人的筐里全是化妆易容的工具，她肯定是跟踪我的人……大家要小心她在前面伏击，也要尽快找到李小雯，拿回我的替身娃娃，千万不要落在她手上。"

杰克应了一声，加速催马前进。安龙儿回头对绿娇娇说："娇姐，我留不了手了，那女人实在武功太高，我全力打都应付不来……"

绿娇娇说："情况不同了，你尽全力吧，现在活下来最重要……身上有伤吗？"

"有几处伤，现在好一些了。"安龙儿顺手摸了摸脚踝，马车上突袭他的那一棍，仍让他心有余悸。

一个时辰后，马车上到双龙岗的半山腰，转过一个山坳，三人看到杰克的豪华洋马车停在山路中。

李小雯被绑在一棵悬崖边的大树干上，嘴里塞了一团布。

地上散乱地扔着他们三个人的行李，绿娇娇惊呆了，对方翻乱自己的行李，只有一个动机，就是要拿到自己的八字替身布娃娃。她跳下马车，冲到杰克的洋马车旁边，翻找起自己的藤箱。

杰克和安龙儿正要去给李小雯解开绳索，一把不男不女的中性声音从李小雯身边传过来："不用找了，在我这里。"

从绑住李小雯的树后伸出一只拿着短刀的手，短刀架在了李小雯的颈上。

杰克"哗啦"一声从腰间拔出左轮枪，树后那只手拿着一尺长的短刀，同时在李小雯的颈上一拖，速度一点也不比杰克的枪慢。

"不！"杰克大喊一声，停下动作。

刚才那一刀在李小雯的颈中间划出一条白痕，血正在从白痕里冒出，几股鲜血顺着白皙的脖子流到胸前。

短刀横拖一下后，刀尖随即抵住了李小雯颈上的大动脉，树后传出村妇的声音："杰克把枪扔到翠玉脚下！然后和安龙儿举起手转过身，向前走二十步，不许回头！”

村妇非常聪明地控制住最强的人，如果她的刀不是狠狠压在李小雯的脖子上，以杰克的枪法，完全可以一枪打断她的手腕解除危机。

但是在杰克拔枪的同时在李小雯颈上开刀，的确把杰克吓住了，她成功地打乱了杰克的心理节奏。杰克扔下枪，乖乖地和安龙儿转身走远二十步，背对着李小雯。

“绿娇娇你走到翠玉面前两步远！快！”村妇只是发号施令，却一直不露头，这是对付洋枪最有效的方法。

绿娇娇的八字替身符在对方手上，就算不顾李小雯的死活硬抢替身符，替身符也未必在对方的身上，这时候动手非常不明智。

最让绿娇娇想不明白的是，村妇只是一个盯梢的人，被人发现了大不了就是逃跑，下回再跟上，或者是换人再跟就行了，可她却在已经逃脱之后回来绑架，把所有人逼到退无可退的地步。她到底想要什么？

总不会是绑架李小雯要钱吧？

绿娇娇一步一步地走近李小雯，始终看不到树后的人，只看到刀尖在李小雯的颈上越压越深，已经刺入皮肤几分，血从刀缝里慢慢渗出。

这一手本来对绿娇娇没有用，她对李小雯并没有多少同情心，但是刺向李小雯的刀给绿娇娇一个心狠手辣的示范，八字替身符落入村妇的手中，她绝对有胆量像对付李小雯那样胡作非为。

村妇能够流利地叫出每个人的名字，也让绿娇娇意识到她对每一个人、每一件事、每一层关系都了如指掌。她用替身符要挟绿娇娇和安龙儿，再用李小雯要挟杰克，非常聪明地一举控制了大局。

绿娇娇走到李小雯面前，李小雯的嘴被一团布堵住，双眼恐慌地瞪着绿娇娇。绿娇娇对她冷笑一声：“现在后悔跟着杰克少爷了吧？”

李小雯听到绿娇娇的风凉话，眼泪马上哗啦啦地涌出来。

“转过身背对翠玉！”村妇知道绿娇娇已经走到李小雯面前，大声喝到。

绿娇娇照她说的做，然后静静地等村妇说出条件。绑架，就是有得谈，没什么好说的话，直接逃跑或者杀死对方就行了，何必搞这么多小动作。

“拔出枪，杀了杰克！”村妇下了一个不可思议的命令，声音压得很低。

绿娇娇没有任何行动，她觉得这命令太奇怪了，她实在想不透村妇和杰克之间有什么仇恨。李小雯却紧张得用力摇头，嘴里拼命发出“嗯嗯”

的声音。

“这就是你的条件吗？”绿娇娇实在忍不住问村妇。

“快！我数三声你不开枪的话，我就用散魂咒把你的八字打回太虚！”

村妇的要挟对学道之人有绝对的威吓力。人的八字离开自己的身体，会让人失去命运和任何五行力的支持，如果再用散魂咒打散八字，这个人就会永远成为一个人壳，不但在日常生活中有如豆腐人一般不堪一击，也会成为任何术士都可以用道术摆布的真人娃娃，完全无须顾忌这个人先天具有的五行力量，也无须花心机从八字中找出命运的缺口。

事实上，绿娇娇的八字替身到布娃娃身上，她现在已经是一个豆腐人，她没有命运，现在她身上发生的一切都是偶然，不可控制也不可推算。服从或是拼命，绿娇娇必须做出选择。

“杀死杰克后你就会把替身符还给我吗？”绿娇娇小声而急促地问村妇。

“一。”村妇不回答绿娇娇的问题，态度强硬地开始倒数。

绿娇娇的手摸到腰下的枪套，歇斯底里地大叫：“这么远我打不准！”

“二！”村妇倒数的音量很大，她要压住绿娇娇的声音。

绿娇娇拔出枪拉开扳机，大声叫道：“杰克，我要杀你！”

“三！”村妇从绿娇娇身后大声喝出第三下。

绿娇娇突然向后转身跪落在地上，身体骤然向下一缩，双手抬枪寻找村妇的身形。

杰克距离绿娇娇太远，一直听不清他们在说什么，现在听到绿娇娇大声叫他，马上转过身。他看到村妇已经站到李小雯身边，用他的左轮枪指住绿娇娇的头，绿娇娇跪在地上，双手抬枪也是从下向上指住村妇的脸，两人相距不过三尺。

绿娇娇知道在她背对李小雯的时候，杰克的枪一定已经到了村妇的手上，而这支枪，不是指向杰克就是指向自己。杰克离自己有十多丈远，别说不容易瞄准，就是瞄准了也不一定就能一枪打死人，村妇拿到枪后，枪口必然指向自己。

所以绿娇娇一转身就跪下，要闪开村妇对准她脑袋的枪，当她转过身后，的确看到村妇高高站在她面前，可是左轮枪不是指向高处，却仍是指住她的额头。

她用尽全身力气架开村妇拿枪的手，同时向着村妇的脸开枪轰去。

村妇把头一偏闪过绿娇娇打出的子弹，左手使一招擒腕压掌拿住绿娇娇右手掌，拇指扣住她掌心劳宫穴，食指中指扣住她右手腕背阳池穴，把她的手反关节压下，绿娇娇顿时痛得把枪扔在地上，身体被这个精巧的小擒拿招式压得跪在地上无法起来。

村妇左手制住绿娇娇，右手马上举起枪向着杰克扣动扳机。

“哒！”枪机扳动了，子弹却没有射出，原来杰克把枪扔到李小雯脚下之前，已经把枪保险栓锁上。当时的清廷并不重视使用火枪，军队里也没有多少先进武器，村妇自然也不能把这支世界上最先进的枪拿起就用。杰克的小诡计救了自己一命，他和安龙儿马上向村妇冲去。

绿娇娇被村妇扣住右手跪在地上，一发现村妇打不响杰克的左轮枪，即时顺着自己右手关节被压制的方向揉身扑入村妇怀里，左手伸开五指直插村妇的眼睛。

绿娇娇的这个动作大出村妇意料之外，右手举枪来不及回防，左手扣住绿娇娇却被她入身化解，自己的脸完全处于没有防守的状态，她条件反射地闭上眼睛把脸扭到一旁。

绿娇娇的手指接触到村妇冷冰冰的脸，情急之下根本不知道哪里是眼睛哪里是鼻子，一插之下马上扣指成钩用力扯下，只求把村妇的动作缓下刹那，让杰克和安龙儿赶到自己身边。

村妇的头正好扭向一旁，眼睛避开了手指没有被插中，却被绿娇娇活生生把她的脸皮撕下一半。

绿娇娇的右手仍然无法挣脱，左手从村妇的脸上扯下一块面皮后无暇多想，重新握成拳头再次向村妇的脸上打去。这一次不再顺利得手，村妇发现手上的枪无法打出子弹，把枪扔到地上，收回右手擒住绿娇娇的小拳头。

绿娇娇和村妇双手相抵，脸对脸不过一尺距离，她一看到村妇的脸马上发出一声尖叫。

村妇那张女人的脸皮被撕下右半边，她的右脸露出一张没有五官的面孔。

这张面孔上宽下窄，光秃秃死白一片，像个人头大小的白萝卜，脸上没有眉毛、鼻子、嘴唇，有的只是两个肉洞，上边的洞里有眼球，下面的洞露出牙齿……这人已经不是村妇，他的样子分明是地狱里的恶鬼。

绿娇娇被这张脸吓得目瞪口呆，全身僵硬着不会动弹，只会不停尖叫。

无脸人不管她的尖叫，右手接住绿娇娇的拳头后，把她的双手交叉扭到背后，用左手压住，右手从自己身后抽出短刀，再次架到绿娇娇的颈上。

无脸人的动作娴熟快捷，杰克还没有冲到他身边，就已经被他重新控制局面。

“停下！”无脸人的刀一架住绿娇娇，马上喝止冲过来的杰克和安龙儿。

杰克和安龙儿距离绿娇娇还有三丈远，听到无脸人的喝止，正要停下，却看到无脸人的动作停了下来，全身僵硬地抬头看着天空。

绿娇娇听到无脸人在咝咝地吸气，感到无脸人扣住她的手在渐渐放松，她挣脱出来马上跑到杰克身后，看到无脸人慢慢地转过头想看自己的身后，这时才看到他的背上插着三支短箭。

无脸人转身一半就轰然倒地，有人在他背后放暗箭，但是大家却看不到他身后有人。

第十一章 三尸神

黝黑的短箭尾端有红色的箭羽，不足一尺长的箭杆上似乎写着红色的字。短箭没有射穿无脸人的身体，看不到插得有多深，也没看到流血。

杰克低身跑上前捡起自己的左轮枪，蹲在绑着李小雯的大树下，观察着大树背后的山坡，射向无脸人的箭就是从这个方向射过来。山坡向下倾斜，一如江南的小山，树林繁密，看了一会见不到有任何人迹。太阳慢慢下山，沁凉的山风吹得树林发出海涛一样的声音，听得人心里发寒。

安龙儿捡起无脸人的短刀，跑到李小雯身边割断绑着她的绳子，把她扶到地上靠着树干休息。李小雯一坐到地上全身发软，双眼紧闭，紧紧地捉住安龙儿的衣袖。安龙儿拍开她的手，急急忙忙帮她包扎颈上的伤口。

绿娇娇跑到无脸人旁边，在他身上一阵乱翻，很快从他的怀里找出自己的替身娃娃，布娃娃被一块布裹得整整齐齐，她嘴里一边念着："吓死我了，吓死我了……娃娃还在就好……"一边把布娃娃抱在怀里，跑步躲到杰克的洋马车车厢里，施展回魂咒夺回自己的八字。

车厢里发出一闪绿光，再从车厢里出来的绿娇娇，回复了一点日常的气定神闲。她从地上找到被无脸人乱翻行李时扔出来的鸦片烟枪，狠狠地吸了几口，对在李小雯身边的安龙儿说：“你别管他了，快收拾行李吧，顶他个肺抄到一地都是……”说着一脚扫开挡在面前的一个空藤箱。

杰克蹲在无脸人身边，用两支手指捻着他的衣服，啮着牙在看他的脸。他一边摇头一边说：“这脸可真难看，恶心死了……”

绿娇娇走到杰克身边也蹲下来，她早就算出这个人是个丑男人，可是没想到丑到这个程度，她再也没有胃口看这张脸，把目光转向了无脸人背后的短箭。

三支箭杆上分别写着不同的符号，符号全都扭曲繁复，形状凶恶。绿娇娇看了一会突然发出轻轻的惊呼声，接着从无脸人头上拔下一条头发递给杰克：“放到他鼻子下，看看他还有没有气。”

无脸人其实没有鼻子，只是用嘴来呼吸，杰克接过头发放在无脸人的嘴边，看到头发有很轻微的抖动，他抬起头说：“有气！”

绿娇娇心里冒出一种失而复得的喜悦，眼睛里充满了希望，她对杰克说：“他真是还活着呀？快救人，拉他上车去棺材铺！龙儿，来帮忙！”

三个人手忙脚乱地把无脸人抬上洋马车，杰克赶车，李小雯和绿娇娇在车厢里看住无脸人，安龙儿赶着刚才抢来的大板马车跟洋马车一起下山。

到了山下刚才激战的地方，赶车男人还被绳子绑着倒在地上，这充分证明他不是无脸人的同伙，安龙儿解开他的绳子，把大板马车还给他。绿娇娇因为把无脸人拉到车上，心情相当不错，还给赶车的男人打赏一百文钱算是慰劳费。

大家回到洋马车上，马上原路返回狮岭镇。马车由赶车最熟练的杰克驾驭，绿娇娇要求他以最快的速度赶到棺材铺，马车即刻快速平稳地在路上跑起来。

无脸人背上的箭一直没有拔出来，毫无动静地趴在车厢的地板上，如果不是绿娇娇说他还有气，没有人会相信他还活着。

李小雯在车上整理着无脸人翻乱的衣服行李，安龙儿在收拾自己的东西，绿娇娇用一块布盖住无脸人的脸，一直在看他背后的三支短箭。

安龙儿收拾好东西问绿娇娇：“娇姐，他背上中了一镖三箭，我们能救活他吗？”

绿娇娇皱皱眉头沉吟了一下说：“这话就长了……所谓阎王要你三更死，哪会留人到五更？每个人都有自己的命，并不是想死就死，想活就活。

如果他的八字还没有到死期，中十箭也会有人把他救活，如果今天是他的死期，他喝杯水都会准时呛死……"

"娇姐看他还没有到死期吗？"安龙儿的学习态度属于打破沙锅问到底，很适合做学问。

"我不知道他的八字，本来也不能推断这一点，不过……"绿娇娇用手指住无脸人背后的短箭说，"这不是普通的兵器，这三支箭上分别画着三道不同的三尸勾命符。"

"哦？"安龙儿侧过身仔细地看箭上的字，字像一堆虫子，一个都看不懂。

"人人身体内都有三尸神，这是分别驻守在上中下丹田的三股邪气。三尸神平时会被人的正气镇压住，但是在运气最弱的时候，一是会从内向外伤害人的身体，二是会迷乱人的心智让人做错事而死掉。"绿娇娇看还有一两个时辰的路程，索性给安龙儿上起课来。

"三尸勾命符是邪符，作用就是逆天而为。在一个人命不该绝的时候，硬生生诱活他身内的三尸神，让三尸神从内向外反噬赖以活命的正气……当到了某些时间，三尸神就会同时发动，一举了结此人性命。"

"那么放箭的人就是知道这个没脸的人还没到死期了？"安龙儿慢慢理解了命运和人的关系，可以把眼前的事联接成一个合理的思路。

"对，放箭的人有可能知道他的八字还没有到死期，所以要用三尸勾命符逼死他，但只是可能，因为对付不知道八字的人，又必须要取他性命，也可以用三尸勾命符；而对于已经知道八字的人，就可以直接找出他命中的忌神攻入他的命中。"

"娇姐，什么是忌神？"安龙儿打断了绿娇娇的话。

"嗯，问得好……命运由五行构成，能让五行平衡的力量叫喜神，让五行失去平衡的就是忌神……如果知道一个人的八字，在他五行失去平衡的时候，再加上一个忌神的力量推他一把，这个人就难逃劫数了……《何知章》说'何知其人凶，忌神辗转攻'就是这个意思。"

绿娇娇的解释安龙儿听了个半懂，他现在非常后悔跳过了绿娇娇给他的书目。因为对风水的爱好，他在路上的时间全都在看风水书，命理学入门书《三命通会》从来没有翻过。

"原来是这样……这个人还有办法救活吗？"安龙儿问。

“不能救我就不花这心思抬他上车了，这么丑的家伙，不死掉走在街上得吓死不少人。”绿娇娇语气中带着自信。

“是谁放箭杀他的呢？”安龙儿自言自语。

绿娇娇也在苦苦思索这个问题：“他中箭的时候，正在用刀架我的脖子……如果放箭射他的时间是不是偶然的话，放箭的人是在救我；如果放箭不是为了救我的话，就是这丑男人没有利用价值了……难道他们不用再跟着我了吗……”

她发现自己身边尽是迷团，了解得越多，不知道的事情就越多。

“其实只是换了个人跟着你，那个放箭的人如果不是偶然经过来救你的话，他比这个丑男更难发现……”安龙儿说。

绿娇娇抬头看了安龙儿一眼，长长地叹了一口气，苦中作乐地说：“唉……是啊，刚才我们根本就看不到有人，面对面都看不到他放箭，一个比一个高……可能他是来替换这个丑男的吧，希望这次的盯梢鬼是个帅哥……嘿嘿……”干笑了两声，然后颓丧地垂下头。

安龙儿看到绿娇娇一脸疲惫，很想能帮上忙，但也知道以自己目前的能力这只是异想天开。他想安慰绿娇娇，却又不知该说什么，只好转开话题：“娇姐你刚才说，三尸神在什么时间才会发动？不是一中箭就开始勾命吗？”

“有的方法是可以马上击破八字的全部五行，散魂索命，但这是道家禁术，没有极大的因缘而使用出来的话，必受天遣恶报，也不是一般修为的人可以做得到的……而三尸勾命符是诱发人体内的邪气，不是直接杀人，从方法和天道上都取了巧，施术的人并不会很消耗元神，不过时间上就要讲究了。”

绿娇娇似乎越来越愿意花时间教安龙儿，有意把安龙儿带入道术之门，史无前例地毫无保留娓娓而谈。

“一般各派道家都认为三尸神会在庚申日发作，每到这一天，修道的人就会昼夜不眠专心静修镇压三尸神，修为到高层次的仙家则可以把自己体内的三尸神杀灭，这是题外话了。实际上，这只是平常道学，三尸神可以通过三尸勾魂符在每一个甲空之时被诱活而杀人。”

现在的安龙儿已经学过一些玄学基本功，大概知道什么是甲空之时，他掐指算了一下时间说：“今天是己未日，明天是庚申日，明天就是三尸神发作的日子，凌晨子时和丑时就是明天的甲空之时，放箭的人算得好准啊！”

“嗯，这是一个很机巧的杀人方法，也可能是这个特别的日子让放暗箭的人有这个灵感。现在是酉时，距离明天的子时只剩两个时辰……如果杰克的车赶得够快我们还够时间救活这丑八怪……”绿娇娇忍不住向窗外张望，车马已经掠过狮岭镇，去棺材铺的路走了一半。

“娇姐……”安龙儿对看着窗外的绿娇娇说，“你收我做徒弟，教我道术吧，我想帮你。”

绿娇娇回过头看着一脸诚恳的安龙儿笑一笑：“你想学道术就是为了帮我吗？”

安龙儿点点头，干脆明确地回答说：“是，现在我太没用了，我想强大一些，可以帮得上你。”

“不只是你没用，我们都没用，其实我们今天输得很惨……这事以后再说吧。”

绿娇娇笑着看向窗外，不再看安龙儿的眼睛。

她相信一件事，所谓求学，就是先要学生主动来求，才会有认真刻苦的学，否则老师如何花心机去教也只是拉牛上树。安龙儿这样求，还不足够。

杰克赶着马车在夜幕中飞奔到棺材铺，这里本是一个人口不多的无名小村，因为村口有间棺材铺，当地人干脆就以此做了地名。

棺材铺村位于众多小山之中，四周小山丛林茂密，山虽不高却无路可走，马车要入村只有一条小路。

问过几个当地人再转过几座山，待看到棺材铺的村口，远远看到几支火把。

杰克看情况有些古怪，放慢了车速，那几支火把也慢慢迎向马车，杰克赶着马，左轮枪已经拿在手上。

火把来到马车前，有人大声说：“前面是绿小姐的马车吗？”

绿娇娇从车厢里伸出头说：“我是绿娇娇，你们村有一位叫四哥的兄弟吗？”

车前站了四个人，中间一个穿长衫的中年人，面上留了三绺长须，右手持一把白纸折扇笑眯眯地走上前说：“在下正是四哥，在这里恭候绿小姐多天了。”然后左掌右拳拱手行了个礼，但是左手的手掌上，却不是五指伸直，而是把食指和拇指曲起。这个拱手礼与当时街上打招呼的拱手有所不同，这是洪门暗号之一，左手三指代表三山，右手五指成拳代表五岳，这个礼代表天下各山头堂口的兄弟义气团结，称为“三山五岳是一家”。

杰克马上跳下车，叫道：“孟师爷！”

走上前的中年人，正是清城知县何大人的师爷孟颉。

绿娇娇也连忙下车，回了一个“三山五岳是一家”的拱手礼：“原来是孟军师，真是真人不露相，绿娇娇有眼不识泰山。”

洪门堂口中的军师也称为“白纸扇”，孟颉手上持扇在这个凉快的秋夜决不是为了摆造型，而是给绿娇娇一个洪门地位的暗示。

“孟颉在这里等了四天，真没想到绿小姐路上耽搁了这么久，一路上还顺利吧？”孟颉客气地寒暄着。绿娇娇看到有洪门兄弟在，马上就来了精神：“孟师爷快救命，我们这边出事了，我要救一个人，快帮我准备些器物！”

“哦？有这样的事？行，你要什么尽管说吧，我们会尽量给你解决。”孟颉一口应承下来。

于是绿娇娇马上赶车入村，到了孟颉给自己安排的农家，叫几个男人把死尸一般的无脸人抬到院子里。

绿娇娇对孟师爷说：“这个人是朝廷的探子，一路跟着我们，被我们打了个埋伏把他抓回来。不过在打斗中他中了我们的暗箭，现在昏死过去了，我要赶紧救活他审讯情报。”

孟师爷说：“想不到绿小姐智勇双全，实在是女中豪杰，令人敬佩啊……有什么我们可以帮上忙的吗？”

“可以泡人的大瓦缸，里面放半缸水，找一箩菖蒲放进去把水烧开，另外给我找一盒针灸用的三寸针。其他的我自己准备。”绿娇娇利落地说出要求。

孟颉想了一下：“针肯定有，菖蒲是常用药，药材铺里就有了，大水缸也有，要烧这么大一缸水……不如就在厨房的灶台上吧，行不行？”

绿娇娇说：“可以，现在要马上开始准备，午夜子时就要把水烧开，我怕时间来不及。”说完走到院子中间叫安龙儿把无脸人的衣服全部剪开，脱得赤条条扔在地上。再用布把他的脸包起来，只露出眼睛和嘴巴。这样做和治疗无关，只是这张脸太难看了，绿娇娇不想委屈自己。

一切都准备好，绿娇娇叫安龙儿用结实的绳子把无脸人按盘腿的坐姿绑好，双手反绑在背后。因为这个人武功高强还会五行遁形术，这水缸里又是水又是火的，要是他玩个水火遁真不知上哪里捉人去。

无脸人还在昏迷中，烧菖蒲水的大缸高高架在灶台上，水缸边沿离地面有七尺高。这么大缸水要烧到沸腾需要很长时间，孟颉找来几个大汉一起加柴扇风，过了半个时辰终于把水烧得有点冒泡。

绿娇娇使人在水缸上方的屋梁上搭一条粗绳子，把无脸人吊在那里。

厨房只有两丈见方，刚才一阵吹火烧水，烤得热气腾腾，现还有一群大汉挤在一起帮工，热得人人都汗流浃背。孟颉见识过绿娇娇在清城客栈中秋之夜连救三十多人的场面，这回也挤到厨房里看热闹，白纸扇总算派上了用场。

绿娇娇找来一把梯子，架在厨房的墙上，自己手拿一把长针沿梯子爬到七尺高的水缸边。水缸就在她面前，无脸人吊在水缸的上方，下面四条大汉等着她一声令下往水缸里扔人。

绿娇娇看着水缸里的水一点一点地冒泡，菖蒲的草药香味也慢慢传出来，算算时辰已经到了三更，正是庚申日子时，绿娇娇大喊一声“放”，四条大汉“嗨哟”一声号子往下放绳，无脸人盘腿坐着的身体慢慢坠入水缸中。当水缸里的开水泡过他的腰部，他突然发出一声惨叫，但双眼依然紧闭。

水缸里的水虽没有完全烧开，但也不是常人可以忍受的热度，这个温度的开水足以烫伤皮肤，如果把人放进去的话，就可以把人烫死和煮熟。

绿娇娇等他叫完了嘴巴重新合上之后，一针刺向无脸人嘴巴上方的鬼宫穴。这是对昏迷救醒最有效的穴位，位于两个鼻孔中间，人中的上三分之一处，这也是人体三百六十个穴位里出名的痛穴，用针刺入的痛感非常强烈，如果在神志清醒的情况下刺入，无异于让人身受酷刑。

因为无脸人的脸上没有鼻子，绿娇娇看着大概位置就刺过去，也不知有没有刺中，针就插在那张包满布的脸上，无脸人又大叫一声，睁开了双眼。

他第一眼就看到绿娇娇，眼神里竟有几分高兴，嘴里“咯咯”了几声想要说话。

绿娇娇拖长声音对他大声说："喂！你背后中了三尸勾魂箭，现在是庚申日子时，你快要死啦！"

无脸人的眼睛一下瞪得很大，马上又闭上眼睛昏死过去。

"拉起来快快！熟了都要……快拉！"绿娇娇马上叫地面上的壮汉拉起绳子。

原来这三尸神的杀人方法非常特别，三尸神的邪气必须要在人睡着了或是神志不清的时候才可以发作致命。三尸神从人体之内向外逼出，人的内脏就会从内向外地被破坏，人的精气元神也会被一点点吞噬，当三尸神外透到人身之外，也就是人死去的时候。而无脸人中的三尸勾命符，一方面诱活三尸神，一方面也迷惑人的心志使人神志不清，活蹦乱跳的三尸神在发作的日子遇上一个昏迷昏睡的元神，当然很有杀伤力。

无脸人一听到绿娇娇的话，马上明白发生了什么事——只要自己能在这两个时辰保持清醒就可以活命，但如果在这两个时辰里睡着了或是昏迷的话就必死无疑。

现在他根本控制不了自己的神志，想活命就只有靠绿娇娇让他保持清醒。

绿娇娇等无脸人的脚凉快一下后，马上又叫地上的壮汉放绳把他泡到热水里。她又重施故技，爬在梯子上伸长手臂，一针刺向无脸人的鬼宫穴，这一次还是随手刺去，无脸人惨叫一声又睁开眼。

"你只有两个时辰的命啦，我不一定能让你清醒这么久，你老犯困……嘿嘿……"绿娇娇对无脸人一脸傻笑地说。

"你想干什么……"无脸人极力睁开眼睛问绿娇娇。

"我想问你些事，你不想回答可以继续睡。"绿娇娇很客气地征求无脸人的意见。

"好烫……快拉起我……"无脸人看看四周，发现自己在厨房中，而且还像水煮活鱼那样被吊着，才知道自己情况有多糟糕，这样煮下去，他没有被三尸神干掉就已经先被煮熟了。

绿娇娇一边做手势叫人拉起无脸人一边说："我是救你呢丑八怪！这是止血清毒的菖蒲水，可以帮你压制三尸神，也可以水煮活人……你不喜欢我就把你放到地上，好不好？"

"别……你问……我说……"无脸人刚说完又晕过去了。

"又来，放！"绿娇娇等无脸人泡到开水里之后，又在鬼宫穴上给了他一针，三支长针在他的嘴巴上晃晃悠悠地抖，也不知道有多痛。

无脸人再睁开眼睛，眼神欣慰之余充满痛苦。

“谁叫你跟我的？”绿娇娇最关心这个问题，无脸人只是个小兵，杀他十回也无济于事。

无脸人的表情很痛苦，他慢慢地做了一个摇头的动作，表示不能说。

“你背后三支勾命箭还插着，人家都要下手杀你了！你今天能活着走出这个门，明天一样有人接着追杀你，你说出来可能我还可以帮你一把，否则，你对他们没有用，对我也没有用……大哥们，拉起他！”

四个大汉重新把无脸人从开水里拉起，一旦没有了热水的痛苦刺激，无脸人马上感到昏昏欲睡。但是绿娇娇的话对无脸人似乎起了作用，他眼睛一边慢慢合上，一边慢慢地点了点头。

看到无脸人点头，绿娇娇马上在他的鬼宫穴加刺一针，当他醒来时又追问道：“谁叫你跟踪我的？”

无脸人奄奄一息地睁开眼说：“国师府。”

“你还说谎！”绿娇娇飞快地把第五支长针刺入无脸人的鬼宫穴，无脸人发出一声惨叫。

绿娇娇大喝道：“朝廷里礼、兵、刑、工、吏、户六部之下，根本就没有国师府这个机构，说！到底是谁？”

——清朝的国师是一个封号，对朝政文化和宗教方面有贡献的人，都可能会被当朝圣上封为国师。每一个受封国师居住的家都可以称为国师府，但是一个机构被称为国师府决不可能。书香世家出身的绿娇娇，还有一个大哥在朝廷当官，她对朝廷官制颇为熟悉，一听便发现无脸人说的话有问题。

无脸人被绿娇娇的针刺得剧痛，但他心里很清楚，他不承受这种剧痛，就不能保持清醒熬过漫长的两个时辰。从鬼宫穴传到全身的痛楚，加上烧着水的大瓦缸不断腾出的蒸气，让他全身上下每一个毛孔都在扩张流汗，他大口大口地呼吸着说：“你……有所不知……国师府是一个秘密机构，直接由朝廷管辖，不归属六部……而且还有权调动六部……”

绿娇娇看无脸人愿意说话，且不管真假也要先听下来，于是一手拔出刺在他嘴巴上的五支长针，分别在他左右太阳穴、头顶百会、眉间印堂等几个大穴同时下针，无脸人顿时觉得神志清醒了许多又减少了痛楚。

三尸神从内向外发作，邪气必从三十六处大穴透出，绿娇娇对他头部大穴的封锁，有效地压制了藏在上丹田的三尸邪气。

绿娇娇最后一针刺入他中丹田膻中穴，手一直不停捻动着长针，这样可以保持对无脸人的精神刺激，也是对他的一个威胁——只要绿娇娇一发力刺入，无脸人马上就会死去。

她问无脸人："你是国师府的人吗？"

"我不是，我师父是道录司的大演法……"

绿娇娇笑了："呵呵，怪不得，你师父还是个六品官，京官哪……他叫什么名字？怎么派你来干这个的？"

"我师父是全真派道长柳星南，国师府把他调用后，他安排我跟着你……说你是朝廷要监视的反贼……"

"说我是反贼？哈哈哈……"绿娇娇本想说"朝廷太看得起我啦"云云，突然想起厨房里站的全是洪门的大叔，笑声赫然止住说，"有眼光，你姑奶奶就是反清复明！"然后从梯子上伸出一脚蹬向无脸人的脚。

"顶你个肺跟踪我多久了？说！"绿娇娇气势汹汹地喝问。

"两年……"无脸人又开始犯困，说话的声音越来越低。

"两年？！"绿娇娇惊讶得张大嘴巴。

跟踪了两年是什么概念呀，就是说自己在花艇上给人算命、和公子哥儿幽会、买大烟砍价……甚至是洗澡睡觉时，这个丑八怪都在屁股后面跟着，在暗处偷看！这太可怕了。

绿娇娇气不打一处来，手上的一把针全部向他胸前刺去，大声喝问道："跟我那么久有没有偷看我洗澡？！"

"啊！"一声惨叫后无脸人也大声喊，"从来没有看洗澡啊！"

"没有？谁相信你没有！看我不插死你！"绿娇娇眼前全是怒火，咬牙切齿地将那把长针从他胸前拔出来又插进去，连着插了几回，厨房里顿时传出杀猪一样的连声惨叫。

一群男人站在地面，看着梯子上的绿娇娇对无脸人无情折磨，就是因为无脸人可能偷看了她洗澡，胸前的肌肉似乎都有点痛起来。杰克还不自觉地摸了摸自己的胸。

绿娇娇从梯上爬下来，杰克早就准备好毛巾，马上递给绿娇娇。她喘着粗气擦着头上的汗，满脸狰狞地说："去！气得我，居然跟了我两年！"

安龙儿端来一杯茶给绿娇娇，绿娇娇一饮而尽，然后对四个拉绳子的大汉说：“放他下去泡三回，下边加柴。”说完走到院子里抽大烟，厨房里一直传出杀猪般的声音。

杰克和安龙儿跟出院子，杰克对绿娇娇说：“娇娇，放松一些，多问些重要的问题……”

绿娇娇手拿着烟枪抬头看了看杰克，皱着眉头说：“对，是该问问他为什么老想干掉你，当时他还要挟我向你开枪呢，在他眼里你比我还反清复明！”

杰克说：“朝廷一直对在华的洋人当面一套背后一套，我在领事馆听说好多洋人被老百姓杀死的事，都是朝廷默许的，他想杀我不奇怪呀。”

绿娇娇呵呵一笑：“你还真以为自己有多值钱了？”

“娇姐，问问他八字吊魂方面的事，不然捉了一个又来一个，这个人就白捉了。”安龙儿自有关心的问题，他很希望可以学会像绿娇娇一样思考。

“听到没有，这才是人话。”绿娇娇给杰克甩下一句，重新走入厨房。

杰克双手一摊问安龙儿说：“怎么啦？我说错什么啦？”

绿娇娇重新爬到梯子上，瓦缸里的水直冒热气，烟雾腾腾，无脸人全身被烫得通红，吊在瓦缸上滴着水，他看到绿娇娇又出现在面前，眼里闪出希望。

绿娇娇从他胸口拔出那一把烫手的针，继续问：“道兄道号是什么？官拜几品呢？”

“我……叫孙参，道号存真……我是道录司的至义，只是从八品……”

“从八品不小了，孙存真孙大人，名字像个人样，可这张脸怎么搞成这样了？”绿娇娇总离不了女孩子好奇的心性，本来想问大事情，一说到个人问题就成了聊天。

“这是天生的……所以很小就被父母扔到野地，是我师父把我收养回来……”叫孙存真的无脸人说到自己的往事，眼里有几分迷离。

“不说这些了，看你挺伤心的，你跟我两年都干了些什么？”缓和过气氛后，绿娇娇回到主要问题。

“我只要保持在你附近，你走动的话我就跟上去看看，每天写下你的去向，三五天交一次密报就行了。”

“不用偷听我说什么吗？”绿娇娇很想知道跟踪的深度。

“不用，我只是要知道你在哪里，其他的都不用管……”孙存真嘴巴动了动，好像有话想说而没有说出来。

“想说什么？说吧。”绿娇娇很敏感地发现了这些小动作。

“我没有进去你家，我不会偷看你……那个的……”孙存真对这方面好像也很执著，非得澄清事实不可。

绿娇娇可不想他老提这个事，装没听见继续问下去：“你会用吊魂咒吗？”

会用吊魂咒的术士和手拿吊魂针的人是两回事。安龙儿手上也有李小雯的吊魂针，可是安龙儿并不懂得怎样制作和使用。

“全真派以修练内丹为主，师父从来不教这些，吊魂针是师父在安排我跟着你的时候给我的，还叮嘱我不能丢了……”

“现在针呢？”绿娇娇问。

“插在衣服上……被你们脱了。”

“符呢？”绿娇娇很关心写着她八字的吊魂符，通过那张符能打开人的天眼，看到她眼里看到的东西，这是最致命的跟踪。

“什么符？师父只给我一支针……”孙存真有点莫名其妙。

绿娇娇想了想，觉得孙存真的话有可能是真的，他的衣服全脱在外面，要是有的话早就翻出来了。

“刚才杰克开枪时你已经可以逃走了，为什么还要上山追我们的马车，还要绑架李小雯？”这是绿娇娇最迷惑不解的问题。

“我……我……”孙存真像有不可对人言的秘密，“我怕被你们发现后，破了吊魂针我回去无法交差……”

“你要是逃回去，换个人再跟就行了，你不会有什么责任……”绿娇娇盯着孙存真的眼睛说，“但是你明知你面对的是两支连朝廷都没有的连发洋枪，却还是要拿条棍子拼命杀我们……哼哼……这不是柳道长给你的命令吧？”

“我……我不是想杀你！”孙存真似乎急于分辩。

“你用刀架我脖子了。”绿娇娇把手上的长针压在孙存真的两眼之间，皱着眉看他说谎。

“我不是想杀你……我只想杀了其他人……”

孙存真的话让杰克和安龙儿都怔了一下，杰克在地下叉着腰抬头大声问：“杀了我有什么好处，你也交不了差啊？”

“说！”绿娇娇又用针压住孙存真的脸。

孙存真的气息越来越弱，他的精神对绿娇娇刚才刺下的一串穴位已经麻木，他一但睡去，就距离死去不远了。

绿娇娇飞快地拔出刚才刺在他身上的针，向地面上喊道：“快放绳！”

孙存真泡入烧得沸腾的药汤中，强烈的痛感让他迷迷糊糊地睁开眼，他脸上的五官和下身，还有全身的三十六大穴，都有暗黄色的浊气慢慢流出。绿娇娇知道三尸神已经到最后的发作关头，正在从全身的大穴向外袭击，用菖蒲药汤从体表渗入体内对抗三尸神的方法已经显得单薄。

“再拉起来！”绿娇娇叫人把孙存真拉起，自己把梯子架到瓦缸边缘，在孙存真全身三十六个大穴上全部刺上长针。

被刺得像刺猬一样的孙存真终于再度睁开眼睛，他表情极为痛苦地对绿娇娇说：“师父都想我死了……你救不了我就算了吧……你能救我……我很开心……”说完竟从眼里涌出眼泪。

绿娇娇忙得一身汗就是要他醒着回答问题，并没有注意孙存真说什么，她见孙存真又会说话，马上问他：“为什么要杀人！快说！”

“杀了其他人，就不会有人知道我跟踪失败，就不会换人！”孙存真的回答声音很大，吓了绿娇娇一跳。

“不换人又怎么啦？就你一直跟着我？”绿娇娇被他的回答弄糊涂了，一脸茫然地问。

“我……我……我……我……”孙存真瞪大眼睛看着绿娇娇，神情古怪而可怕。

“你……你想干什么？”绿娇娇有些不自在，从梯子上把上身向后仰，让自己离孙存真远一点。

“我……我想一直跟着你！”

孙存真的话让绿娇娇片刻间呆若木鸡，木着脸看着他流着泪的眼睛，随即“哎呀”一声摔下梯子。

杰克一直站在梯子下，正好接住绿娇娇。他把绿娇娇放到地上，自己冲上长梯对着孙存真的脸就是一拳：“你这个魔鬼，你想一直跟着娇娇就要把我们全部杀掉！”说完又连着几拳向孙存真的脸上打过去。但孙存真并没有叫痛，他似乎完全感觉不到疼痛，只是闭着眼睛，身上的三十六支长针一直在颤动。

"你快下来，危险！"绿娇娇在地面急促地叫杰克。

杰克看到从孙存真身上钻出无数黄色的小虫，脸上的小虫甚至钻出包脸的布，虫头像谷粒一般大小，分别在他身上的每一个穴位出口蠕动。

号称三尸神的这三股先天邪气，在道家经典中记载为虫形，所以也有另一个名字叫"三尸虫"，现在已经到了丑时，三尸虫现出体表，对三尸神邪气的镇压也到了最后关头。

杰克从未见过如此可怕的景象，人还在梯子上，头就已经缩下来，一翻身滑下地面不敢再走近。

绿娇娇恨恨地说："国师府想他死，我偏不让他死，看国师府能怎么着……留他活着的话，国师府还得分人手去追杀他呢，哼。"这边说着话，那边已经画出三道土灵符，走到灶台旁边分别贴在大瓦缸缸壁外的三个对角。然后麻利地重新爬上长梯。

她见到孙存真已经完全昏迷，刺在他身上的针抖得越来越厉害，连插在背后的三支黑箭都开始抖动起来。他全身慢慢地冒出黄色的浊气，三百六十个穴位全部有黄色的小虫头在蠕动爬出，情状恐怖异常。

她对下面的大汉们叫道："把绳子全放了，把他扔到水缸底下！"

水缸里的水正在沸腾，孙存真一泡到水缸里，烧得翻滚的水居然像被冲入冷水一样静下来，只有气泡缓慢冒出的"卟"声。其实并不是温度下降得那么快，而是三尸神的邪气遇到正气解毒的菖蒲汤，使水变成了粘稠的药糊。

绿娇娇看到药汤变药糊，知道三尸神即将从孙存真体内爆发，现在就是最后的生死关头，她对下面的人叫道："快拿缸盖来，有没有缸盖？"

下面的大哥们说："没有，哪有这么大的缸盖，用别的东西行不行？"

"拆门板，快拆两扇门板给我！"绿娇娇急中生智马上应变。

大家马上现拆厨房的木门，瓦缸里传出沉闷的"滴滴嗒嗒"的声音，原来三尸神的邪气已经开始逼出绿娇娇刺在他身上的三十六支长针，射到缸壁内。

很快嘀嗒声停下，然后传出一声重重的撞击声，这是孙存真背后的三支勾命箭被三尸神同时逼出的声音。

门板传到绿娇娇手上，她马上把两块门板拼到缸上盖住，自己站到缸顶，双脚分开站定在瓦缸边沿，双手结成剑诀伸直指向天空，大喝一声：

“泰山石敢当在此邪神喝退急急如律令！”然后剑诀向下指向两扇门板之间。指风到处，刚刚从门板缝里冒出来的黄色烟雾骤然退回缸内，绿娇娇马上从身后摸出符纸，写上一道泰山石敢当镇邪符，压在门板之上。

绿娇娇从梯上下来后，叫大家收了灶头的火，开始用冷水慢慢往瓦缸上泼。

她走出院子紧张地看着北斗星的位置，杰克拿着毛巾跟出来问她：“娇娇，你还好吗？”

“还好。”绿娇娇皱着眉看向北方天空。

“看星星呀？”杰克有点好奇。

“看时间……现在晚上没有月亮，要从北斗星看时间，这丑八怪要熬到寅时才可以放出来。”绿娇娇不耐烦地从身上掏出小罗经，竖起罗经中间的时刻针，测量北斗星的角度。

杰克好奇地把头凑过去：“这东西也可以看时间呀，真奇妙，不过我有个怀表……你要看吗？”说着从裤兜里拉出一个金灿灿的怀表，按动小机关打开盖子，时针正好指向三点钟，这是丑时的结束，寅时的开始。

绿娇娇一看到金灿灿的怀表双眼就定在那上面，心想这可是好东西，非搞到手不可。她一手捉过怀表，另一只手从杰克的裤腰上解开怀表的扣子，责怪着说：“你不早点拿出来，十万火急的，先借我用着……”说完把怀表揣到自己怀里，转身走入厨房叫大家把孙存真拉出水缸。

孙存真从水缸里被拉出来，大家看到他身上已经没有钉住长针，而且皮光肉滑，背后的三支黑箭也逼了出来，留下三个不太深的伤口，仔细看去，其实箭只射入体内一寸左右。

大汉们把全身赤裸被绳子扎成粽子的孙存真放到厨房的地上，绿娇娇走到他身边用脚踢了踢他的肩，他慢慢地睁开眼，绿娇娇对他说：“现在是寅时了。”

孙存真很艰难地“嗯”了一声，知道自己已经度过子丑两个时辰的死亡期。长时间的煎熬让他几近虚脱，但是死里逃生的两个时辰颠覆了他整个生命，他让自己滚了一下趴在地上，不让绿娇娇看到他的下身，然后用头轻轻磕了一下地面，说出一声“多谢”。

日上中天，绿娇娇懒洋洋地踢开被子，看着农舍的窗外。昨晚进村看不到四周的地形，现在从屋里看出去，四周全是山丘，没有大片的农地，也没有河流。没有地的农村富不到哪里去，没有河流的地方更不用谈什么风水了。

绿娇娇叹了一口气，心想，这鬼地方也榨不出什么油水。

今天孟师爷给她安排了节目，因为过几天就是重阳，到处都在扫墓拜祭先人，各村都有宗族大祭，这个小山村也不例外，晚上照例会有大吃大喝。

不过绿娇娇对今晚的伙食不抱什么希望，穷地方的所谓大吃大喝，无非就是很多大块的山芋干巴巴地焖上一小点肥肉，当然也不能指望有什么好酒。

现在总算捉了孙存真，知道了一些背景关系，但是也知道了很糟糕的情况——原来就算捉了孙存真，也只不过是换了个人跟着自己。原来和自己过不去的真是朝廷，最惨的是那个国师府还是见不得人的官府，下起手来要多狠有多狠。

她想象不出面前的对手有多强大，连这个只不过是从八品的小杂务兵孙存真都让他们三个人几乎丢了性命，最后放倒孙存真的也不是自己的力量，而是人家开恩不想杀自己才让他们钻了空子，不然的话……

绿娇娇又长叹一声，心情真的很颓丧，其实自己的战斗力弱到连一个从八品的小兵都不如。

为了让心情好一些，她换上自己最喜欢的绿褂子，在脸上涂脂抹粉地搞了一通，照照镜子觉得还算满意，睡足觉的女孩子总是水灵灵的。

这些天为了捉跟踪者，绿娇娇天天穿着灰黑色的男装到处逃命，很久没有好好穿上女装到街上炫炫好看的脸蛋，此刻她拿着大烟枪走出院子，展开双手“啊啊啊”地伸了个懒腰。

“娇姐起来啦？”李小雯笑盈盈地走过来，手上拿着针线和衣服，颈上一圈白布包着昨天孙存真用刀子划出来的伤口。

绿娇娇觉得自己很饿，她关心地问：“这么早啊，吃饭了吗？”

李小雯说：“我们都吃过早饭了，不过不敢叫你起来，饭都在厅里盖着呢，娇姐快去吃吧。”

绿娇娇上下打量了一下李小雯，伸手摸了摸她的肚子说：“你腰身还挺细的，正好穿我的衣服……你缝谁的衣服？”

“这是龙儿的衣服。”

“嗯……”这句话还中听，绿娇娇吸一口烟转头走入厅中。

大厅里杰克和安龙儿正在拆招，杰克在极力地学习安龙儿的拳法。中间一张大八仙桌上放了一个有木板盖的大铜盆，还有个小饭桶。他们看到绿娇娇走进来，马上停下手上的功夫向她打招呼。

杰克说：“娇娇，你今天真漂亮！我发现中国的功夫非常厉害，我昨天差点被打死了，我要跟龙儿学功夫。”

绿娇娇正眼也不看他，坐在桌旁了拿个碗打开饭桶掏饭，哼道：“你要跟龙儿学的东西多着呢。”

杰克听到这话觉得酸溜溜的，浑身的不自在。

绿娇娇一手挟着碗筷，一手揭开铜盆的盖子，有点意外地“哦”了一声。

铜盆里满满地盛着五六层肉菜，杰克他们先吃了一顿，把盆里的菜吃去一角，刚好让她看到每一层的内容——

煎鸭脯压上冬菇、五花肉压上白菜胆、支竹猪皮干鱿鱼炒成一层再垫上一层萝卜，这个小盆菜做得精致而有心思。盆菜最讲究的不是份量，而是和味，炒入盆中的菜分层垫好，层层不同之余，又要让汁水下透和住下一层的味道，绿娇娇面前这个小盆菜和味适中，香美可口，真让她心情好转了许多。

她边夹菜边叫杰克和安龙儿：“你们不吃了吗？坐过来一起吃吧，这有的是菜……唔……”

杰克和安龙儿玩了一阵功夫，早前吃的那顿消化了，于是又坐到桌旁再吃一顿。

“那个孙存真怎么样了？”绿娇娇想起还有个人在关着。

安龙儿说：“按你意思吊在柴房中间，喂过水和饭了。”

“好，这人会五行遁形术，不能让他碰到任何东西，一会我去和他聊聊。”绿娇娇说。

杰克往嘴里甩了一块五花肉说：“我们走的时候就可以放他了，反正朝廷也是要干掉他，就让他自己跑吧……娇娇，当时他刚用刀架住你的脖子，马上就中箭，看来朝廷对你挺好的。”

“怎么会呢？要是他用刀架你的脖子，别人一样放箭射他，你是洋大人呀杰克少爷。”绿娇娇没有一句话让杰克好过，“要不一会我放他出来，让他再砍你一刀试试？”

安龙儿哈哈大笑说："就是，反正现在也是还有人跟着，他再下手也会再中箭，哈哈……"

他笑了两声发现杰克和绿娇娇都面无表情地看着他，自己也笑不下去了。大家发现其实没什么好笑，三个人捉不住一个孙存真，现在捉了孙存真又有另一个人跟在背后，昨天的安排全盘失败。

"我吃完了，我去看看他。"绿娇娇放下碗筷站起来。

安龙儿和杰克马上站起来异口同声说："我和你一起去。"

三人走到柴房里，见到离地一尺反绑吊起的孙存真，他已经穿上一套农民衣服，头上还是缠着布，以免那张恐怖的脸吓着人。

他一见绿娇娇走进来，不等绿娇娇开口，就急切地说："绿娇娇，你帮帮我吧……"

"我会放你的，你想什么时候走？"绿娇娇上下打量着他。

"我过去不知道有人跟着我，但是昨天想不到会有人放箭射我……他们也不知道跟我多久了，我这样走出去一定会死的。"孙存真非常明白当中的利害关系。

安龙儿说："你轻功这么好，又会五行遁形术，还会易容术，你要逃跑一点也不难呀。"

"我小时候被父母扔到路边，在我的衣服里写着我的八字，我师父知道我的八字……他会用阎王吊魂咒永远跟着我，我跑不掉的……"

绿娇娇听着孙存真的话，一言不发慢慢吸着烟，其实孙存真的问题也正是她要面对的问题。但她百思不解的是，国师府为什么会知道她的八字呢？这可是只有她家里人才知道的内情呀……

到底是家人遇到不测被国师府逼供，还是有人出卖？

孙存真的声音打断了绿娇娇的思路："绿娇娇，帮我找个替身吧。"

"什么？"

"你可以用替身娃娃破解我手上的吊魂针，一定也可以帮我的八字找个替身，引开国师府的吊魂针……"孙存真果然脑筋灵活，活学活用。

绿娇娇看着他的眼洞，过一会对他说："你明白八字替身符的含义吗？"

孙存真的眼神打了个问号。

绿娇娇说："如果你要用八字替身符，就等于放弃了你的命运，再没有人能算出你的命，你也不会知道自己会在什么时候突然死去……命和运不会再保佑你活能到命中注定的寿命。”

孙存真听到绿娇娇的话居然笑了两声：“呵呵……我现在命不该绝，还不是有人用三尸勾魂符打破我的命运来要我的命吗？对我来说，已经没有区别了。”

绿娇娇也笑起来：“说的也是，你胆子也够大的。”然后她话音一转，声音变得极为严厉，“修道之人的第一大戒就是不得杀人，你身为全真派的道士，却动不动就起杀机，今天只不过是天理循环让你恶有恶报，我不会帮你！”

听到绿娇娇的话，孙存真却反问道：“你在鸡啼岭上不也是杀人了吗？”

绿娇娇提起这事就气，她一叉腰：“我杀人和你杀人能相提并论吗？那两个黑衣人破坏两村风水为害百姓，一出手就想杀死两村的青壮男丁，根本就是天理不容，如果他们得手的话会有多少家破人亡？他们不做这种坏事会有这样的下场吗？不是我想杀他，我随便开一枪就打中他了，这就是天理！就算我不开枪天上也会打个雷下来劈死那王八蛋！他就是死十次也偿不清这笔血债！孙存真，枉你从小修道，还练得一身好功夫，却修得这么黑的猪脑子！”

绿娇娇一口气骂回去，骂得孙存真垂头丧气，杰克和安龙儿却在一旁暗暗叫好，他们真没想到绿娇娇还有一身正气的时候，把他们的心里话都说了个痛快。

“还要问你件事，你知道我杀人的话，鸡啼岭上你也有跟着我吧？”

“我在吊魂针上发现你们离开了清城，是后来才跟上的，我到的时候，刚好看到你开枪……”孙存真的声音很低也很沉重。

“你认识那两个黑衣人吗？你们是不是一起的？”绿娇娇很关心这一点。

“不认识，也不知道他们是谁……我没有和其人他联系，只是每隔几天就到官驿交一次公文和领取盘缠。”

绿娇娇认为他说的话有一定的可信度，试想他们之间如果认识，孙存真能不出手帮忙吗？既然是这样，这个问题就先放下了。

但是说到盘缠又提起了绿娇娇的兴趣：“每个月头可以领多少盘缠？”

“大概二十多两银子……”

“好嘛，你从八品京官年俸才四十两，干这个每个月倒可以多领二十多两，怪不得你老是扮农民，扮农民省钱呀！省下不少了你……”

绿娇娇说到这里，走到柴房角落去翻他的衣服，从那堆破东西里果然翻出一小卷皱巴巴的银票，顺手数了一下有六七十两银子。原来安龙儿在收拾他的衣服后，把衣服和他身上的东西都卷成一堆放在柴房。

再翻下去又找到一支小针，针上没有线，绿娇娇把针向天空一抛，针落到地上时针头指向自己，对，就是这支吊魂针，绿娇娇把针也拿在手里。

数过孙存真的银子后，绿娇娇从那堆衣服里拿起一把短刀走到孙存真身边。这把短刀就是孙存真昨天用来威胁他们，还在李小雯的颈上割了一刀的那一把。

她挥刀斩断吊着孙存真的粗麻绳，他马上摔在地上，绿娇娇又用刀几下割断他身上的绳子，但孙存真被吊了一天一夜，刚刚被放全身麻木，也没有力气站起来，只是瘫倒在地上。

绿娇娇从那卷旧银票里随便抽出一张扔到地上，再把短刀甩手一扔，刚好插在孙存真的面前。

“地上的银票你拿走，其他钱赔给被你伤害过的人，你马上滚！”绿娇娇说完转身就走出柴房，杰克和安龙儿跟着离开，只留下孙存真趴在地上紧紧地握着拳头，看着插在面前的刀。

绿娇娇大步走回下榻的院子，看到李小雯正在和村里的小孩子玩，看来李小雯说喜欢小孩子不是假的。

她回头问杰克：“孟师爷呢？怎么一天都不见他，他昨天还说晚上有节目呢。”

杰克说：“孟师爷一直在厨房，你吃的盆菜就是他做的。”

“哦？”绿娇娇眼光一闪，“这师爷真厉害呀……”

第十二章 醒狮雌威

“孟师爷真是狡猾到家了，上鸡啼岭是你的安排，让我从清城大老远来这里也是你早就算计好的，什么事情都是你在幕后指挥着……”

绿娇娇和孟颉坐在杰克的洋马车里，旁边坐着李小雯和安龙儿。杰克被绿娇娇赶到前面赶马车，因为自己坐的洋马车由洋人当车夫倍儿有面子。

绿娇娇穿得艳丽如花，面带三分笑地看着孟颉。

孟颉哈哈大笑：“绿小姐不要这样说，我是识英雄重英雄，才多方安排让你去鸡啼岭为兄弟们看看风水，这次还有要事麻烦绿小姐啊……”

“啊？还有生意？孟师爷你都成我的牙婆了，我一年到头光做你的生意已经够过上好日子，真是多谢你关照。”绿娇娇从昨天晚上见到孟颉出现在棺材铺的村口起，就知道这孟师爷不会只是请她来吃顿饭这么简单。

“那也得绿小姐兴致勃勃才能自愿来到这穷乡僻壤，你要是过意不去也可以打赏孟某一点佣金嘛，哈哈哈……”孟颉把风水师的性格看透了，没有哪个风水师会对风水穴没有好奇心。

“鸡啼岭那回我差点把命都赔上了，孟师爷这回可别再介绍些玩命的生意给我。”绿娇娇言下之意就是说，钱别少了。

孟颉是精明人，话里有话自然可以听出来，他也开始觉得这个道行高深的小女孩贪心得可爱，哈哈一笑说：“不会亏待绿小姐，上次的酬金你还满意吧？”

“嗯……呵呵……压压惊吧……”绿娇娇想起勒索何大人的一百两黄金加上温汉风给的五百两白银，也忍不住笑起来，和聪明人聊天就是开心。

孟颉说：“今天晚上先看节目，明天我给你介绍个朋友，再详细说这里的情况。这里九月初一是秋收后的十八乡大祭，每年都集中在芙蓉镇举办，村里的乡亲昨天就去那里准备了，我们到了芙蓉镇只管看热闹……”

日落西山时分，马车走到了芙蓉镇，远远便听见鼓声震耳欲聋、炮竹连天炸响，整个芙蓉镇有如陷入战阵之中。在孟颉的指引下，杰克把车赶到一个大湖边。

湖边站满人，黑压压一大片，湖面上两三丈高纵横拉起十几条绳索，绳索上吊着上百个大灯笼，把四周照得通红透亮。

绿娇娇车上的全部人都把头伸出窗外看热闹，不过只看到一大片人头。孟颉很快找到棺材铺村的接待点儿，由村民安置好马车，他就带绿娇娇等人走上湖边临时搭起的观景竹棚，竹棚上披红挂彩，充满喜庆气氛。

站在湖四周围观的都是十八乡赶来看热闹的乡民，能坐到竹棚里的都是出资的乡绅，这让绿娇娇挺开心地过了一把乡绅瘾。

大家坐好旁边就有人上来送茶点，可是绿娇娇的注意力全都被湖面上的景象吸引住了，她眼睛不离开湖面，伸手摸了一个带肉馅的咸水角子塞到嘴里细细地嚼着。

湖边八方插着十八支两丈高的大旗，旗杆足有碗口粗，旗面大得像两床大被子接在一起，旗上分别写着各乡的名称。

绿娇娇扫视着大旗想找出棺材铺村的旗，她一路读过去，花东、坪山、南村、大珠、花山、芙蓉、奇才、长岗……看到“官禄”时，她转过脸问孟颉：“官禄的旗是我们村的吧？”

孟颉说：“嗯，聪明，棺材铺是土名，为了好看写成‘官禄’，官府登记这里叫官禄埠。”

每一面旗下都有六尺宽的竹排浮在水面向湖心伸去，十八道竹排环浮在湖面上，再加上大灯笼的火光，把湖面布置得像个红色的大车轮。

在十八道竹排上，有四五十头瑞狮正在打斗，每一头瑞狮都是为了争夺吊在湖心水面上两丈多高的“青”。

广东民间活动以舞狮为最主要的项目，广东的南狮集功夫观赏于一体，早已名扬四海。舞狮活动的最后环节和最终目的一定是为了“采青”。所谓青就是指给最强瑞狮的奖赏。无论有多少瑞狮，青只有一个，采到青代表得到吉祥和福气，而南狮的舞狮人全部都有功夫底子，南狮之争实际上就是武功之争，对于舞狮的人来说，采到这个青无异于宣布他是武功的最强者。

青的布置形式和难度变化很多，今天湖面上的青称为“水青”，是难度最高的青之一，而湖面上并不像传统式样吊着一把生菜绑着一个红包，此湖面上高高吊起的是一个洁白的球形酒坛子，这种叫做“酒埕青”。瑞狮夺到酒埕青后，还要把埕里的酒喝光，再表演一段醉狮，才可以采里面的青。考了武功还要考酒量，表演完醒狮还要表演醉狮，这个“水上酒埕青”可谓顶级高难度。

湖边四周十八乡的大旗下都有各狮队的大鼓，十八队锣鼓敲得地面都在震动，孟颉凑到绿娇娇耳边大声说：“这个青叫醉月捞金！乡绅们合铸了一锭五十两的大黄金在酒坛子里面，每乡的狮队都志在必得……”

“哦！”绿娇娇的嘴巴张成圆形合不起来，她转过头找到杰克和安龙儿，张开五个手指头说，“那坛子里面有五十两黄金！五十两！”

两人听完都紧张地“哦”起来。

每一只瑞狮由一人舞狮头，一人舞狮尾；每一乡都派出三头瑞狮，十八队瑞狮的大混战，大家看得眼花缭乱。只见狮子们左冲右突、张牙舞爪，从上面只见狮头和狮披，七彩斑斓一大片，热闹非凡。舞狮的汉子们在狮披下拳脚相向，纷纷有狮子被踢下竹排在水里游泳。

为了得到五十两黄金，落水的狮子只要还有一点力气，都会重新爬上竹排，试图接近湖中间的青。在场的狮子非常顽强，这种争夺比绿娇娇在城里看到的过年讨红包式的拜年狮激烈得多。

作为棺材铺村的客人，大家自然最关心官禄大旗下的情况。

官禄大旗与其他乡的大旗区别极大，人家的旗都是红底黑底，三角旗边有如战场上的军旗；官禄大旗却是白底红字，旗边配上粉红的绒边，最特别的是旗的两边还有两条粉红色的绒旗旆，像小姑娘的两条大辫子。

旗下五个女孩子，在一众武林壮汉中显得尤为突出。她们身穿红边白底紧身衣，头上扎着红头巾，腰扎红腰带，紧装劲束英气逼人——中间一个双脚扎成四平大马，马步沉实，眼望湖心，双手持鼓槌儿正在擂响大鼓，打出雄健有力的七星鼓点；旁边两个女孩子持锣持钹配合鼓点节拍；还有一个女孩子撑着大旗；站得最靠近湖边的一个在不停地点燃大串鞭炮以助声威。

沿官禄大旗下的竹排看出去，竹排上狮头拥动，看来这条竹排是十八条竹排里最多狮子的一条。

在竹排中间有三只白毛红须的锦狮在四处跳跃，不断把涌上自己竹排的狮子打下水，一步一步地接近湖心的酒埕青。

南狮的造型，大多以三国英雄刘备、关羽、张飞为脸谱，“刘备狮”黄脸白眉白胡子；“关羽狮”红面黑眉黑须，再加上紫角青鼻；“张飞狮”黑脸黑胡，青鼻折角烂耳朵，还有两只长獠牙，外形最为凶猛。这三个造型都是代代相传的脸谱，一般不会轻易更改，狮面上画错一点都会被人耻笑。但是正在湖心争斗的三头白毛锦狮却红眉红须，粉红鼻双圆角，狮披边上绣了一圈红配粉色的绒毛，造型不知出自什么典故，却在湖面上最为显眼。

可能这三头白毛锦狮的狮头和体形略比其他瑞狮小一圈，也可能是白狮的颜色分外引人注目，各乡狮队纷纷跳到官禄竹排上，都想抢先打倒这一队锦狮，眼下官禄狮队已经成了众矢之的，湖面混战的中心不在酒埕青，而在官禄竹排上。

绿娇娇看到这种场面，紧张得站了起来，她眼睛看着湖面，用手拍拍桌子问孟颉：“这三头锦狮是女人舞的吧？”

孟颉说：“对，是女人舞狮……”眼睛同样紧张得离不开湖面。

常见的刘备狮脑后镶三个金钱；关羽狮脑后镶两个金钱；张飞狮脑后镶单金钱。但是官禄旗竹排上的三头白色锦狮脑后镶的却不是金钱，而是分别镶上红、黑、蓝三种颜色的十字标记，仔细看去，原来三头锦狮的额头也各自镶有一个银光闪闪的小十字。

杰克来自美国西部，美国以基督教为主要宗教，基督教正是以耶稣受难的十字架为最重要的标志，他在中国只在教堂见过有十字架，想不到在乡村里也会看到，心情大为兴奋，他拍着绿娇娇说：“看到没有，白狮子的头上镶着十字架！”

“十字架怎么啦？那么激动干什么？”绿娇娇奇怪了。

“十字架是基督教的标志，那是上帝的狮子！”杰克用虔诚而激动的语气告诉绿娇娇。

“加个十字就是上帝的狮子？神经病！”绿娇娇知道广州的洋教堂上也竖着十字架，可是在村镇里突然看到十字标志，不代表就是洋教堂那一路人吧。

杰克不管绿娇娇的挖苦，他激动地大声呐喊着为官禄白锦狮打气。

竹排有六尺宽，三头白锦狮以前一后二的位置排成三角形，前面一头狮头向前，后面两头狮头向后，正处于竹排的中段。

靠湖边的后段和靠湖心酒埕青的前段都不断有狮子向她们冲去，从两旁竹排上也不断有狮子跳上官禄竹排，使这道竹排上拥满各色狮子，人太多以至竹排都不能完全浮出水面，人站在上边湖水可以淹到脚踝，三头白锦狮就像直接站在水面上一般。

她们四周的狮子虽然很多，但却始终没有狮子可以停在三头白锦狮身边，也没有狮子可以让她们停下来，只要有其他狮子接近，马上会被这三头白锦狮踢下水。

三头白锦狮一直保持狮尾紧贴的阵形，一边防守，一边还可以随着身后岸边官禄大旗下的七星鼓点舞动出母狮得意扬扬的娇憨神态，同时步步为营地向湖心时酒埕青逼近。

绿娇娇正在赞叹三头白锦狮舞狮有如用兵——布阵严密操练得法，再加上精湛武功简直固若金汤——便见从另一竹排上又跳过来一红一黑两头瑞狮。

刚跳上官禄竹排的两头瑞狮看来要合作进攻，他们拦在白锦狮队前进的方向上，看准了白锦狮队前一后二的阵形，前方只有一头白狮，应该是队形中最薄弱的环节。

红黑二狮对着前方开路的白狮，同时舞出一串动作，摇头抖身接着金鸡独立高起势，狮子高高站起前脚，然后重重落地，在水花四溅中扎成四六箭马，狮头向下一沉，两头狮子稳稳扎在白锦狮队前进的路上，这是一个挑衅动作。

前方的白狮看到这阵势，毫不示弱地站起前脚，同样回敬前方二狮一个金鸡独立高起势，同时在鼓声鞭炮声和人声中，发出一声清亮的高声呐喊，这分明是年轻女子的声音。

岸上观景竹棚里的人和岸边围观的乡民都望着发出呐喊声的白狮，清清楚楚地看到高高站起的白狮脑后镶着的一个红色十字。

红十字白狮抬起前脚后并不落地，狮尾托着狮头向前直闯，狮头从空中向前方两头狮子的狮头踏下去，背后两只白狮马上紧紧跟上，这一进一扑之间，三头白锦狮配合默契无间，形如一体，三狮的间隙一点也没有拉开。

前方的红黑二狮抬头一看，都被这道凶猛气势吓了一跳——踩狮头还得了？狮头是神圣之物，平常不用都要挂在祠堂里，被女人踩过以后都不用见人了，马上同时向后退一大步。

红十字白狮两前脚踏空，回落到竹排上，刚才向后退却的红黑二狮也马上前扑反攻，一起重新踏前一步，抬起狮头，一边一脚同时踢向红十字白狮。

白狮同样不愿意让自己漂亮的锦狮头被人踢中，沾上一点秽气。她把白狮头向下罩到胸前的高度，向左移开半步，避开黑狮的踢击，把红狮踢出的脚放进右胁空档，右脚向前伸出一勾一搭，竟把红狮踢过来的脚盘架在腰间，再加上狮头的下压，对方的脚被紧紧扣住无法抽回。这一招是洪门武功中著名的“勾掸脚”，虽是难学难精，不过一旦使出几乎无招可破。

白狮头向下一压红狮的前脚，单脚站立的红狮武士架在对方身上的前脚像被压断一样剧痛，顿时脚软，失去平衡摔倒在竹排上，狮头滚落水中。

黑狮见自己一脚踢空，红狮却被一招击倒，连忙向白狮头踢出第二脚，试图引开白狮的攻击让红狮可以回过气来。白狮的狮头果然被引开注意，迅速拉低狮头，伏身避开黑狮的高踢，同时换左脚一招“虎尾脚”扫向黑狮的下脚，黑狮想不到自己第二脚又是踢空，还被人攻入下脚，也摔倒在竹排上。

在白狮头武士接战黑狮的当口，舞白狮尾的武士已经顺势一个小跳上前，在同一时间对刚才倒地的红狮武士迎头补上一脚，连人带狮踢飞入湖中；白狮头武士听到红狮已经被处理掉，也一脚把掉在地上的黑狮头远远踢入水里。舞黑狮头的武士一触即溃，连狮头都被人家踢得无影无踪，只好滚入湖里让出竹排通道。

三招破两狮，面前的道路一瞬间扫清，湖边的人群发出雷动般的欢呼声，在竹棚上的绿娇娇一伙更是兴奋得喊破喉咙，又叫又跳。

白锦狮队在锣鼓声和喝彩声中，又布好三角形的阵势，顺便表演了一段娇羞可爱的抖水舔毛、照镜整妆。

绿娇娇发现这三头白狮仍是一步一步地向湖心舞去，似乎并不急于采青，以她们的武功，要冲到酒埕青下，应该是轻而易举的事情，但她们好像只是在借这个机会试演阵法，或是在考验自己的武功。

竹排前方还有狮子拦路，但是却不敢接近白锦狮群，一直同她们保持两丈距离。看看四周，分明可以感觉到欢天喜地的一群白锦狮其实杀气腾腾，她们进一步，前方的狮子就退一步。

白锦狮群的前方一阵骚动，一只黑狮从湖心比较接近的竹排上跳越到官禄竹排的最终端，从这个地方，抬头看上去就是酒埕青。

黑狮似乎对酒埕青毫无兴趣，他的目标是白锦狮群。在他和白锦狮群的中间，有一群进退两难的狮子，他们既想打倒白锦狮，又知道自己不是对手，打也不是逃也不是；黑狮从他们的背后一路攻入，一阵打斗踢了十几头狮子入湖中，以无比刚猛的气势杀到三头白锦狮面前。

黑狮的背后就是酒埕青，再没有其他的狮子挡住视线，气氛理应很紧张，但白锦狮群却视若无睹，照样旁若无人地舞着扭屁股的花哨动作逗乡民们开心，大家见到这个场面都哈哈大笑起来。

黑狮显然被激怒了，一双前脚在竹排上一踏，借着竹排浮在水上的弹力跳在空中，落点就是白锦狮群的面前。

白锦狮群在黑狮跃在空中的时候，阵形陡然一变，排在后面头向岸边的两只白狮子此刻转过头来从竹排的两侧同时向前蹿出，中间的红十字狮原地不动；黑狮还没有落地，白锦狮群就已经变化为前二后一的倒三角口袋阵形。

原来在南狮文化中，张飞黑狮是外貌最凶恶的狮子，在一个狮队里，黑狮并不是人人都可以舞的，黑狮重量最重，体形最大，舞黑狮的人九成九是狮队教头。刚才白锦狮群看到黑狮杀过来的气势，就知道这位不好惹，尽管不知道红十字狮的武功有多高，但是显然她并不在乎是不是由自己打倒黑狮，她要的只是整个白锦狮群最有效率地胜出。

在白锦狮群的阵式变化之下，黑狮落地的落点刚好陷入白锦狮群布下的口袋阵里，黑狮头夹在蓝十字白狮和黑十字白狮的腰间位置，红十字白狮从后方一头顶上来，三只白锦狮把黑狮紧紧夹住。

官禄大旗下的少女鼓手打着密集单调的鼓点，在狮头和狮披下形成了六个人打两个人的局面，一阵拳脚混战，四头狮子的狮头狮披都在剧烈的抖动；黑狮一步一步地后退想退出陷阱，但是白锦狮群却一步一步地向前紧逼，一直从三个方向紧贴着黑狮。

过了一会，一直被围攻的黑狮慢慢瘫倒在竹排上，红十字白狮从黑狮头上轻快地跳过，领着白锦狮群又一步一步地走近酒埕青。

乡民们看到黑狮像被剁碎一般，狮头已经扁塌变形得像个被踩烂的垃圾箩，喝彩声和掌声顿时变成了一片哗然。

十八乡的狮队中，有一半被白锦狮群打退，其他的狮队都在各自打斗，为最后的采青尽可能地淘汰着对手。

白锦狮群的面前就是酒埕青，但是十八道竹排的末端，都距离酒埕青一丈之远，如果酒埕青垂直落下，将会落入水中而不是竹排上，而且酒埕青还吊在两丈高的空中，看来打到湖心难，采青更难。

看到前来单挑的黑狮落得如此下场，绿娇娇更感到官禄白锦狮队不是在斗狮，而是在排兵布阵。这个狮队的教头不一定是武林高手，但一定是兵法家。

官禄竹排已经无人敢走近，在其他竹排上发生着零星的打斗，留下来六队狮子，但是都没有人抢先采青。

一般南狮采青都是叠罗汉、架板凳山、跳梅花桩，但这个“醉月捞金青”设计得如此困难，莫说想不到办法，就算是想出法子采到青之后，还要考虑能不能回落到竹排上。

现在四周留下的狮队都算是十八乡中的强队，贸然出手的狮队马上会受到围攻，所以每一队狮子都在观望，既不敢先采青，也不敢对其他狮队进攻。

白锦狮群经过了漫长的防守战，蹲踞在湖心段的竹排上伺机而动，六队狮子对峙着，分别占在属于自己的竹排上，气氛从刚才的热烈渐渐转为紧张，人群都被这种对峙的场面压逼得紧张起来，呼叫声很快静下，只听见六面大鼓交错着各自的鼓点，似在互相破坏着对方的节奏。

平静没有维持很久，白锦狮队领头的红十字狮高高举起狮头，向天上抬了三次，岸上官禄大旗下的白衣少女鼓手手腕一翻，把鼓槌在鼓边上连击三下，在连绵的闷鼓声中发出“嗒、嗒、嗒”三声清脆的边鼓声，这是从七星鼓点转为简单快速的三星鼓点的讯号。

这时三头白锦狮一跃而起，以红十字狮为首向竹排的末端冲去。打鼓的少女擂出一通高速密集的高音鼓声，鼓声越来越响，已经有盖过其他五个大鼓的势头，鼓声直震入全场人的心里，使听到的人不可名状地热血沸腾。

三头白锦狮扑到十八道竹排环形连接的湖心位置，各狮队一看有人抢先采青，马上也冲向湖心。

三头白锦狮却并不采青，她们在连绵不断的鼓声中，一步不停地跃上另一道写着“九湖”的竹排，向着正奔向湖心的九湖狮队迎头撞过去。两队的领头狮将要接战时，冲在前面的红十字狮骤然停下，后面的蓝十字狮和黑十字狮以她为跳板，分别从她的狮尾冲上狮头，然后在湖面上高高跳起——红十字狮待自己身后的两头狮子跳出去后，狮头一低来个大转身，狮尾的武士撑着狮头武士的腰高高将双腿甩在空中，向着对方最前面的黄狮狮头迎面踢去。

这时蓝十字狮和黑十字狮刚刚好落在三头九湖狮的身后，成了前一后二的夹攻之势。

九湖狮队的领头狮想不到红十字狮在急停下来之后会有这种变招，完全反应不过来就中了一脚，狮头竟被踢穿，那一脚重重踢在狮头武士的额头上，头向后一撞，人也顺势向后摔倒，他的狮尾武士扶着他向后退一步，屁股刚好撞上自己身后跟上来的两头伴狮。

九湖狮队的三头狮挤成一团，两头伴狮只好也向后退，哪想蓝十字狮和黑十字狮就在他们身后，狮头还没转过，两头伴狮的狮尾武士就被两头白锦狮踢中屁股分左右下水。

蓝十字狮和黑十字狮趁对方两个狮尾武士落水，一手捞起两个狮披，待对方的狮头武士要回头反击的时候，同时扬起狮披把对方的狮头整个罩住。对方两个舞狮头的武士从狮嘴里看不到外面的情况，赶忙一齐举起狮头露出脸来，却一人看到一只绣红花的白靴子出现在眼前，随即中脚飞入水中。

刚才正面受了红十字狮尾凌空一脚的黄面领头狮，只听得身后噼噼啪啪一阵乱响，回头看时，自己狮队的两头伴狮都已经泡在水中，自己正被三头白锦狮围住，吓得呆立在原地，不知应该做何动作，心想打又打不过人家，自己跳下水又太没面子，大概也只好一闭眼英勇就义了。

三头白锦狮却对他毫无兴趣，一转身冲回湖心越过另一个竹排，留下九湖狮队的领头狮举着破了一个大洞的狮头，像一头石狮子那样呆在竹排中间。

白锦狮队分明是集中打击各个击破，快速地第二轮淘汰对手。自白锦狮队出人意表地主动发动进攻开始，其它各狮队的混战也展开了。

前面就是芙蓉镇的竹排，三头黄面刘备狮长须飘飘，好整以暇地站在湖心，不知是刚才已经打得无人敢敌，还是一直躲在一旁保存实力。白锦狮队却不冲上前攻击，而是跳过芙蓉竹排，冲向正有两队狮混战的奇才乡竹排。

绿娇娇看到这里不禁问孟颉："芙蓉镇的黄狮队很能打吗？白狮队看到他们都闪开了……"

孟颉说："芙蓉镇狮队的武功一般吧，前几年都不是他们夺魁，这一次就不知道了。"

绿娇娇听到孟颉这样说，反而对这队官禄白锦狮越来越佩服。武功高强并不代表见人就打，她们来到芙蓉镇赛狮，见到地主的狮队能礼让一步，的确有大将风度。

奇才乡的竹排中段只有五头狮子在恶斗，其中一头已经受伤退出，从旁看去已经分不清谁是谁。三头白锦狮从湖心跳上竹排后就冲入战团，冲到距离混战区域还有一丈远的地方，三头白锦狮突然整齐地停下，伏在竹排上一动不动，只见狮头狮披在微微抖动，没人看到她们在干什么。

过了一会，三头白锦狮站起来，一起跳起来用力跺在竹排上，乡民们听到一群女孩子发出"呵"的一声，奇才乡的竹排居然分开两段，正在混战的五头狮子全部站在靠近岸边的那一截竹排上，慢慢漂向岸边，远离湖心的酒埕青。

断竹排上的五只狮子还不知道竹排已断，仍在努力拼杀，又引来岸上乡民的哈哈大笑。

绿娇娇在观景棚里看到这个打法，用力挥了下小拳头，大叫一声："好！不战而屈人之兵！"

白锦狮群回身正要进攻最后剩下的狮队，却发现芙蓉镇的黄狮队已经向另一方发起进攻，白锦狮队看到已经没有直接的对手，迅速跳回自己官禄乡的竹排，领头的红十字狮仰头看着酒埕青，官禄大旗下打钹和打锣的女孩子马上放下乐器，每人抬起一条早已准备好的长毛竹，从大旗下跑上竹排，送到蓝十字狮和黑十字狮的脚下。

官禄大旗下打鼓的女孩不再打出密点鼓声，而是一板一眼地打着吉祥喜庆的七星鼓点，似乎有意在缓和气氛。

芙蓉镇狮队的三头黄狮很快也结束了战斗，两队人马虎视眈眈地看看对方，又看看悬在空中的酒埕青。

黄狮队好像没有准备采青，只是站在白狮群的对面，小幅度地舞动着狮子的常态招式静静地等着。

白锦狮队见对方没有做出任何动作，蓝十字狮和黑十字狮马上翻身揭开狮头狮披放在竹排上，站出来四个身穿白锦衣、头扎红头巾的美貌少女，四周的乡民一片哗然，口哨声和喝采声叫得震天响。

从湖边引来的几十条粗麻绳像网一样交织在湖心，吊着一百多个灯笼，在湖心的交织中心点下就吊着酒埕青。

这四个少女分成左右两队，每两个人抬起一支三丈长的毛竹，把毛竹的底部顶在竹排上，毛竹的头部搭在空中两丈高的绳子上，每一条毛竹由两个少女用手扶定，在红十字狮面前拼起一条稳稳的窄竹道。

红十字狮见竹道拼成，即刻冲上竹道向吊着酒埕青的绳网顶上跑去，步法轻盈得像跳上围墙的白猫，窜上漆黑的夜空显得神秘娇美。

这时对面竹排的黄狮队开始动作，排在最后面的黄面白眉刘备狮助跑两步，踏上前面一头黄狮的狮尾，第二步踏上狮头，然后借力腾空而起，湖四周的乡民连上竹棚里的绿娇娇都发出一声惊呼——原来白眉黄狮的轻身功夫惊人的强悍，跃起后竟然比头顶两丈的绳网还要高，四只脚准确地踏住两条绳索，配合默契落点准确。怪不得他们一直不为采青做任何准备，原来是根本没有必要。

这时红十字狮还没有跑到竹道的顶端，被白眉黄狮一步跳到自己头上，正想加快脚步冲上去，白眉黄狮已然跳到红十字狮的竹道前，向着架在绳上的竹头一脚扫去。“喀喇”一声，两条大毛竹拼成的竹道竟然应声而断，红十字狮马上就要随两条毛竹一同落入湖中。

这时扶住竹道的四个少女齐声大喝，一起发力死命把竹道硬生生地重新拉起，红十字狮武士双手抱在竹道上，口咬着狮头才得以借力跳回官禄竹排上。

三丈长的毛竹不好找，白锦狮队这两支长竹一断，要马上重新上绳网难如上青天。

白眉黄狮并没有高高站着欣赏对手的狼狈，而是一刻不停地准备采青。酒埕青吊在网下，也就是在白眉黄狮的脚下，想要采到青，就要狮尾的武士拉住狮头武士的身体，把前面舞狮头的人倒吊到网下，这种采青方法称为“桥底青”，顾名思义，就像狮子站在小桥面上要掏桥底的东西，属于高难度的采青招式。

白眉黄狮的狮尾武士很快站好落脚点，狮头的武士轻轻跳起，双脚叉在狮尾武士的腰间，举着狮头就吊到网下。

白锦狮队也不闲着，红十字狮尾又跑出来一个少女，和其余四个少女在酒埕青下扎起马步，架起一个由人组成的楼梯。只剩下一人举着一个红十字狮头，冲上人梯踏跳两步之后跃在空中。她没跳到网上的高度，但是很明显看出是她不想跳到那个高度，她举着狮头向网下的酒埕青直撞过去，凌空一脚踢向正在倒吊采青的白眉黄狮头。

酒埕青是一个双耳白瓷圆酒坛，酒坛里盛着满满一坛烈酒，也放着一锭五十两的黄金。酒坛子有一个红绳提手结穿在两个铜环上，湖中心悬空的大绳网下有一个小铁钩吊住酒坛子的红绳结。

白眉黄狮的狮头武士刚想伸手解下白瓷酒坛，就感到一股杀气涌向自己。心念方动，红十字狮头已经出现在自己面前，一只穿着绣花红边白靴子的脚，带着劲风扫向自己伸出去采青的手。

他倒吊在空中，一手提着狮头一手马上缩回胸前转为防守，红十字狮的第二脚随即紧逼踢到，他前臂递出硬接对方一脚，感到一阵刺痛。看来红十字狮这一脚是来示威的，也是对刚才他踢断自己竹道的报复。

白眉黄狮在倒吊中以手接脚，一点便宜也占不着，武士正想翻身回到网上，红十字狮的第三脚已经蹬到他胸前，他把前臂沉回胸前再接下这一脚，又是一下猛烈的震动，几乎连着狮头一起掉入湖中。

吃惊的还在后头，红十字狮头悬在空中连攻十多脚，倒吊的白眉黄狮武士被这种突如其来的快攻打得晕头转向，只有一只手左支右绌忙乱拆招。

这白狮子怎么就不掉到湖里呢？黄狮武士硬接十几脚后苦不堪言地纳闷着，偷空看看红十字狮，却见一个娇艳如花的少女双手抓着狮头的把柄，狮头正架在两条粗绳之上，双脚完全自由地向自己不停发招。

不看还好，一看之下，这个倒吊着采青的狮头武士居然被这个美艳的少女对手摄去三魂七魄，顿时心如鹿撞放慢了防守，在当胸正中结结实实中了一脚，心急回防双手同时护胸，黄狮头即时脱手荡出。

一见对方狮头离手，红十字白狮少女毫不留手地换脚踢向白眉黄狮头。

采青的意义在于人狮合一，否则就不是舞狮而是比武，手上没有狮头怎叫采青呢？站在网上做力点的黄狮尾武士一见网下狮头脱手，马上连人带狮头一同抽起，狮头武士回到网上，双手举起接回狮头。

红十字狮少女一脚踢空，再抬头看上去，看到一个面容清秀的少年，长得高大健硕，一身褐黄色的短打扮下露出粗壮的手臂，高高举着白眉黄狮头站在绳网上。

她看对手离开酒埕青，自己伸手就去解酒坛子的铁钩，右手搭到白瓷酒坛子的红绳上，她心里禁不住狂喜，终于得手了！

就在这瞬间，握着狮头的左手突然一松，架在两根绳索上的红十字狮头被黄狮少年踢落，她手持着红十字狮头就要跌入湖中，只留下右手紧紧抓住白瓷酒坛子上的红绳结，人和狮头狮披像一串风铃吊在湖面上。

她的全身体重刚才一直落在左手，现在左手落空，身体和狮头的重量马上转换到右手抓住的白瓷酒坛上。她手上一转力，身体轻轻一荡，曲腰引身，双脚向空中的绳子反勾上去，做出一个倒挂金钩的动作，右手放开白瓷酒坛改抓向空中的另一条绳子，借势一个翻身连人带狮站到网上，湖边的人群发出潮水般的掌声。

双方在网下接战之后，都知道对手不是等闲之辈，要现在偷空采青是完全不可能的事，想采青只有先打倒面前的对手，而且就在这个绳网上。

战意明确，马上开始进攻，黄白两狮在十八条粗绳索组成的网阵上如履平地，上下翻飞打得灿烂；湖边的大鼓擂得震天动地，乡民乡绅也看得鼓噪异常。

十几招接下来，双方都占不到任何便宜，只是相互踢得双脚发麻。两边的身形速度都极为快速，脚上功夫不相伯仲，要斗出个输赢只能看各人耐力，或是各出奇招。

绿娇娇站在椅子上，整个竹棚的人都站了起来，如果她还站在地上根本看不到湖心。她一手兜着瓜子、嘴里密密嗑着瓜子仁，一边目不转睛地看着湖心半空中的打斗。她的个人倾向完全是希望女孩子的红十字狮赢出，但是她也很明白，这样拖下去，一定是对对方的白眉黄狮更有利，长时间对战对体力偏弱的女孩子一点好处也没有。她想，如果是我在上边，这时一定会耍点滑头。

果然不出绿娇娇所料，红十字狮少女不再和对手正面对攻，而是突然以快速的“三角马”步法闪到白眉黄狮的身后，白眉黄狮这时还是两个人舞着狮，转身必然不及这少女快速。

三角马是洪门功夫独有的飘移步法，以走三角形路线绕到对手背后进攻而著称。白眉黄狮在极力快速转身跟上她的速度，保持和红十字狮的正面对战，因为两位舞狮武士实在想不明白她闪到自己背后可以怎样。

红十字狮连使两次三角转马步，像鬼魅一样再次转到白眉黄狮的身后，黄狮的狮尾武士马上一脚后踢防守后方，黄狮头的少年也转脚踏到另一条绳索上回身救尾。

红十字狮不管对方的狮头，狮嘴一张叼住对方狮尾踢来的后脚——其实就是从狮头里用手擒住——双脚沉下马步一扭狮头，就要拧断对方的后脚。这一招是大擒拿中的杀着，称为“毒龙反骨锁”，一旦使出，对手的脚腕和膝关节会被同时拧断，一生残废。

对方的狮尾武士想不到红十字狮会出此致命重招，大惊失色之下失声叫出来“别……”，然后顺着红十字狮的拧脚方向翻身跳起化解毒招。

他的脚下只是两条绳索，一旦翻身跳起，要想再站回绳索上绝非易事，这个狮尾武士在空中翻身数圈化解这招之后，“扑通”一声落入湖中，白眉黄狮头少年的脚也已经袭到红十字狮的腰间。

红十字狮向前大扑一步，一嘴叼起黄狮的狮披，也闪开对方一脚，竟然和黄狮的狮尾武士一样，一个翻身跳入湖中，不同的是红十字狮的嘴里紧紧扯着黄狮的狮披。

那个少年手上的狮头一重，一股无可抗拒的力量把狮头向下扯去，他一脚还在空中，无法把握重心失足摔在绳索上，狮头脱手紧紧卡在两条绳索之间。

红十字狮少女却早就看准了方向，手扯黄狮的狮披，在网下向着白瓷酒坛酒埕青荡去，用双脚倒勾上吊着酒埕青的绳索，口咬狮头把白眉黄狮的狮披在绳索上绑了个死结，这样一来，这头白眉黄狮便再也取不出来。

红十字狮绑好黄狮后马上着手采青，她倒挂在网上口咬着狮头，一手托酒坛底，另一手想解出铁钩，铁钩却发生了意外，紧紧地卡住了酒坛子上的红绳结。

舞黄狮的少年从绳索上重新站起，气鼓鼓地想扯出狮头再战，但是黄狮头已经在绳索之间卡死，如果用死力扯出的话，只会扯烂狮头。

芙蓉狮队还有两头狮在竹排上，这两头伴狮向他叫了一声，从竹排上把另一个白眉黄狮头抛到网上，他一手接过狮头，就要重新采青。

“糟了！”

“快点……来不及啦！”

“上边的黄狮又来啦！”

绿娇娇和一众官禄狮队的拥趸比采青的少女还紧张，喊破喉咙地提醒和催促。其实红十字狮少女何尝不知对方要下来抢青？只是人在倒吊，这个结实在是解不开。

她从腰间拔出一把匕首，这是刚才用来砍断竹排绳子的兵器，她一刀插入白瓷酒坛的红绳结中，反手拖刀，红绳被割开，露出里面的铜把手。原来这么大个酒坛子，吊环把手全是黄铜制成，红绳子包在上面只是为了喜庆好看。

时间紧迫，容不得少女思考，她马上再一次挥刀砍向铁钩，“叮”一声砍出几点火星。白眉黄狮再次跳到酒埕青的上方，也是一个倒挂金钩，倒垂到红十字白狮的面前……

杰克看得一头大汗，完全投入到这场空前激烈的斗狮里，他一直全神贯注地看着每一个细节，在白眉黄狮重新披挂上阵、红十字狮采不下酒埕青的当口，他几步跳到观景竹棚的最前沿跪下，左手横架在湖边的木桩上，右手掏出左轮枪架在左手上，一枪打向白瓷酒坛子。

白眉黄狮并不知道放酒埕青的酒坛子意外地卡死在铁钩上，只道这个少女功夫不好，还有机会给他抢青，口咬狮头倒吊到网下伸手就要拿酒坛。

“轰”一声，酒坛子在空中炸开，黄狮少年条件反射地缩手护眼，谁会想到这酒埕青还会爆炸呀。

白狮少女的左手一直托在酒坛下，酒坛炸开后烈酒带着火光四溅，她右手护住眼睛，左手上接到一块五十两重的黄金。

手上一摸到黄金，少女不再和任何人纠缠，双脚一松连人带狮跌入湖中。

当她的狮队同伴把她从水里捞上来，她的手上高高举着一锭黄金，全场的气氛达到前所未有的高潮。

这些少女们并没有兴奋很久，落水的少女拖着红十字狮头上岸后，举起黄金锭向四周展示了一下，三头白锦狮即刻重新披挂好，踏着稳重的七星鼓点，不再扭动玩耍，而是在竹排上舞起一套"拜四方"的正宗套路，以胜而不骄的姿态向全部现场的乡民一一回礼。

白锦狮队的这一举动，得到更热烈的回应，一时间湖四周点起数十串大鞭炮，响声一片，湖边火光冲天。

在最热闹的时候，绿娇娇反而平静下来，她看出这个采得黄金的少女绝非池中之物，她的一举一动都远远超过了她的年龄应有的谋略和智力。她带领的如果不是狮队，而是军队的话，将会是一支战无不胜的铁军。以孟颉师爷上几次办事的不露声色、安排周密，这次芙蓉镇之行，要见的人必定是她，要委托的事情也可能和她有关。

白锦狮队回到岸上，人群让开一条大路。

狮队沿路走到湖边观景竹棚的后方，这里是一片空旷地，早前陆续退出采青的其他狮队已经重新在这里集合，竹棚里的乡绅也全部站出来等着她们。

三头白锦狮身后跟着锣鼓队，她们来到观景竹棚的正面，舞了一段"庆丰年"，从狮嘴里分别吐出写着"风调雨顺"、"五谷丰登"、"六畜兴旺"的红色绸缎贴子，向全体乡绅行过三拜大礼之后，女孩子们整齐地翻身放下狮头狮披。

鼓声停下，舞红十字狮的少女站出来向四方八面拱一拱手，然后从腰间拿出那锭五十两的黄金走到台前。

绿娇娇站在乡绅们中间，这时才可以近距离看清这个少女的样子。她的样子在二十岁上下，瓜子脸形，柳眉凤眼，高鼻小嘴，脸如敷粉眼带桃花，从长相上看怎么都不像是当地的南方人，如果她真是南人的话，光是这一副南人北相，就知此人定有过人之处，不做一番作为决不甘心，依女相而论倒真是个到处惹事生非的女人。

她身高六尺，这在女子来说算是高大的身材，但是这般身高却一点不显得粗大累赘，反而出落得苗条秀气、英气逼人，加上刚才几次落水，湿水的衣服贴在身上，使身材显露无遗，胸前丰满得足以让任何男人垂涎三尺。

绿娇娇不禁偷眼看看身边的杰克，看到杰克叉着腰，正一脸傻笑地张大嘴看着人家，绿娇娇马上把手里的瓜子壳往他脸上扔去。

这个少女手托黄金，对着中间的主要乡绅朗声说道："民女洪宣娇代官禄埠瑞狮祺祝芙蓉镇十八乡风调雨顺，五谷丰登，六畜兴旺！"

声音嘹亮清澈，正是方才在湖心传来的呐喊声，乡绅们笑逐颜开地热烈鼓掌，大声叫好。

绿娇娇微微点头，心里暗暗记着这个名字：洪宣娇。

洪宣娇待大家静一些，又大声说道："官禄狮队虽然采得金青，但过程中意外频生，是有幸得到高人相助才侥幸成功。芙蓉镇狮队狮艺高超、武功高强，乡亲们有目共睹，这个金青应属芙蓉镇狮队所得，请各乡绅成全！"

四周乡民一片哗然，大家都感到很惊愕。

绿娇娇嘴角露出冷笑，心里却越发喜欢这美女。她想，这美女虽然狼子野心，却像狐狸一般狡猾，这一回得了便宜还卖乖，志不在金呢。

乡绅们嗡嗡地交头接耳，这时一个白头发老爷子乡绅问洪宣娇："刚才开枪打中酒坛子的洋大人是哪个乡请来的客人啊？"

孟颉拉着杰克走出人群说："他是杰克先生，是官禄埠请来的贵客。"

乡绅们都向杰克打恭作揖，杰克也点头哈腰笑呵呵地一一回礼。

那个白头发乡绅说："这样的话，开枪采青……也算是采青嘛，洋大人的这一手枪法让我们大开眼界，既然他是官禄埠的客人，这个青也算是官禄埠所采……大家各乡的狮队也有不少是请外来的教头助狮，这没什么奇怪，我看这黄金还是应该由官禄埠得到，各位乡绅看可以吗？"

乡绅们纷纷点头称是，洪宣娇水汪汪的大眼睛却在上下打量着杰克，当搜索到杰克的眼神和她对视那一刻，脸上露出一个似乎只有杰克才会感觉到的笑容。杰克不失时机地把后脑勺对着绿娇娇，挤了挤眼睛。

洪宣娇听那老乡绅讲完一通，再向前站一步大声说："这个酒埕青称为'醉月捞金'，本是要先采下酒埕喝完酒，才能得到黄金，现在官禄埠狮队一来没有按原来的要求采青，二来如果不是我们的客人出手相助，能得到这个金青的一定是芙蓉镇狮队，所以这锭黄金官禄狮队实在是愧不敢当，请真正的金青得主芙蓉镇狮队前来领赏吧！"

乡绅们又嗡嗡了一会，刚才那个白头发老乡绅出来说话：“洪姑娘的意思我们明白了，难得你深明大义，礼教得体。事实上，芙蓉镇狮队的才艺大家也有目共睹，你们都是技艺高超的狮队啊……现在我们决定，这五十两黄金你们两个狮队平分，每队得二十五两，另外再各赏一坛好酒，不过你们刚才采青都没有喝酒，现在要每人喝一碗给补上，不然可就不吉利了，哈哈……”

这个结果皆大欢喜，芙蓉狮队一众青壮大汉也上来一同披红挂绿地领赏，两队狮每人高高兴兴喝过一碗酒后，抖擞精神打起锣鼓，又在观景竹棚前一同给乡民们表演起醉狮，给这个秋收大祭来了个最圆满的结局。

Zhan Long

第十三章 袖里藏刀

当天晚上绿娇娇一行在芙蓉镇过夜，到了孟颉安排好的住家下榻，大家仍是毫无睡意。孟师爷和几个房东一起从厨房里炒出一大桌肉菜，倒上好酒，大家一边坐在大厅里吃宵夜，一边兴高采烈地聊着刚才的各种惊险场面。

这时走进来一群美貌少女，正是刚才在湖面上酣战的官禄白锦狮队，十四个少女一路唧唧喳喳地玩闹着，一齐出现在厅中，人人都觉得大厅突然亮堂起来。少女们身上香汗淋漓，充满着青春气息，男人们都忍不住心跳加速了。

当中的洪宣娇一见绿娇娇就迎上来拉着她的手："这位小美人一定是绿先生了，这几天孟师爷天天给我们说你的事迹，听得我好心急想见你呀……想不到绿先生比孟师爷嘴里说的还要漂亮一百倍！"

"姐姐也是绝代佳人呀，娇娇刚才一直看姐姐的表演，真是巾帼不让须眉，给天下女子都争了一口气！"绿娇娇很久没有说过真心话，这几句话倒真是因为对洪宣娇的武功和为人行事都佩服有加，而发自内心的肺腑之言。

"哈哈哈……"洪宣娇仰天大笑，"男人女人本来就是平等的……我们先去洗澡，一会儿出来再向绿先生请教！”说完带着一群女孩子进了后院。杰克伸头去看那群娇俏的背影，绿娇娇说：“跟着去看看吧，杰克少爷。”

杰克回过头看看绿娇娇，绿娇娇正认真地看他，他也大声笑了起来：“哈哈，哈哈哈……”

很快，洪宣娇和十几个少女洗过澡一起走出来，她安排其他女孩子到后院开大桌吃宵夜，自己则坐到前厅孟颉和绿娇娇一干人等的席中。

洪宣娇刚洗过澡，换了一身皂色的竹纱轻薄长褂子，头发还没有擦干，半湿地披散在身后，全身散发出一股自然清新的少女气味。

绿娇娇面带微笑看着她的脸，她一向习惯不露声色地给人看相，她发现洪宣娇眼眉和发际之间的奸门位置隐隐泛出桃红。在相学里，奸门也称为姻缘宫，奸门泛红正是桃花运临门的征兆。

洪宣娇和一桌子人互相认识过之后，对杰克说：“刚才杰克先生的枪法真是神准，看来天上飞的鸟也可以被你打下来，有机会一定要教教我。”

杰克马上接过话头：“如果那鸟好好飞的话，我当然可以打下来。洪小姐，你长得很漂亮，你的功夫也是我见过最好的，能帮助漂亮的小姐是我的荣幸。”

绿娇娇转过脸瞪着杰克说：“你还吹牛，上两天你打了十几枪都打不中那个丑八怪，还说打鸟？切……”

遇上这种当场奚落，杰克必须马上澄清以挽回名誉：“那怪物跑得比鸟还快，而且还会闪，鸟是不会闪的呀……”

“哈哈哈……宣娇你这几天不在村里不知道，绿小姐一行前几天在路上遇上清狗派来的高手，周旋了几天，所以来迟了，不过那人已经被绿小姐和杰克捉到我们村。”孟颉很识趣地出来解围。

洪宣娇马上说：“就是，杰克先生的枪法我们都知道有多准呢……这位小妹妹也长得俊哦，绿先生，她长得还有几分像你呢。”边说边打量李小雯。

李小雯听洪宣娇说自己，看了看绿娇娇，转头对洪宣娇说：“娇姐长得才是真正漂亮，我只不过是穿了娇姐的衣服沾她的光了……”

这几句分明是李小雯向绿娇娇的讨好，绿娇娇听这话还算顺耳，她知道李小雯有几分像自己，也因为这样，才有点理解杰克为什么要往人家床上爬，也才会偷偷动用道法呼唤龙神给李小雯那一钱不值的破八字续上一点生气……

但是洪宣娇马上就要到眼前的桃花运,不会又是和杰克有关吧?要是这样的话,这趟江西之行可真成了杰克的寻欢之旅了!

绿娇娇说:“小雯在清城那边遇上麻烦,被杰克救了回来,但是我们一行急于赶路,她本来是良家妇女……”说到这里她看了一眼李小雯,李小雯紧张地低下头,她知道这是绿娇娇为了给她找生路说的谎。

绿娇娇继续说:“也不能让她跟着我们一路折腾,现在她没有地方可去,不知道姐姐能不能给安排一下?”

洪宣娇一听马上说:“哎呀,小妹你真是来对地方了,万能的上帝总是有安排。我们‘拜上帝会’刚刚组成了女子宣道会,专门帮助女子,向女子宣传上帝的恩典和大能,你来我们这里就回到大家庭了!大家刚才看到的舞狮的女孩子,有几个也是无家可归来到我们这里的。”

说到这里,洪宣娇站起来走到李小雯身边,拉着她的手说:“上帝不会放弃你的,欢迎你来我们的家,妹妹就来和我们一起住吧,好不好?”

李小雯听到这里,眼圈都红了,她很多年没有听过一句热心关怀的话了,洪宣娇的话对她来说,简直是从天堂传来的声音。她哽咽了一下,握着洪宣娇的手点点头,口里说不出话,顺势就要下跪磕头。

洪宣娇两手一用力,扶起李小雯说:“妹妹不要跪,不要向任何人下跪,在这个世界上,人人都是平等的,人人都应该互相帮助,你只需要在上帝面前跪下。”

李小雯听到这里,再也忍不住眼泪,一把抱住宣娇的腰失声痛哭起来。她被拐卖到妓院的几年里,跪下求过任何人,也跪着侍候过任何人,就连她认为天下最好的杰克少爷,仍是要一步一跪地求他才肯带自己走;后来遇上绿娇娇这个几乎无所不能的大法师,更让她感到自己的卑贱。她很清楚绿娇娇不会让她跟着自己和杰克,这几天来她的心一直悬在空中,就算绿娇娇把她随便带到一个村镇,随便找个人把她卖掉,她也只有认命了。

她从来不敢想可以活出个人样,只求可以过几天不用被人折磨的日子,现在听到洪宣娇说出自己想都没有想过的话,怎会不大悲大喜?她长得娇小,站起来只有洪宣娇的肩头高,她把头伏在洪宣娇的肩上从嘴里挤出一句话:“谢谢姐姐……”

“不用谢我，是上帝把你带到这里，感谢上帝吧。”洪宣娇开口无不称上帝，杰克和绿娇娇面面相觑。

洪宣娇把李小雯带到后院交给那群舞狮的少女，让她们安慰好李小雯，把情绪稳定下来，然后自己重新走出大厅回到座位。

绿娇娇从座位上站起来向洪宣娇抱拳拱手说：“姐姐宅心仁厚、古道热肠，真是女中豪杰，娇娇敬姐姐一杯——”说着拿起桌上酒壶为洪宣娇倒上一杯酒，然后举起自己的酒杯。

洪宣娇连忙站起拿起自己的酒杯说：“这是我们的本分事，不值得夸奖，来来来，大家一起喝。”说完举杯一饮而尽，翻杯示意滴酒不剩。

大家都站起来纷纷举杯，绿娇娇不擅长喝酒，本来只想说句道谢话，抿一口酒意思意思，见到这个场面也禁不住心头一热，把杯里的酒一饮而尽。

杰克喝完酒坐下来对大家说：“我刚才看到洪小姐舞的狮子上有十字架，就对娇娇说那是上帝的狮子，她还不信呢。”

大家哈哈大笑，洪宣娇说：“我哥哥洪秀全前两年得到上帝的召唤之后，就在这里建立了拜上帝会。我本来长年在外乡卖艺，但因为我是女孩子方便向女子宣道，也被我哥哥叫回来帮忙做事……”

“拜上帝会不就是拜老天爷吗？到庙里就行了吧，怎么还要宣道和组会，拜上帝会是不是洪门的分支？”绿娇娇这一问不无道理，洪门的分支之一天地会就是取“拜天父地母”之意，这也是洪门的宗旨之一，如果洪门有一个分支叫“天帝会”或者是“上帝会”的话并不奇怪。

“拜上帝会不属洪门，当然我们也反对满清统治，但我们不用军马，我们要向天下传扬上帝是唯一的神，建立敬爱上帝的天国，让天下人人得平等，强不犯弱，众不暴寡，天下一家共享太平！我们有几本传道的书，我明天拿给你看看。”洪宣娇热心地宣传着，绿娇娇似乎看到一个朦胧的新世界在自己眼前形成一团迷雾。

在绿娇娇的思想里，世界就是阴和阳，阴和阳就是无所不在的对立，没有对立就没有这个世界。天下无高低不成江湖，无尊卑不成朝纲，无大小不成人伦，俗话说同人不同命，怎么可能人人平等呢？

但是刚才洪宣娇对李小雯的那一扶，真是让人眼热，像个动人的梦让人心头一震。

“天国……人人平等……”绿娇娇茫然地重复着洪宣娇的话。

“洪小姐真是厉害，如果人人都像你这样，这里很快也会像美国一样成为一个没有皇帝的新世界，一定会无比强大！”最理解洪宣娇的无疑是从美国来的杰克，出于对上帝和自由的亲切感，以及发自内心对这个美丽少女的敬佩，杰克发出由衷的赞叹。

“杰克先生过奖了，我们有很多不懂的事还要向你请教呢，你一定可以帮到我们。”洪宣娇不放过任何机会拉住任何人。

安龙儿也在一旁认真地听着，不过他从绿娇娇那里了解过洪门，却想不出洪门和拜上帝会有什么关系：“洪门是反清的兵马，但是大姐姐这里又没有兵马，为什么大家会在一起呢？”

孟颉这下要出来解释一下了，他微笑着说：“龙儿兄弟，洪门和拜上帝会一样，都是为了建立一个新世界而存在的，我们有共同的目标，而且洪门上拜天下拜地，拜的都是同一个天帝，我们也很需要互相支持。”

洪宣娇接过来说：“对，这一次本来是想请孟军师找右轩先生来看看风水的，但是孟军师却说眼下就有一个美女大法师在清城，功力不在右轩先生之下呢！说起你们在鸡啼岭上的事孟军师就不停嘴，哈哈哈……”

“又是上山看穴？”绿娇娇笑看着孟颉，孟颉捻着三绺长须笑着回答：“洪门四海是一家嘛……”

绿娇娇转过头问洪宣娇：“请问是为哪一位的先人看穴呢？”

“这是先父的坟地。”洪宣娇说，“先父笃信风水，生前曾耗尽千金，遍请名师寻找风水好地，后来在芙蓉镇北方的芙蓉嶂找得一卦山地称为“五蛇下洋”，便花重金买下，十多年前他过世后就葬在那里。”

绿娇娇听了洪宣娇的话，直觉到这回可能不是简单地看个风水，千金觅地却落得个十年不发，怕是又有外力作梗。她对洪宣娇说：“但是我看你的面相，你家里人都好好的，你也有喜事在眼前了，这风水上有什么问题呢？”

“哦？我还有喜事呀，绿先生快告诉我让我高兴一下。”洪宣娇听到绿娇娇的话都没心思说正经事了。

“呵呵，姐姐有桃花运近在眼前了……”绿娇娇做了个手势，叫安龙儿给她点上一泡大烟。

杰克眼珠子一转，很快地扫了一下绿娇娇和洪宣娇，他看到绿娇娇在微笑着吸烟，眼睛看着大烟枪，洪宣娇却眉开眼笑地看着自己。连忙说：

“龙儿，大人说话不要听，吃菜……”然后抹脸夹菜喝一口酒。

“我还有这种福气呀，真是感谢上帝，希望桃花运快点来，哈哈哈……”洪宣娇笑得开朗，完全不像那个年代的女孩家，说起男女之事只见开心不见一点羞怯。

绿娇娇心想，我在风月场混了几年还要装一下害羞，真难得她可以哈哈大笑……想着自己也禁不住暗笑起来，她对洪宣娇说：“三两天内就可以见到你的情哥哥了，有得你开心。”

“好啊，承你贵言！”洪宣娇接着说她家风水，“先父下葬后，我家大哥却几次赶考都得不到功名，家业也越来越衰落，他组织了拜上帝会之后，在花县的发展也是困难重重，现在他已经去了广西传道……前些时候我大哥的道友冯云山来跟我说，有机会就找风水先生看看会不会风水上出了问题，如果可以从风水上得上帝的力量，保佑大哥的力量发展壮大，对建立天国也是一大功劳……”

绿娇娇说：“听起来也没有什么大事情，如果你家阴宅风水坏了，你们兄妹俩现在已经贫病交加——比如鸡啼岭上的雄鸡啼日穴，当天破穴，在当晚就会有人遭遇杀身之祸，这样看来你们也不是很急于要看这个风水呀……”

“我倒无所谓，只是冯大哥上次回来极力要我办这件事，我才托孟军师帮忙找来名师……”

“不急就好，大家都平安的话我们可以从长计议。”绿娇娇知道不是十万火急的事，不想太多的话也算是个好消息，起码不用像上几回，天天风餐露宿出生入死，急急如丧家之犬。

“对对对……绿先生都来到这里了，什么事都成了不急的事。如果先生不用急着赶路的话，我可以带你们到处玩玩，说起来芙蓉嶂的风景还真是不错呢！”洪宣娇说道。

绿娇娇说：“好啊，不过姐姐不要叫我绿先生了，叫我娇娇就好，有机会我还想请姐姐当我的先生，教我武功呢。”

“行，明天早上去瀑布捉鱼，我教你武功，不过你要请杰克先生教我打枪哦……”洪宣娇好像终于露出狐狸尾巴，绿娇娇听了也哈哈大笑，她倒是喜欢洪宣娇这种狡猾，觉得很像自己。

第二天早上天蒙蒙亮，按昨晚的约定大家都起了床，在孟颉的安排下，每人分了一匹快马，然后一行五人准备出门。

李小雯这些天都精神紧张，累得半死不活，现在终于有了归宿，整个人像松了弦的琴，于是主动申请留下来和狮队的女孩子多些熟络，不再跟着杰克。

五人到马房拉了马走出路口，这时天色还早，镇上没有多少人，在远处有大榕树的十字路口处，一个身材高大的男人坐在榕树下，一看到他们五人走出来，马上站起来。

绿娇娇左右看看，问孟颉说："这人在等你们吧，认识他吗？"

孟颉说："看不清楚，太远了，宣娇你认识他吗？"

"看不清……先看看。"洪宣娇和大家一起牵着马向那人走去，那人也向着大家迎面走来。

此人身高七尺，和杰克差不多高大，但更加魁梧，肌肉好像要从衣服里暴出来一样，一看就是练武之人；年纪二十岁上下，一身古铜色皮肤，五官端正俊朗，双眉如剑，两目炯炯有神。

他走到大家面前，拱一拱手说："诸位是官禄埠的兄弟吧？"

洪宣娇这时认出他来："哦！你就是昨天晚上芙蓉镇的白眉黄狮子，原来是你呀，怎么那么巧呀？"

"是啊，昨天就是我和洪姑娘抢那个青……"他有点不好意思地说，"我是广东揭阳林凤翔，前些日子路过这里，刚好赶上这边的十八乡大祭，芙蓉镇的乡亲请我留下来助狮。"

洪宣娇见到他显得异常开心："真是有缘千里来相会，见面不打不相识！哈哈哈，林兄的身手令人叹服！你是来找人吗？"

"哦不……啊是……我是想来见你一面，没想到大家都……那个……"林凤翔抹了抹头上的汗，古铜色的脸一下变得通红。

洪宣娇听到他直接说明原因，脸也一下红了，一时说不出话来。

绿娇娇看了看杰克，忍不住笑个不停。

杰克像个绅士一样，矜持地微笑着。

还是孟颉聪明，马上说："我们正要出去游玩，林兄有时间的话不如一起到西山瀑布一聚？"

林凤翔挠挠头尴尬地说："这……不方便吧？要不下次……"

绿娇娇看着杰克一直在狂笑不已，又着腰弯下身来擦眼泪，杰克只好眨着眼睛看看这个，看看那个。

绿娇娇用笑得走了调的声音喘着对大家说："林兄你不要等下次了……哈哈哈……龙儿个子小，他和我同骑一匹马……呵呵，笑死我了……龙儿的马让给林兄骑……我们一起去玩！"

安龙儿也大声附和："好！"

五匹快马载着六个人，在晨曦中向芙蓉镇北方飞奔而去。

只跑了半个时辰的马程，远远就听见龙吟一般的轰鸣，分明是瀑布的水浪声。

前方连绵的山脉比普通山脉的色泽更深更黑，再走近一点，众人看到面前有一个大湖，在大湖的最远处，有五道山岭从山脉高处跌宕入湖，聚向湖心一个小岛，像从水中绽开的黑芙蓉，湖面的形状也因此被划分得有如五指金龙爪。湖山相衬之下，这个地形其实更像五条大蛇从山上爬入湖里，果真是个五蛇下洋的大格局。

更妙的是从中间的山岭旁流下一条瀑布，水面宽广，水势庞大，声音气势有如万马奔腾。因为龙脉随水走，山中见水方证真龙，有了这个西山瀑布，才使五蛇下洋可以成为真龙之地，但龙穴应该点在哪里，则要看风水师的功夫了。

绿娇娇略略看过大局，对这里印像颇好。但是她并没有花心思去考究个中贵贱吉凶，因为今天说好了是来捉鱼，当然要好好地玩，生意的事才不去想呢。

大家催马到了湖边，这里有很多小山冈、草地和小斜坡，隔着湖远远可以看到瀑布。

孟颉和洪宣娇都从马背上卸下两个箱子，展开之后大家看到里面有各种渔具、餐具和几个装调味料的小瓶子，孟颉把四个箱子叠成两张小矮桌，更从包袱里掏出一个茶壶，大家看到都乐不可支。孟颉叫上林凤翔一起到山泉那边打水煮茶，又叫杰克和安龙儿去找些柴禾，留下洪宣娇和绿娇娇两个女孩子在湖边钓鱼。

两个女孩子做好四五副钓鱼杆，准备好鱼饵坠子之类的东西，放到湖里，到大家回来集中的时候，她们居然已经钓上来三条大鲤鱼。

洪宣娇看到大家都回来了，让男人们做东西吃，自己邀上绿娇娇走到远一点的小山冈上。

洪宣娇走上山冈脸不红心不跳，绿娇娇却已经气喘连连，洪宣娇对她说："娇娇，我看到你有抽大烟的习惯呀……"

绿娇娇喘着说："是呀，抽很久了……呃……跑得我……"

"抽大烟的人身体会越来越弱，你还没有嫁人，以后还要生孩子，抽大烟可一点好处都没有……"洪宣娇是练武之人，除了自己不抽大烟，拜上帝会的戒条之一也是禁烟，"你看你现在爬个小山都要喘了。"

"是呀，看来是要戒掉了……现在抽得越来越多，不抽就浑身没力气。"绿娇娇主要是近来体力运动多了，才发现这大烟再抽下去很不对劲。

"戒了大烟，娇娇会比现在更漂亮，答应我把大烟戒了。"洪宣娇拉着绿娇娇的手，另一只手在绿娇娇的脸上擦擦汗，绿娇娇听了也嘻嘻地笑起来。

"你过去学过武功吗？"洪宣娇问道。

"没有。"

"现在为什么要学呢？"洪宣娇的问题很重要，这决定了要教给绿娇娇什么功夫。

"人在江湖，没有一技防身不行呀……"绿娇娇对这一点深有感触。之前和孙存真的对抗中，自己一方面体力不支，另一方面她也发现如果自己的左轮枪不能发挥作用的话，肉搏起来完全如砧板上的鱼肉一样任人宰割，最惨的是，自己的枪法真是很差劲。以后不知还有多少危险，要是一直还是像现在这个样子，能不能活着回到江西都成问题。

洪宣娇听了绿娇娇的话，点点头说："我想你也是为了这个要学武功，所以我为你准备了一点小礼物。"说完从腰间拔出两支不足一尺长的细棍子，递到绿娇娇手里。

绿娇娇接过两支棍子，棍身直直的，横截面呈椭圆形，摸起来很滑，拿在手里很舒服，仔细摸摸还发现棍子的中段有细缝，她一把拉开棍子，亮出两把寒光闪闪的短刀。

洪宣娇说："女孩子行走江湖，如果遇上肉搏的话，首先在体力上就输了一筹，对现在的你来说更不可能从体力上取胜，所以你要赢，一定要用极为锋利的兵器；你也不能和对手比试招式，你要把握住机会一招杀敌，在出招前一定要隐蔽。所以我想教你用这对刀。"

绿娇娇听了洪宣娇的话，重新低头看看这对短刀。短刀的刀刃只长半尺，但是刀身窄长，看起来更像一条钢刺，一点也不显得短笨。

洪宣娇接着说：“学武需要时间，但是我们的时间不多，我只能教你最重要的道理和最重要的招式，以后你可以从中悟出属于你自己的武功。”

绿娇娇的头皮开始发热，她手上的刀也许真有一天会派上用场。

洪宣娇从绿娇娇手里拿过一把短刀，重新套好刀鞘说：“武功也叫‘武术’，‘术’就是以巧取胜的方法，所以体力并不是最重要的，了解对手的弱点才最重要。要一招制胜，只能向对方最致命的要害攻击。”

她把套着鞘的刀子慢慢放在绿娇娇的脖子上说：“人的身上有许多要害，但是对你来说，只有两个部位可以轻轻一刀取人性命——第一是喉咙。”

绿娇娇觉得自己快要起鸡皮疙瘩了，洪宣娇从她颈上拿回刀，走到她身后，用刀鞘抵住绿娇娇的腰侧说：“第二是肾。”

绿娇娇的腰被刀子一顶，寒气像要刺入身体的深处，不自觉地挺直了腰，她听到洪宣娇在她耳边说：“记住这种感觉……”

绿娇娇回头问她：“刺到心脏和头不也是会死吗？”

“头上有头骨保护，不一定会马上死；心脏的外面有肋骨包着，你不一定有足够的力气准确刺入。在身体上没有骨头保护，可以轻轻刺入的致命点只有喉咙和肾。”

重新站回绿娇娇面前的洪宣娇，手里已经拿着两把套好的短刀：“这两把刀叫做‘袖里刀’，很多招式来自一种叫做‘探子刀’的暗杀刀法，探子刀的目的是悄无声息地一刀杀敌，这很适合你的体力和体形。”

绿娇娇喃喃地说：“我这样的小个子也有适合的武功？”

“对，只要能解决体力问题，你的身上就全是优点——你的个子小，在对方眼里是一个小目标，不那么容易击中，你也更容易躲闪。”洪宣娇的话让绿娇娇开始有习武的信心。

“躲闪到人家背后，那么对方的喉咙和肾都可以轻易刺入。记住，永远不要站在对手的面前。”洪宣娇并不急于教绿娇娇一招半式，她知道以绿娇娇的聪明，只要教给她原理，她就很可能会有所领悟。

“你也永远不要和对手的招式接触，不要挡人家的拳脚和兵器，也不要明知道人家会挡住却还要出招，你只要记住，他打他的，你打你的。”

绿娇娇很不明白，她看到安龙儿和孙存真打起来都是以招碰招，少点力气和反应都不行。

“姐姐可以示范一下吗？”绿娇娇说。

“好，你打过来吧，狠狠地打过来。”

绿娇娇走上一步，对着洪宣娇的脸狠狠地甩过去一巴掌，却发现自己的巴掌打空，一支棍子已经抵在自己的喉咙上。洪宣娇并不在她面前，她左右一找，洪宣娇正站在她身体的右侧看着她笑，绿娇娇也禁不住傻笑起来。

洪宣娇说：“出过的招就是对方的弱点，攻击人家的拳脚，其实就是自己最薄弱的地方，你是用右手打我的，打完之后的一瞬间，你的身体右侧就成了最容易走进去的位置。”

“对呀……”绿娇娇似有所悟，马上用右手向右方扫去，但是又一次打空，这一次洪宣娇到了她的身后，用刀鞘抵住她的腰。

洪宣娇说：“记住，任何人的身体关节都有打不到的地方和方向，比如我站在你的背后，你的右手就不能扫到我。对方打不到你的地方，就是他的死门！”

绿娇娇微微点头，她完全明白洪宣娇说的道理比千招万招还有用。她问洪宣娇：“两把刀会比一把刀更强吗？”

“这要依据每个人的武功和习惯而定，但是你身上有两把刀的话，在你需要时就多了一个选择。”洪宣娇的话让绿娇娇想起在双龙岗和杰克并肩对抗孙存真的快棍的那个时候，因为当时他们有两支左轮枪在手，的确让自己多了生存的机会，她非常理解地点点头。

洪宣娇继续说：“这两把袖里刀，可以藏在袖里，也可以藏在腰间和腿上，只要是方便拔刀的地方你都可以藏。”

“姐姐不教我些招式吗？”绿娇娇还是想学点马上能用的东西。

“如果要和人家过招的话，你要学非常复杂的刀法，但是如果要用袖里刀一刀夺命，你只需要懂得割和刺，这个不用学了……不过现在我教你最重要的招式，不是刀法而是步法——‘洪家三角马’。”

“什么是三角马？”绿娇娇懵了，手上拿着刀学什么步法呀？

“什么招式都比不过可以走到对方死门的步法，你还记得昨晚在绳网上斗狮抢青，我绕到林凤翔的狮子身后把他拖倒的步法吗？那就是三角马。”

绿娇娇马上想起那瞬间扭转局面的一招——洪宣娇踏着快如闪电的三

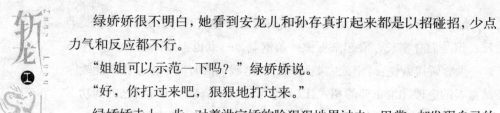

角形步法，像鬼魅一样绕到林凤翔的身后，如果洪宣娇不是在那个时间扯住对方的狮披飞身跳下采青，而是在背后插上一刀的话……

想到这里，绿娇娇兴奋地说："我要学！我要学三角马！"

那边绿娇娇正在向洪宣娇学快速飘移的三角马，这边孟颉带着一群男人在做菜。

这位孟师爷儒雅温和，做得一手好菜，他如果不是生在乱世，如果不是加入洪门，一定是一个最可爱的居家男人。

现在地上已经顺斜坡挖了两个坑，坑里烧着柴禾。一个坑上吊着大茶壶，一个坑上架着一条草鱼、一条鲤鱼，用姜片和竹叶包着正在火上慢烤。两个坑下都埋着用荷叶姜葱包好的另两条大鲤鱼，烤得滋滋作响。烤鱼的香味慢慢飘出来，林凤翔正在一脸认真地翻火面上的草鱼。

杰克和安龙儿在湖边捉螃蟹，孟颉有一搭没一搭地和林凤翔聊天。

"林兄弟这次来花县是做生意还是看亲戚？"孟颉手里拿着一个碗和一双筷子，一直在搅和着不知怎么调出来的酱料。

"啊……我……是看亲戚，呵呵……"林凤翔好像烤鱼烤得太认真了，有点心不在焉。

"亲戚也在花县吗？现在农闲了，正好大家串串门……"

"亲戚不是在花县……呵呵，我迟一些还要赶路。"林凤翔好像不太愿意讲家里的事情，孟颉看在眼里。

"林兄从揭阳到这里，坐马车也要十多天吧？不容易啊。"

"嗯，是啊，要十多天。"

"昨晚看到林兄一身功夫，真是让我们大开眼界，林兄是从小学武吗？"

"是啊，我们潮阳一带很多人都从小学武，以李家教和朱家教为主。"一说到功夫，林凤翔就不再走神。

孟颉没有听说李家教和朱家教的名称，但仅从名字来猜测，这两个都是可以被清廷定为逆党的名字。李家是唐朝的皇姓，朱家更比洪门来得还露骨，摆明了就是明朝皇姓的传人。对身为洪门军师的孟颉来说，每一个可能支持洪门反清复明的力量都是他要争取的对像，何况林凤翔是一个武林高手，功夫决不在洪宣娇之下。

他微笑着随口问林凤翔："朱家教是几百年前就有了的武功门派吧？"

“对，说是前朝留下来的……”林凤翔突然收口，跑去看茶壶的水开了没有。

欲言又止，一定有古怪，越不说，孟颉越要问。

“林兄所学的武功是朱家教还是李家教？”

“我学的是李家教，我们那边的村子都是学李家教。”

“林兄觉得宣娇的武功怎么样？”孟颉当然知道林凤翔是冲洪宣娇而来，只是不肯定他的来意，现在挑起话头先看看眉眼脸色也好。

“洪姑娘啊……呵呵……”林凤翔抬起头，不白净的脸上又可以看出红色，大概脸都发热了，“她的武功很好，我和很多人切磋过，她是我遇过数一数二的强手。她的拳脚身形都很快，对招式的运用也很老辣……本来我以为一脚把她的狮头踢下水，她会掉到水里，没想到她还可以回到绳网上！”

说起来没完没了，眼神里充满敬佩，分明是喜欢上了洪宣娇，孟颉看着忍不住笑起来，只好强行打断他的话：“林兄，宣娇是拜上帝会的传道士，如果你不急着赶路可以去帮帮她传道，她一定喜欢。”

“是吗？一定一定，我也喜欢传道……”林凤翔听到孟颉说他可以有机会在洪宣娇身边，神情比刚才更热切。

“林兄这么喜欢传道，知道要传什么道吗？”孟颉问。

“啊？哈哈哈……”林凤翔挠头大笑，孟颉也拍着他的肩哈哈大笑起来。

杰克和安龙儿卷着裤脚跑回来，远远就喊：“这里都闻到烧糊啦！”

林凤翔连忙把鱼拿起，孟颉回头大声喊：“宣娇和绿小姐！快点儿回来吃鱼喽！”

过了一会，绿娇娇和洪宣娇一起跑回湖边，绿娇娇脸色潮红，喘着大气，但是却一脸兴奋，一回来就说：“龙儿，点泡烟给我。”

“刚刚才说了，你又抽？”洪宣娇也跑，可是没有喘气，她装作生气的样子对绿娇娇说。

“戒……我戒……办完你这件事我以后就不抽大烟了，现在不行……挺不住。”绿娇娇一边伸着手等大烟枪，一边答着洪宣娇的话。

孟颉在鱼身上浇上酱料说：“这鱼是林兄烤的，大家要好好尝尝。”洪宣娇用筷子先挑出一块放进嘴里：“唔……好吃！烤得好香啊！鱼一点也不腥，还有很香的荷叶味和碳香味！”

林凤翔看到洪宣娇吃得过瘾，自己也满心欢喜："孟先生教我这样烤的，我只是把鱼烤熟了，其实是孟先生的酱料调得香，呵呵……"

杰克也吃了一口说："噢……是很香，捡回来的柴烧出很香的木头味，都烤到鱼里了……"

这个勉强的理由让大家哄然大笑，谁都知道刚才是他和安龙儿去捡柴。

吃了一通烤鱼，洪宣娇对绿娇娇说："娇娇，你看这里的风水怎么样？"

吃过烤鱼后的绿娇娇手里还是拿着大烟枪，她使劲抽一口烟后，吞云吐雾地说："表面看大局不错，很可能有真龙正穴。不过要肯定是不是真龙脉、是否可以结穴，不能只在山下看，第一要耐心地寻龙，这一步最花时间；第二要登高证穴，作为风水师最基本的功夫就是登高望远，这样才能洞悉全貌和真假……今天不看好不好，刚才学武功啦，累死了……"

绿娇娇倒在草地上伸懒腰，眯眼斜看了一下杰克。杰克也正看着她，霎时间禁不住心驰神往，躺在草地上的绿娇娇尚且如此销魂，要是躺在床上的话……

洪宣娇说："那给大家看个相好不好？"

绿娇娇撑起身子说："好啊，不如就说你吧，我把你从小到大的情人都数一次……哈哈哈……"

"不行啦！娇娇真坏……"洪宣娇大声地抗议着，声音娇滴滴的可是却一点也不脸红。

孟颉说："我们都是老朋友，看不看相都一样，不如绿小姐给林兄看个相？"

孟颉自有他的想法——多些了解林凤翔的底细，就多一个为洪门增强实力的机会。

绿娇娇放下烟枪，蹲到林凤翔面前说："好呀，林兄烤鱼给我吃，我就给林兄看个相吧。"

"不用了吧，呵呵……绿小姐不要看……"林凤翔连忙摆手摇头，挺不好意思地拒绝着。

"不看也行，你一直把手捂着脸我就不看了。"绿娇娇的话又让大家大笑起来。

林凤翔很窘地笑着，绿娇娇继续说："其实林兄不用太担心，你脸色这么黑，我不一定能看准……"

听了这话，林凤翔不再说话，看着绿娇娇的眼睛，任绿娇娇盯住他的脸。

绿娇娇的大眼睛美丽清澈，眼神却变得冷静而锐利，那是一种让人觉得无所遁形的动人心魄。

绿娇娇沉默一会，对林凤翔说："可以把手掌给我看看吗？"

林凤翔顺从地展开手掌，绿娇娇没有碰他的手，把眼睛凑过去看了一下，然后站起来说："林兄耳郭外翻，耳形有反背之像，少小家境清寒，祖业贫薄；额头的最上方大中之位细碎纹颇多，十多岁便为家中操劳，应该是种田人家，但家有兄弟三四人都四散谋生；手上茧子不多，脸上驿马星在早几年也动了，应该很久没有务农了对吗？"

林凤翔惊讶地说："对呀，家里田少人多，我几年前就进城做工了。"

孟颉说："绿小姐是我们请回来的贵客，别看年纪小，她可是一代名师。"

林凤翔抬头看看站在面前娇小艳丽的女孩，眼神有点不可置信又有点忐忑不安。

绿娇娇慢慢来回踱着步说："林兄额上有细纹固然不好，但额形如虎，鼻形如龙，是属于经历大艰辛可成就大事业的相格。"

林凤翔说："多谢绿小姐，凤翔现在还是到处谋生，能混个三餐温饱就很知足了。"

绿娇娇笑一笑，慢慢踱到林凤翔的身后说："要看你近期的运气，本来可以从脸上的气色看出，不过你脸色太黑，所以我只好看你的手相。"

杰克正坐在林凤翔旁边的草地上舔鱼骨头，腰上挂着的左轮枪垂到地上，绿娇娇踱到杰克的身边，用脚轻轻地碰了两下杰克的左轮枪。杰克似乎没有感觉到，依然低头闷吃鱼骨。但在绿娇娇继续开口之后，他放下骨头抹抹嘴，不动声色地伸手摸了摸枪套。

"无论人的脸色多黑多白，人手掌里的颜色都是一样的，从脸上看不出的事情，从手上的颜色和纹路就可以看出来。我看林兄近来正走桃花运哦……"

绿娇娇一边说一边踱到林凤翔面前，林凤翔说："绿小姐真会开玩笑，我一个粗人四乡流浪，哪里有什么桃花运……"

"大家过来看看他的手掌——林兄把手掌伸出来嘛，姐姐你过来，我教你看……"说着绿娇娇走到林凤翔的身后。

大家都蹲到林凤翔身边，孟颉和洪宣娇蹲在他面前，洪宣娇用手拉着林凤翔的手指，翻直了他的左掌，杰克和安龙儿蹲在他右边。

绿娇娇蹲在林凤翔身后说："姐姐你看，人的手掌上都有三条纹，接近手指的叫天纹，接近手腕的叫地纹，中间那条叫人纹。人纹就是看人事的线，谈婚论嫁和人命健康都看这条线。人纹的最前端是喜庆宫，就是食指下面那个地方，这里泛红的话就说明有心上人出现了。"

大家一看林凤翔的食指下方果然特别红润，都点头称是，林凤翔一脸的不好意思。

绿娇娇还在说下去，大家兴致勃勃地看着林凤翔的手。

"人纹的最末端叫白虎宫，白虎宫出现青黑的话，七天之内必有刀兵之劫……"

说到这里，蹲在林凤翔身后的绿娇娇忽然从袖里无声地抽出两把明晃晃的短刀，声音蓦地变大："林凤翔你在哪里杀过人？！"

寒光一闪，绿娇娇左手刀瞬间扣压在林凤翔颈上，右手刀也压在自己腰间抵住林凤翔的右肾位置。

绿娇娇话音刚落，杰克的左手重重按住林凤翔的右手，使他的右臂不能展开，自己右手像装了弹簧一样突然从枪套里拔出左轮枪，从右方顶住了林凤翔的太阳穴，枪扳机已经拉开，子弹一触即发。

林凤翔听到绿娇娇的话大吃一惊，正要翻身坐起，已经被两人同时制住。

他的手还被洪宣娇握着，条件反射一般缩回了回来。

洪宣娇虽然不知就里，但是听到绿娇娇的猛喝后反应却非常快——在这群人中，最不可信任的就是林凤翔，要捉这个人当然一起捉。

在林凤翔缩手之际，她的手仍紧握着他的左掌，顺着林凤翔缩回左手的方向不拉反推，推到林凤翔的左手缩尽，她的右手偷到林凤翔的肋下，一把托起他的左肘，左手扣着他的左掌向外扭翻，同时向后斜退半步拉直他的左手，快捷干脆地使出一招"湘子吹箫"。

林凤翔被她拉得上身向前倾斜，但是却要发力挺住不能顺势向前倒下，因为颈上还有一把倒扣着刃的利刀，人向前倒这把刀就会割断喉咙。

林凤翔这时任凭武功再高，也只能一动不动。

"绿小姐果然是一代名师，凤翔佩服。"他一惊之后，发觉自己已被置于死地，反而平静下来，表情严肃，语调低沉地承认了杀人。

除了绿娇娇和林凤翔外，其余人都大吃惊。

“刚才我看到你双眉黑气缠绕，就知你有命案在身，出来暂避风头……”绿娇娇这时才说出刚才看相看到什么，“再看手相印证，却发现白虎宫杀气横过，杀人只在七日之内。你到底是什么人？杀了谁？”

“揭阳林凤翔行不改名坐不改姓，杀的是衙门的狗官，你们现在可以提我的人头去领赏，可能还会领到一百几十两银子，哈哈哈哈……哈哈哈哈……”林凤翔面不改色地说罢因由，竟然仰天长笑。

“龙儿，搜身。”绿娇娇不想和他废话。

“身上没什么，只有几两碎银。”安龙儿掏出林凤翔身上所有的东西。

“几两……比那丑八怪穷多了。”绿娇娇说的丑八怪就是孙存真，从这一点来看，如果林凤翔是朝廷的人，好像不应该这么潦倒。

洪宣娇手上一发力，把林凤翔的左掌扭到极限，一般人会痛得叫出声，但林凤翔只是咬着牙看了一眼洪宣娇，而后转头望向湖面。

她问林凤翔：“讲清楚点！什么时候杀人？为什么要杀人？”

“揭阳县衙的衙总唐顺欺压百姓，还强奸民女，百姓忍无可忍，七天前我设计杀了他！在逃跑时经过这里，正好芙蓉镇招武师助狮，我才打个短工赚点盘缠。”

“龙儿！拿绳子绑起他，送到衙门领赏！”绿娇娇叫道，众人抬头看了看绿娇娇，眼神里都说出一句话——不是吧。

但这个时候总不能讨论是不是送官的问题，以林凤翔的武功，谁都不知道还可以控制他多久。

洪宣娇和杰克一起把林凤翔扭压在地上，安龙儿熟练地绑起他的双手双脚，大家才放心地收回刀枪。

绿娇娇对孟颉说：“现在捉到个逃犯，就这样带着他上路麻烦……”

孟颉听了心领神会，马上接口说：“送到县衙门也要两天路程，这两天要管吃管拉，还要找人看守，这人武功这么高，也恐有不测之事……”

洪宣娇冰雪聪明，转眼间也明白过来，原来孟颉和绿娇娇是想试探林凤翔的话是真是假。

看相可以看出他杀过人，但是却看不出杀过什么人。

七天前杀过人，不代表就是朝廷追缉的逃犯，作为朝廷的走狗，一样可以杀了老百姓再来这里刺探情报。

如果林凤翔是朝廷派来的探子，说这种谎话想骗取大家的信任、借此混入洪门的话，那么把他送回衙门等于放虎归山。绿娇娇在鸡啼岭冒死捉到的黑衣人就是因为打入县衙门的大牢，棋差一着被广府派人来把人平安提走，最后什么都问不出来。

这种探子最怕的事情就是当场被杀，而且是在这种荒山野岭，根本没有人会来救他。一来没法子回去交差，二来实在是没有卖命的必要，一旦知道自己就要当场被杀的话，多半会露出原形。

洪宣娇也说话了："也不知道他有没有同伙，要是半路有人出来劫人也是很危险的事。"

杰克和安龙儿都是生性直率的人，一时没明白过来——身边的人怎么突然间都成了衙门的捕头，就想着捉贼领赏？

杰克皱着眉头问："捉了他可以领多少钱？"

绿娇娇说："鬼知道他值多少钱，要是不值钱的话我们也白捉了……"

"不如砍了人头埋了尸体，我们带着人头回去打听一下这贼值多少钱再说？"孟颉顿时目露凶光，拿起地上刚才用来杀鱼的菜刀，走到林凤翔身边，狠狠地卷起衣袖。

安龙儿记得绿娇娇曾经几次告诫他不能杀人，他知道绿娇娇不是一个轻易杀人的人，眼前的事情应该有些古怪，他隐约感到一股试探林凤翔的味道。但是他真不敢肯定孟颉会不会下手，毕竟孟颉是洪门的人，样子虽然长得斯文，但一样可以心狠手辣。他扯扯绿娇娇的衣袖小声说："娇姐，你不如起卦算一下他说的是真是假，再作决定吧……"

绿娇娇瞪了安龙儿一眼说："算错了怎么办？这世上什么事都算一算，人还要不要逛街吃饭买衣服啦，走开！"

安龙儿从没见过绿娇娇这种态度，知道一定是事有蹊跷，不再多说话。

孟颉已经把林凤翔推倒在地，眼睛瞪着他的脸，手里拿着菜刀大喝一声，就要向他脖子上砍去。

绿娇娇的眼睛一直注意着林凤翔的表情，他一直咬紧牙关，表情沉重而镇定，的确是有准备死在这里的感觉。

杰克这时扑过来，双手同时握住孟颉举着刀的手，紧张地说："别杀他！别杀他！如果你们不想辛苦的话就由我带着他，我可以带他去衙门，但是不能杀他！"

他捉着孟颉的手一直不放开，转头对洪宣娇说："洪小姐，上帝的子民不能杀人，你是知道的，他有没有罪不能由我们判决，要由法官去判……”眼神里充满期盼和哀求。

洪宣娇看着杰克很着急的样子，脸上露出一丝不易察觉的笑意，杰克的善良和可爱很让洪宣娇喜欢。

绿娇娇趁杰克正在分神的时候，闪到他身边，一弯腰掏出他腰间的左轮枪，拉开扳机说：“孟师爷你不要动刀了，搞得一身是血，等我一枪打死他，放完血，你再慢慢切人头，干净。”然后跳后两步双手抬枪对着林凤翔。

杰克推开孟颉，伸开双手坐到地上，整个人挡在林凤翔前面大声喊：“你们在干什么？你们疯了吗？要钱的话我给你们，不能杀这个人，在这里没有人可以证明他有罪！”

杰克发起脾气的样子，真让绿娇娇心动，这个男人傻得很可爱。

孟颉和绿娇娇一样，一直有意无意地看着林凤翔的表情，那个表情仍是平静。

林凤翔从地上坐起来，看着绿娇娇和孟颉，眼神中并没有仇恨和愤怒，只是充满鄙视，他冷笑两声，继而哈哈大笑。

杰克挡在他前面，和孟颉绿娇娇对峙着，林凤翔说：“我今天总算见到一条真汉子，死而无憾了。洋兄弟，你让开吧，他们一心要杀我，你也挡不了多久。”

杰克回头看看林凤翔，又看看前面的绿娇娇，半命令半哀求地说：“娇娇，放下枪，你先放下枪！”

绿娇娇看了看孟颉，孟颉向她微微点点头，绿娇娇大喝道：“滚开你这洋鬼子，这里是大清的天下，你以为是你们花旗国呀，我说他有罪他就有罪！马上滚开！”说完斜跳两步，停在可以看到林凤翔的位置上。杰克马上跟着转过来，挡在林凤翔身前，依然伸开双手拦着绿娇娇。

绿娇娇的眼睛一直看着林凤翔的脸，只要他试图往杰克身后躲一躲，马上就可以知道这人说的话有假。但是林凤翔不躲不闪，端端正正坐在地上，眼看着湖面，根本不管绿娇娇和杰克在搞来搞去。

孟颉说：“好了，差不多了……”

绿娇娇黑着脸放下枪，从衣袖里抽出一把刀走到杰克面前，把枪塞到他手里，小声骂了一句：“蠢货，长了个猪脑袋……”然后一把推开他。

杰克死顶住绿娇娇说："娇娇，不要乱来！"

绿娇娇看着杰克，大声说："走开！我要给他松绑，蠢货！"

杰克让开路，绿娇娇弯下腰一刀割断林凤翔手上的绳子，说一声："林兄，刚才得罪了。"

林凤翔揉揉手腕，自己解开脚上的绳子，不解地看着眼前几个变脸比闪电打雷还快的怪人。

孟颉拱拱手说："林兄不要见怪，刚才我们只是担心你是朝廷来的探子，所以才加以试探。因为朝廷怕老百姓闹事，一向禁止民间习武。如果刚才你不想死在这里，想我们绑你回衙门的话，我们也就心里有数了，但林兄视死如归的性子让人敬佩……"

"别这么说，也难怪你们，我是带罪在身的人，你们怎么处理我都是我的命，我无话可说，刚才真是谢谢这位洋兄弟。"林凤翔从地上站起来，拍拍杰克的肩。

绿娇娇搞清楚这人并不是冲自己来的，也没什么兴趣再和他说话。洪宣娇对林凤翔说："如果林兄没有地方落脚，不妨到我们村先安稳下来……"

林凤翔连忙说："这怎么行，凤翔在你们那里会连累大家，我只是仰慕洪姑娘，一直牵挂着才冒险来想见你一面……现在也了无牵挂了。"说完低下头。

洪宣娇笑着说："我们那里只是个偏僻小村，官府的人十年都不来一次，对你来说也比较安全，你愿意的话可以到我们拜上帝会帮帮忙，也可以学学上帝的道理，我和杰克先生都是拜上帝的道友。"

林凤翔拱拱手说："如果是这样，真是求之不得，大恩大德凤翔实在无以为报……"

"那就以身相许吧……桃花运来了不是？"绿娇娇拿着烟枪走过他俩身边，看也不看顺口扔下一句，惹得众人哄笑起来，林凤翔和洪宣娇也笑，不过笑得很暧昧。

孟颉说："今天也玩得差不多了，收拾东西先回芙蓉镇，明天再上山看风水好不好？"

绿娇娇马上答话："好，早点回镇上，我还想给小雯买几身衣服呢。"

ZHAN LONG

第十四章 我命在我

在芙蓉镇中央的十字街头转角处坐落着一家两层高的茶楼。

这是芙蓉镇最有档次的茶楼，外型古朴厚重。早晨附近各乡的乡民都会来喝早茶，做过中午饭市后，下午就是休闲的茶座时间。

二楼是分间的雅座，下午客人不多，斜对十字路口的一个套房里，窗户大开，却放下了竹帘。

套房的窗边放着桌子，桌旁坐着五个年纪不同的男人，打扮各异，有的衣着如普通商人，有的则像儒生秀才，他们一边喝着茶，一边不时看向楼下的十字路口。

一个商人打扮的中年男人没有坐在桌旁，他背着手站在窗前，隔着窗帘看着楼下来来往往的乡民。

楼下是摆摊的大街，街两旁有各种店铺，绿娇娇和洪宣娇正在一家家铺子扫过去，买了零食又买衣服，买了首饰又买香粉眉笔，享受着购物的乐趣。孟颉和林凤翔牵着四匹马先回了下榻的大院，杰克和安龙儿牵着一匹马站在十字路的中间，等着两个美女买了东西就往马背上靠整。

中年男人在茶楼上看着绿娇娇跑来跑去，头也不回地说："这小女孩真够辣的，上次在鸡啼岭把两个监正杀了一个，另一个断了一条腿已经残废，现在还差点成了她牵着我们走……哼哼……”

一个穿土黄色长衫做秀才打扮的人说：“国师，这样跟下去，耗我们不少人力物力，能不能捉回去直接审？小女孩应该受不了几下折腾，很快会说出来……”

“陆官正，把你捉回去审你会不会说出来？如果她不知道，她说不出来，再逼她的话只会让她胡说八道；要是她知道，也可以胡说，只要《龙诀》不在她身上，藏《龙诀》的人马上就会藏得更深。”国师平平静静地向陆友解释着。

陆友是国师府从钦天监调过来的五位官正之一，其余四人也是陆友的同僚。

“除非我们肯定她身上有《龙诀》，否则的话，她去找远比我们去找要好得多。”国师一直背着手看着楼下，阳光透过窗帘一线一线照在他脸上，“孙参的事，你们出手太重了……”

“可是国师说过，要保住绿娇娇的安全，孙参当时已经把刀架在她颈上，不下手不行呀。”一个身形稍胖的商人模样的人说道。

“三尸勾命箭……唉，肖大人是想试试自己的法力还是想救人啊？没错，你没有当场杀他，但是当天晚上就是守庚申的日子，这不摆明了要他的命吗？他是从道录司借来的人，他死了你要向柳道长交代，他不死你等于逼反孙参，现在绿娇娇把他救活了，他再也不会回朝廷报到。从好处想，绿娇娇还给了你一个在柳道长面前下台的机会，从坏处说……你给了绿娇娇一个活口……”

国师说话的声调依然平静，也不怪责坐在旁边的肖检肖大人，但是和颜悦色透出来的威严，合情合理的解释，却让听话的人口服心服。

“不要看不起一个跑腿的八品小官，他的功夫不一定比你们差，他为朝廷做的事不一定比你们少，你们是六品官比他大几级，就可以向他下杀手，我官居三品也比你们稍大几级，能不能朝你们背后放箭呢？”

国师这句话无形无迹地给五官正一个威胁，他转过身说：“各位大人要好好合作，我们都为朝廷办事，江山社稷重于一切。”

“是。”五官正一齐低声回答。

“孙参这两年都跟人跟得好好的，前天是怎么回事，整个人像发了疯似的……”国师自言自语地说着，“肖大人你一直在场吗？当时是什么情况？”

一身富贵相、像个商人一样的肖检马上回答：“我赶到的时候他们正在双龙岗上对峙，孙参绑架了一个女孩，在要挟其他人。”

“真是发疯了，他逃跑就行了，要挟人家做什么？他想要什么？”国师皱着眉，不解地问肖检。

肖检说：“他要绿娇娇开枪杀杰克，绿娇娇当然不会这样做，就和他扭打起来……”

“杀杰克？杀杰克干什么？”国师沉吟了一下，几乎和肖检同时说出来——“他喜欢绿娇娇？”

“我明白了……明白了……这绿娇娇还真行啊，跟他两年的人都跟出感情了……这样的话，孙参不会再回京城报到，他会反。”

在国师喃喃自语的时候，肖检问国师：“那要不要……”

言下之意就是想斩草除根，否则绿娇娇身边又多一个帮手。

国师这次干脆得多，肖检话没说完，国师就回答道：“你安排吧，柳道长那里我会解释。”

“芙蓉嶂上有一个真龙正穴，喝象为五蛇下洋，几年前副使章大人已经派人断了这个穴的龙气，可能你们也有参与行动。哪位大人处理过这个龙穴？”

国师从京城到广东时间不久，为了亲自追寻《龙诀》，从广州出发时才在国师府副使章秉涵手下带出五官正，和五官正的合作时间也不长。但是章秉涵已经带领一批宫内擅长风水玄学的官员，驻扎在广东五年，专们考察广东的龙脉，并绘制出细详的龙脉图。他们主动追寻龙脉，点出有天子气的龙穴，一旦确定，甚至只是可能有天子气，都会马上进行破坏。而国师面前的五官正，都是与章秉涵共事多年的风水高手，他们分别参与过各处龙穴的击破行动。

长得短小精悍的金立德官正一身小贩打扮，他说：“我有参与，这个穴已经在龙脉过峡的隐蔽处泄出龙气，应该没有什么大作为。”

国师点点头说：“做得好，做事不一定要大动干戈，能达到效果就行了。我想在这里给绿娇娇考个试，看看她到底有多少斤两，她上山时你们叫上我，我也去看看五蛇下洋……”

绿娇娇和洪宣娇走在最前面有说有笑，杰克和安龙儿牵着一匹驮满杂货的马跟在后面。

绿娇娇对洪宣娇说："姐姐，小雯的生活就拜托你了，这里有些银子，她要是有什么意外你多帮她一点。"

"哎呀，你不用给我钱。"洪宣娇连忙推开绿娇娇塞到她手里的五十两大银码庄票，"小雯加入宣道会就会有饭吃，宣道会里的一切日用都是按需要派发，她的生活不会有问题了，你放心吧。"

她不知道绿娇娇的良苦用心。李小雯已经有了杰克的孩子，但是却不能告诉任何人，女人一旦怀上身孕就不能打工做事，有钱支持最为重要。除了自己身上有钱，有个人照顾也会方便很多，绿娇娇往洪宣娇手里塞钱，无非想李小雯有事时多个照应。

"姐姐，你就当是我捐给拜上帝会的香油钱吧，你一定要收下了。"绿娇娇不知道拜上帝会是干什么的，但是她知道，任何拜神拜佛的地方都会收捐纳善，说是捐香油钱没有不收的道理。

洪宣娇听绿娇娇这么说，实在也不好推托，笑道："好好，我代有需要的兄弟姐妹谢谢你的善捐，上帝一定会保佑你平平安安的。"

四人快走到下榻的大院时，发现在大门旁边靠着一个男人。

这人一身粗布短衣作农夫打扮，头上戴着草帽压得很低，见四人走过来，他站直身子，仍是低着头，让草帽遮着自己的脸。

绿娇娇和洪宣娇慢慢走近他，他从刚才靠着的墙边拿出一条齐眉棍竖在身旁。这个动作太熟悉了，绿娇娇和杰克还有安龙儿都不约而同地惊叫出来——

"孙存真！？"

"丑八怪！？"

杰克的枪首先拔出来瞄准了孙存真，安龙儿一个箭步跨上，挡在绿娇娇身体前面，绳镖已经拉在手里；洪宣娇不认识孙存真，不过一看这个样子好像是要开打，也退后半步侧身摆好拳架。

孙存真慢慢把齐眉棍放回墙边，一步一步走向绿娇娇。

绿娇娇直挺挺站在原地厉声喝问："站住，你还跟着来干什么？还想杀人吗？"

“娇娇，我想和大家说句话……”孙存真又走上两步，说话的声音很低。

“有什么话快说，站在那里说！”绿娇娇可不想他再走近一步。

孙存真抬起头，大家看到一张蜡黄色没有一点血气的脸，这是一个相貌普通的年轻男人，但是除了洪宣娇之外大家都很清楚，这张脸只是孙存真用面泥做出来的面具——在这个逼真面具下的才是他的真面目，像恶鬼一样丑陋的一张没有脸的脸。

他看看绿娇娇，又看看杰克和安龙儿，眼神中并没有杀气。

一刹那的静默后，孙存真的嘴里很小声地吐出三个字：“对不起。”

没有人听到这三个字会放松，杰克和安龙儿都知道他的棍有多重，也知道他身形多快，出手多狠。枪一直指着他，每一双眼睛都警惕地盯着他。

孙存真说完后，低下头转身慢慢走到墙边拿起齐眉棍，回头看一眼绿娇娇，眼神黯淡凄怆，然后低头慢慢向街口走去。

绿娇娇看着他走远的背影，知道这也许是最后一次见面，孙存真从此之后，将会被清廷无休止地追杀，直到他死去。

她站在原地目送着孙存真走向街口，孙存真的背影绝望而颓丧，在斜阳和长街的映衬下，绿娇娇似乎看到那个曾独自游荡在烟花柳巷的自己。

那个时候，这个人已经在自己的身边，只是大家互不接触，却同样孤独。是同情还是同病相怜？绿娇娇的心情霎时间沉重而复杂。

这个人无声无息地在自己身边潜伏了两年，他可能是世界上最了解自己的人。

一个跟踪者喜欢上自己跟踪的人有错吗？一个人做错事，悔疚道歉了之后可以再给他一次机会吗？

孙存真被绿娇娇吊起来审讯威胁的时候，为了求生，说的一切都可能是假话，但是当绿娇娇放他离开、他也急于逃命的时候，他仍然主动从棺材铺跟来芙蓉镇，只为说一声对不起，绿娇娇却感到一个老朋友的真诚。

孙存真为了摆脱清廷术士的吊魂术追杀，曾经求过自己用替身符放弃他的八字，并且不惜把自己的生命置于无命运保护的真空死地。

一个人为了活下去，宁可放弃自己的八字和命运，由自己去掌握生死，这是怕死吗？

不，这也许是最大的勇气，他将会得到超越命运的自由，哪怕只有一天。

绿娇娇扯破喉咙大喊一声："孙存真！"

孙存真已经走到大街的尽头，听到绿娇娇大声叫自己的名字，声音里没有仇恨和轻蔑，没有威胁和厌恶，只像在街上遇到一个朋友，大声地叫住自己……

在跟踪绿娇娇的两年里，他曾以为自己会永远做绿娇娇身后的鬼魂，绿娇娇永远不会知道他的存在，能够一生都远远看着绿娇娇的背影，随着绿娇娇喜怒哀乐，他已经心满意足。发生这么多变故后，终于听到自己的名字从绿娇娇的口中喊出来，这是他从来没有听到过、做梦都想听到的声音。

他全身一震，拄棍定在原地。

绿娇娇慢慢向孙存真走去，杰克举着枪在侧翼掩护她前进，安龙儿一直走在她前面，贴身保护。

孙存真一直站在原地背对着绿娇娇，绿娇娇转到他面前，抬头认真地看着他的眼睛，过了一会她说："把你的八字给我。"

孙存真那张逼真的人脸面具毫无表情，但是拄着齐眉棍的手剧烈地抖动着，眼眶湿润，刹时间泪如泉涌。

绿娇娇请洪宣娇先回下榻的大院，把刚才买的衣服和行李日用品交给李小雯，然后和杰克、安龙儿一起，把孙存真带到芙蓉镇旁边的竹林。

竹林里有一条十多丈宽的浅水小河，河水清澈见底，只有没膝的深度，潺潺乱映出落日的血红。小溪上偶尔飞过一两只彩色的大水鸟，为墨色浓重的红和绿带过一点生机。

厚厚的落叶铺在地上，发出竹叶的清香，让人想往地上躺。

绿娇娇一手背在身后，一手拿着烟枪，看着被夕阳染红的天空，心里竟有点羡慕孙存真。真是无法想象，没有命运安排的人生是什么样子，如果自己可以控制的话，是不是就会很幸福呢？

她对身后的孙存真说："你要先做一个八字替身，一般是一个草人，或是其他人偶，比如我上次就是用布娃娃，这样你可以在必要时回到自己的命运中。"

孙存真眯着眼睛看看快要落入田野里的太阳，回过头对绿娇娇说："不用了，我不算短命，但也没有多少荣华富贵，而且……我不喜欢我的命。"

绿娇娇已经看过孙存真的八字，对上天给他的命运非常了解，他的八字四柱纯阳，命犯孤辰寡宿，注定一生孤独。孤独过的她，理解孙存真不喜欢什么。

“那么以后你就要靠自己了，你不会再有好运气，不会再有碰巧，不会再有贵人……”

“我会过我自己选的生活。”孙存真打断绿娇娇的话，看来他真是迫不及待。

绿娇娇大声说：“好！你小子有种！”

她把烟枪扔到安龙儿手中，麻利地从褂子里摸出符纸和朱砂笔，手结剑诀点起拙火，念动咒语飞快写出埋下八字的符书，对孙存真说：“去找你的替身吧！”

孙存真把齐眉棍插在地上，纵身跃入没膝深的小溪中，他快步踏上水面，却不沉到河里，竟像在地面跑步一样，只见一阵水雾溅起，他从水面上向小河中间飞去。

“水上飘？！”安龙儿从当年学武功的老蔡师父那里听说过，江湖上有一种轻功可以踏水而行。

“哈？！耶稣！”杰克也惊叫出来，他的脑子里只记得圣经上说过，耶稣走在水面上显现神迹，现在亲眼看到实在无法接受。

安龙儿这次不得不服，上次侥幸赢得孙存真一招半式，只是因为有两支左轮枪不停扫射压阵，孙存真当时也心浮气躁，自己才可以得手。以自己的真功夫而论，根本不能和孙存真比，要修炼的路还很长啊。

片刻之后小河再度炸开一条水路，孙存真飞身回到绿娇娇身边，手上轻轻捧着一条大鱼。他看着这条鱼，像看着自己的孩子，期待又欢喜的眼神使那张毫无表情的脸也显现出笑意。

绿娇娇毫不拖延时间，孙存真和鱼一来到她身边，她左手捻起右手衣袖，右手捻替身符喝一声：“唵……敕神兵火急如律令！去！”把符纸向鱼头贴去。

一个真人大小的黄色人形幻影从孙存真的身上浮出，随着一声“去”，这个人形幻影直扑入鱼身之中。

孙存真觉得一阵眩晕，眼前黄光闪动，身边绿娇娇大叫：“放鱼！”他马上跃在空中，一个翻身坠入溪水之中。

这一次他没有在水上跑来跑来，而是全身沉入水里，双手捧着鱼在水里轻轻放手，鱼一入水就摇摇尾巴，马上顺河水远远游去，带着一点黄光消失得无影无踪。

孙存真蹲在河里，看着顺水游走的大鱼，张开嘴无声地笑着，突然从水里淩空跃起，在空中翻滚几圈摔入溪水中，像一条快乐的鱼跳出水面。

他们从来没有见孙存真笑过，也无法想象那个没有脸的笑容，但是绿娇娇、杰克和安龙儿知道他在开心地笑着，也情不自禁地露出微笑。

绿娇娇从安龙儿手上重新拿过烟枪，看着在溪水里撒野的孙存真，自言自语地说："海阔凭鱼跃，天高任鸟飞……"

孙存真喘着气跳上岸，身上滴着水，看着他们三个人说："谢谢你们。"

"你虽然放弃了命运，但你还是修道之人，在世上还要守道家的戒条。"绿娇娇的话是给他很好的忠告。

原来修道之人戒律颇多，其中有五条大戒称为"初真戒"，是修道持戒的重中之重，分别为杀戒、盗戒、淫戒、酒戒和妄语戒，如果持戒不慎必有恶业报应，轻则道法全失，重则沦入魔道。而孙存真之前的所作所为，正是犯了杀戒，在修行的过程中，犯杀戒可谓万劫不复，所以绿娇娇反复叮嘱。

"是……不过我没有放弃命运，我命在我不在天，我走了。"孙存真手捻三清诀在胸前，向他们三人鞠躬行了个道家礼。

"保重。"

"保重。"

安龙儿和杰克也拱手还礼和他道别。

"对了，你欠我二百两道场金。"绿娇娇不失时机地给八字替身服务报了价。

"是，一定还钱。娇娇你保重。"

"我命在我……不在天……"绿娇娇转过身不看孙存真，眼睛看着小溪的水面。

孙存真听她说完后，一转身走入竹林，隐在越来越暗的密林深处。

"我命在我不在天？"安龙儿若有所思地重复绿娇娇的话。

绿娇娇吸一口烟说："每一个修道的人，都是为了这个目的……"

"修道不是为了学法术吗？"安龙儿越来越不明白，"娇姐，为什么孙存真是修道的人，你也是修道的人，你会这么多法术，他却不会呢？”

“呵呵……小黄毛挺会问问题的嘛。天色不早了，我们也回去吧，一边走一边告诉你。”绿娇娇看孙存真走远了，也打算回去吃晚饭。

三个人在竹林中慢慢走着，杰克和安龙儿在听绿娇娇说着不为人知的道家世界。

“说是修道，其实也分好几种，孙存真是全真派的道士，修的是全真道。这一派起源于北宋王重阳，王重阳本来就是当时的武举人，武功极高，这一派重视性命双修——性就是道家心性，命是身体的修行，就是要炼出内丹，发挥出人最大的潜能，所以孙存真一个小小道士都可以有这样的武功。”

“怪不得他的身法快，棍也很重……”安龙儿说道，杰克马上接着说：“刚才他还在水上跑，我的天，我以为只有耶稣可以这样！”

“对，你们家椰子酥和孙存真都可以在水上跑……因为他修的内丹功极为强悍，所以同时也炼出比常人更易爆发的三尸邪气。而一般的修道人，内丹没有这么强，三尸神也不会这么暴躁，用三尸勾命箭并不一定有很大的效果，那三支勾命箭很明显是针对了他那一派的弱点发出。说起来，这三支箭好像是早有预谋要射，只是那一天，刚好有一个机会放箭……”

绿娇娇说着说着不觉沉思起来。

“娇姐又是哪一派的呢？”安龙儿的问题打断了绿娇娇的思路。

“我修的是天师道，天师道重视外丹医术，还有内丹和符咒的结合，每一个符咒的运用都以体内炼出的元神来驱动，而符咒又可以去驱动其他人和活物，也可以驱动地下的龙气，所谓天人合一就是指这个。”

杰克看着绿娇娇说：“哗，厉害，中国的历史和文化真是惊人！”

“还有另一个足以和天师道抗衡的道派，名叫神霄派，这一派最擅长用符咒驱动山河大地的自然力量，尤其擅于使用雷电，所以这一派也称为雷法派。”

安龙儿伸伸舌头说：“一个比一个厉害，原来世上这么多高人……”

绿娇娇说：“是呀，一山还比一山高，要是一辈子光是比高低的话谁都不用活了。还有一派不太张扬但道法很高深的叫茅山派，这一派擅长医卜星相，兵法地理，却也擅长符咒之术，不过已经很少见了……”

杰克问道："内丹和外丹是什么呢？好像修道的人都要炼这个。"

"外丹是药，各派都会传下能治病和让人延年益寿的丹药，也会不断研究更好的丹药；内丹嘛，很难说，就是通过高度集中注意力，和一些心法，在人的身体内炼出丹。"

杰克说："听起来像生孩子一样，呵呵，真是弄不明白。"

"也可以这么说，道家也称体内的力量为'胎息'，就是像肚子里有一个孩子，哈哈，洋鬼子挺聪明的嘛。"绿娇娇笑着说。

"我可生不出孩子，还得靠你呢。"杰克也借机说说流氓话吃个豆腐。

绿娇娇一听这个就想起怀着杰克孩子的李小雯，顿时觉得没趣，白了他一眼后冷冰冰地说："你想要孩子还用找我？回去吃饭了。"

三人边走边聊很快回到大院。

今天也是里一桌外一桌，内院里全是宣道会狮队的女孩子，正在吱吱喳喳地闹着吃饭，外院的桌上坐着孟颉、洪宣娇、林凤翔和李小雯，正在喝茶等绿娇娇一行三人回来。一见绿娇娇出现在门口，李小雯马上跑到上前："我收到娇姐送给我的衣服和行李了，谢谢娇姐。"说完道了个万福。绿娇娇一看，好嘛，给上帝照顾了一天，膝盖就硬起来了，看到李小雯不跪人一时间还真有点不习惯。

绿娇娇对李小雯说："两床棉被也收到了吗？"

"收到了。"

"中秋过后的天气会越来越冷，床下也要垫上棉被，不要看到有两床被子就分一床给人家。"

"知道了娇姐。"李小雯感激地说。

杰克也走上来，从身上掏出一张银票递给李小雯说："小雯，好好生活，你会过得很幸福的。"

李小雯连忙摆手说："不行不行，我不能再要你的钱了，我会好好做工赚钱的……"

绿娇娇走到杰克身边从他身上掏出几张银票看了看，对李小雯说："一张银票当然不能要了，三张吧，拿着。"说着就把三张银票塞到李小雯手里。

李小雯还要推辞，绿娇娇用力按着她的手，用眼睛瞪着她说："不要惹娇姐发脾气，收下。"

李小雯倒真是不敢惹绿娇娇，只好说：“是，谢谢杰克少爷，谢谢娇姐。”

绿娇娇转过头不看她，拖着她的手走到吃饭桌旁。

洪宣娇待大家坐定，说道：“明天小雯和宣道会的女孩们先回棺材铺，我们就上山看穴好不好？”

绿娇娇说：“行，明天再去看风景。”

吃过饭后天色黑下来，绿娇娇把安龙儿和杰克叫到自己的房间，三人围坐在桌旁边，对着一盏只有豆大火光的油灯。

“今天也算玩了一天，明天的情况就不好说了……”绿娇娇神色凝重。

安龙儿说：“我们身后一定还跟着人，除非娇姐也像孙存真那样放弃八字，不然还是甩不掉。”

“甩不掉也有好处，这样我们可以牵着他的鼻子走，也可以拿些假的东西给他看，只要他不会像孙存真那样动不动杀人就问题不大。”杰克的分析不无道理。

绿娇娇说：“放弃八字是一个亡命的做法，生死有命，富贵在天，我绿娇娇命不该绝的话，没有人可以干掉我，我也没有孙存真那么暴躁的三尸神让他勾得动……不过有危险我还是会逃跑，万一受了伤也很麻烦。”

绿娇娇把话转入正题：“我们身后的人是想把我赶回江西。记住，我不是他们杀的目标，但是如果你们两个影响了他们的计划，你们的命可不值钱，从这方面说你们比我危险得多。”

绿娇娇停下来看一看安龙儿和杰克，接着说：“这里距离广州只有九十里，你们要回广州的话，每人放下十两银子，明天就要离开。”说完，抽一口烟等他们的答复。

“娇姐我不怕。”安龙儿简单坚定地说。

“哈哈哈，娇娇，我不会离开你的，上次分开了五天，我就知道自己这辈子都离不开你。”杰克说得很轻松，展开双手架住后脑勺，背靠在椅子上伸了个懒腰。

“好，路是自己选的，你们以后不要后悔。”绿娇娇吐出口中的烟说，“明天不是游山玩水，对方一定会和我们一起上山看穴，而且不像鸡啼岭，上次是我们伏击人家，这次可不知道他会干什么……五蛇下洋穴气势很好，而且很明显已经被朝廷注意了，也破了龙气，我去救这个穴的话，摆明了和朝廷作对，我不管的话，洪门的人不会放过我，所以明天只能见机行事……杰克今晚准备好枪支弹药，龙儿收拾好行李马车，明天早上驾车上山，随时准备逃跑。”

“是逃开洪门的人吧？”安龙儿想肯定一下对手是谁。

“拜上帝会说是没有军马，这不知道真假……洪门要是发现我不是洪门的人，马上就会对付我们这是肯定的；至于朝廷跟踪我的人嘛……如果他不是像孙存真那样又喜欢上我的话，你们还是安全的。”绿娇娇认真地说完最后一句，三个人顿了一下，杰克和安龙儿突然间大声笑起来。

绿娇娇用烟枪捅了两个黄毛几下，他们都停不下笑，惹得绿娇娇也跟着笑起来。

三个人闹够了，绿娇娇说：“不要玩了，龙儿起个卦，算算明天的大概情况，让大家心里都有个底。”

“龙儿也会算卦了？”杰克惊奇地问道。

“对！上次龙儿一卦就算准了你和翠玉姑娘在马车上玩了五天五夜，你没到花县我们就知道你车上藏了个女人。龙儿起卦。”绿娇娇没好气地数说着杰克的风流韵事，说到“五天五夜”时语气还特别加重。只要李小雯一天还在身边，绿娇娇就天天惦记着这件事。

安龙儿摇了一阵铜钱，在纸上写下一个师卦。卦象中变数颇多，安龙儿看了一会，疑惑地转头看着绿娇娇说：“娇姐，我不会解这个卦……”

“我看看……嗯，是这样啊，地水师卦变火雷噬嗑，一个卦有六个爻，这里却变了四个爻，爻多变则事多变，明天会有不少突发事情……你说师卦代表什么？”绿娇娇问安龙儿。

“《易经》上说，师者，众也。师卦应该代表明天会有很多人，也代表有下属的主人。”安龙儿依卦直解。

“嗯，对了，差不多是这样，师卦的原意是地下有水，人的眼睛看不见地下水，这些下属和主人我们也看不见，那他们可能就是藏在我们背后的人，这次跟着我们的可能不只一个人了……师卦下为坎卦，坎数为六，如果没算错的话对方有六个人……”绿娇娇细细地解卦。

“这一卦里，上卦在动，下卦也在动，全卦处于极为不安的状态，地在水上，地动水也动？”安龙儿迷惑地看着桌上的铜钱。

“地在水上就是湖和岸，这正应五蛇下洋穴，不过地和水都在动？就是，动什么呢？”绿娇娇也看不明白。

“全卦动过之后变成噬嗑卦，《易经》上说这一卦利用狱，会不会是说我们会被官兵捉走呢？”安龙儿又问。

“我可不怕被官兵捉，反正他们捉了我之后还是要把我交到美国领事馆，龙儿你也不用怕，我会保你出来。”杰克最不在乎的就是这一点，自从清政府签了南京条约之后，洋人在中国的地位大为提高，人身安全也得到了绝对的保障。

绿娇娇说：“那就好，我不用管你们两个了，去准备东西吧，明天起床吃饱饭再出门。啊……出去玩吧。”说完把两个男子汉赶出房间。

第二天早上，十几个宣道会的女孩子在整理狮头锣鼓和行李箱子，李小雯也和她们一起，准备回棺材铺。

孟颉和洪宣娇、林凤翔牵出马，遇上牵着豪华西洋马车的安龙儿和杰克。

孟颉笑眯眯地说：“今天不骑马啦？骑马上山会快很多。”

杰克不太习惯说假话，只好说：“早上好啊，哈哈哈……”

安龙儿说：“是啊，昨天娇姐骑了一天马，晚上说骨头痛，今天要坐有软垫的马车。”

洪宣娇说：“原来是这样，娇娇呢？”

洋马车的窗帘从里面拉开，绿娇娇伸出头来挥手：“哎！我在这儿呢！”

这时她看到李小雯在女孩子堆里一边做事一边看着这边，便对杰克说：“杰克少爷，人家要走了，要不要去告别呀？”

“对，我去说几句话……”杰克这才走到李小雯身边。

李小雯看到杰克走过来，眼泪汪汪地也走向他。当走到杰克身边，她也管不得门前有十几个人看着，一把紧紧搂住杰克。

“杰克少爷，小雯要走了……”

“对不起，我们还有很多事情要办，不能带你一起上路。”

“不……是小雯没有福气侍候杰克少爷……”

“小雯，你是很勇敢的女孩子，当你不喜欢你的生活时，你会努力去改变。现在上帝给你的安排，是因为你的努力才会得到，你不用侍候任何人，你一定会过得很幸福！”

李小雯听到这里，眼泪更加止不住地流出，把杰克的衣服沾湿了一大片。

杰克捧起她的脸，在她的额头亲下去。

绿娇娇远远看到这个场面，大声叫安龙儿：“龙儿，赶车出发。”

“杰克还在那里……”安龙儿回头看了一下。

“我叫你赶车走啦，快！”

于是三匹高头大马小跑出发，安龙儿赶着马车跟在后面。

半晌之后，杰克在路上狼狈地跑步狂追自己的马车。

第十五章 皇朝劫数

经过一个时辰的山路颠簸，大家终于站到洪宣娇父亲的坟前。

墓穴坐北向南，隐匿在半山腰的长草丛中，不注意看便找不出来。墓的用料做工并不华贵，碑上写着“洪公国游之墓”，原来洪宣娇和洪秀全的先父名叫洪国游。

整座芙蓉山峰峦叠嶂，山上的石头呈极为奇特的烟墨色，每一块石上都有芙蓉花一般的水墨纹理。举目向南方看去，无论是看风景还是看风水的人，都会大叫一声好。

南方是一个大湖，前方是无边无际的平原，右方是西山瀑布，在墓穴的左方有两道山岭在湖上形成峡谷，右方也同样有这样的地形；加上墓穴所在的中间一道山岭，一共有五道山岭在墓穴面前低头潜入湖中，墓穴正前方的湖心还有一个圆形的小岛，呈扇形分布的五道山岭都向着这个小岛潜去。

站在墓穴前，可以看到湖对岸的山丘形如旗鼓罗幛，印台文峰、贵人兵马一件不缺，紧密围绕脚下的龙爪形大湖。

在龙吟般的瀑布声中，向墓穴上走十几步，就可以看到广宽无垠的南方大地。绿娇娇这才明白，所谓五蛇下洋，下的不是眼下这个湖。

风水里把平原地形称为平洋地，五蛇要下的是无边无际的南方平洋大地，点出此穴的人，着眼点何止万户封侯，分明要与朝廷分庭抗礼，裂土称王。

左右一看，四周的树木比山下的树木都枯黄细弱，连地上的草都是又长又细。举目向四周的山岭看去，除了五道蛇形的山岭，其他地方的树木青草仍是一片郁郁葱葱，一派南国盛夏的气息。

地形风水最好的地方，居然全无生气？绿娇娇心里非常清楚，这个穴，以至整个山岭的龙气早已被破泄耗尽。

“娇姐，这里为什么不叫五龙下洋，而叫五蛇下洋呢？”安龙儿问道。

绿娇娇迎风点点头说：“你越来越会问问题了……龙，为天下万物之至尊，真龙脉出行有如天子出行，必有旗鼓军马侍卫护行，所以不能说看到有条山脉，就乱叫龙脉。能称为龙脉的山岭，首先必须有水伴行，水为龙血，无水则龙死；龙脉两侧要有旗鼓军马形的山形相护前行，如果真龙独起，护行的山脉应要两侧低伏，要不就要战旗军马高高在上，一条真龙在下面缓缓潜行……”

“是不是说，真龙脉的样子一定有些特别，不会和四周的山一般高低？”孟颉也听明白了一点，插个嘴说说自己的想法。

“对，孟师爷可以抢我的饭碗了。”绿娇娇一边称赞着孟师爷，一边偷眼看着其他人和四周的情况，一边在想点子怎样离开这里。

她看到大家都静下来想听她的见解，于是小心翼翼地选出可以讲出来的内容，给洪宣娇和孟颉解释这个墓穴：“面前的五道山岭都是一般高低，所以没有真龙也没有主脉，只好喝像为蛇，而不是龙。有龙脉的地理有高低，有尊卑，伦常得体拱卫有情，这个五蛇下洋穴却如天下太平，对了，就是姐姐说的人人平等，五蛇同舟却不共济，同床而不同梦，力量不可谓不大，但是要得到上好吉穴的福气，我看不容易了……”

绿娇娇有意只谈五蛇不利之处，却不谈下洋后的气象万千，只想洪门清廷两头不得罪，得个全身而退。

“但是有娇娇在这里，这个穴一定能救回。”洪宣娇陪着笑说道。

洪宣娇隐隐听出点不对劲。听说过孟颉对绿娇娇的评价后，她知道绿娇娇是一个见钱眼开的人，现在绿娇娇这样说，是不是不想救这个穴？还是因为还不知道可以赚多少钱，所以先吊起来卖？

孟颉也附和说：“是呀，一眼看出症结所在，想要救应是举手之劳了，哈哈哈……”

绿娇娇心想，这两个人还非要把自己摆上台，看来不使点劲不能甩掉这桩买卖，于是拿着烟枪指了指前方远处和左右两侧的远山说：“广东四季常绿，树木和青草只有深冬时节才会有一两个月的枯黄期，大家看远方的树木仍然青葱一片，但是芙蓉嶂上却连树带草都青黄不接，这分明就是地下龙气被截，使整个芙蓉嶂死气沉沉。”

安龙儿听到这里忍不住问：“龙气是天地之气，怎样才能截断呢？”

“是呀，什么原因可以截断龙气呢？”林凤翔和杰克也都附和着发问。

绿娇娇拧着眉头转身看着安龙儿，心想这小子存心搞破坏，本来下一句就可以说“所以我不看这个穴了现在先回家吃饭各路英雄告辞有空再喝茶灌水”，现在倒成了风水现场面授班。

不过转念想想，这种学习机会真是不多见，多少风水名师都是在山水间一步一步走出来的经验，错过这个实例，安龙儿不知什么时候才能把这一课补回来，唉，算是这小子的缘分吧。

绿娇娇很低落地叹了一口气说：“你小子净问大问题。所谓打蛇打七寸，这个穴喝像为五蛇下洋，能掐死这个穴的位置只有在蛇头七寸的地方。不过风水中一指千里，山水可不能用寸来计算，所以在蛇头之后七里之地，才是这个穴的七寸生死位置。现在五蛇俱败，看来这个七寸位是五个蛇头的统御点。”

“但是从这个山岭的入水处向后算七里地，不还是山石土地吗？要怎样截断龙气呢？”安龙儿的问题一个接一个，如果现在不用天天在路上逃命和打架，收一个这样的学生真是很让老师欣慰。

“对呀，怎样可以截断龙气呢？”身边一群人又纷纷附和问道。

绿娇娇用力搓一把脸提提神说：“啊，是这样的，水是龙血，山脉里的水路也是龙气运行的路径，有些心地不好的风水师为了夺龙气，会在别人坟墓的后面点穴，把来龙之气抢先截住；也有些根太深的大树吸水过多，或者是有泉眼不断出水消耗的话，也会把龙气提前截走；坏风水师会在这些生死点上开井放出山水，提前把龙气泄掉……”

绿娇娇讲解完大篇道理，喘了一口大气，众人纷纷点头。

林凤翔说："从这里向前到蛇头入水的地方，大概有三里，蛇头生死七里点，应该在我们身后三里地左右，也不是很远，我想去看看，大家谁想去？"

绿娇娇心想，这下倒好，没完没了。只好破罐子破摔说："去吧，大家一齐去看看吧，要是有山泉的话还可以喝口泉水……"

于是一行六人转过身，沿一条小山路向后山走去。

很快走了三里地，这里已经看不到湖面的风光，向湖面方向看去，树木稀稀落落，向后山方向看去，却树林茂密，和山下的树木长势一模一样，山上像有一道绿色和黄色的分界线。大家正在赞叹绿娇娇判地如神，孟颉却在四处寻找所谓截断龙气的事物。

各人也都很好奇地四周察看，绿娇娇把安龙儿叫到身边，指着不远处一个草丛说："龙儿，那里是这片坡地的小山脊，龙气从那里经过，你到草丛里看看有什么……哎，慢一点，用手杖一步一步地探着走，地下可能有洞，小心掉到洞里去。"

安龙儿应了一声就走向那个草丛，找了一会儿，他挥着手杖招呼绿娇娇："娇姐，这里有口井呀！快来看！"

大家一听连忙跑到安龙儿站的地方，看到高高的杂草丛中，被人挖了一个四五尺直径的大洞。这个洞有两三丈深，四周没有砌砖，洞壁是山石和泥土，洞里一半的高度下注着清澈的泉水。正如安龙儿说，这的确是一口井。

看起来这井从来没有人用过，但是神奇的却是这个井里没有一片落叶。绿娇娇说："大家看看，井里没有落叶，是因为龙气从这里泄出，就像有风从里面吹出来，任何轻飘飘的东西都不会落入井里。如果井水异常清甜好喝的话，那就可以完全肯定这就是泄出龙气的井。"

她叫安龙儿下去打壶水上来，于是安龙儿从身上摘下水囊，把里面的水倒空，从身上解下绳镖，一头由杰克和林凤翔拉住，他捉住绳镖的另一头把自己吊入井里，打出一囊水给大家分喝。

"喔，真是很甜……"杰克从手掌里喝了一口井水，大声叫道，"我的娇娇，你真是太可爱了！"

洪宣娇却一脸不开心，她问绿娇娇："这个井是有人特意打的吗？"

绿娇娇喝一口井水，眼睛看着水井一言不发。

孟颉说："我们上吉村因为风水发生了不少事情，至今我们仍然怀疑当初破灵龟穴的江西风水师赵建是被朝廷买通，后来又有黑衣人来新龙穴设局杀人，幸亏遇到绿小姐才保住两村人的性命。现在这个五蛇下洋穴关系着拜上帝会的发展，却又受到破坏，我们认为朝廷在有策略地破坏各地风水穴，如果让朝廷这样搞下去，民不聊生，大计无望了……"

孟颉说的大计就是反清复明，他给绿娇娇讲大道理无非就是催绿娇娇出手救穴，绿娇娇的心里却矛盾而复杂。在龙背上开井截断龙气，以现在世上的杨公风水术，的确不能救应，但是如果用《龙诀》记载的"紫辰御龙气"……绿娇娇不想从这里想下去，她很明白只要她一出手，对方要抢的就不是《龙诀》，而是会运用《龙诀》的人。

不，这个穴决不能出手相救。

绿娇娇慢慢地说："这个穴……难救……救不了……"

杰克不解地问："把这个井填了不行吗？"

"在你脖子上捅一刀再给你填上行不行？"绿娇娇不耐烦地反问杰克。

洪宣娇听到绿娇娇说出两个答案，到底是"难救"还是"救不了"呢？她看到气氛这么僵，对绿娇娇说："我哥在广西发展拜上帝会，也是为了救天下百姓，救这个穴等于救无数人的灵魂性命。娇娇你能不能尽量想想办法？你能找出风水被破的原因，就一定有办法救，钱那方面不是问题，冯云山大哥已经为这事准备了足够的银两……"

绿娇娇说："山河大地都有生命，龙脉破了和人病了一样，病有轻有重，有好治有不好治，不是什么病都可以一服药就好起来……但是你也不用太担心，现在这里的风水并不会使你和你哥受影响，你们会平平安安，龙脉也会在十三年后慢慢恢复原气，就算你父亲不搬离这个墓穴也不是大问题。"

洪宣娇正想再说什么，突然紧闭眼睛双手抱头："啊！我的头好疼……像裂开一样！啊！"

林凤翔和杰克马上扶住洪宣娇，洪宣娇表情越来越痛苦，双手压住自己的头就要往地上倒。

绿娇娇和孟颉对视一眼，不约而同想到："有人破穴！"

"我们被调开了，有人在破坏洪公的墓穴，凤翔兄你背起宣娇，马上回墓穴看看！"孟颉说完首先往墓穴方向原路跑回去。

“不！杰克背洪宣娇！”绿娇娇大叫道。杰克正在想怎么有这等好事，绿娇娇说：“林兄轻功好，马上先赶到洪公的墓看看有什么人在那里，无论男女老少，见人就捉住！快！”

林凤翔应一声好，箭也似地向墓穴方向冲去，杰克背起洪宣娇看看前面已经不见了林凤翔的人影，他惊叹地说：“天哪，这大块头跑得比马还快。”

绿娇娇心里知道洪宣娇的头痛是对方给她的挑衅，对方要看看她有多少实力，不出手救穴可以，不出手救人实在说不过去。她摸了摸身上的枪，和大家一起拔腿往洪公墓跑去。

很快跑到洪公墓前，只有林凤翔一人站在高处四下察看，见不到有其他人。洪宣娇被放到地上后，头痛得满地打滚，泪流满面，大家见她这样都束手无策。

绿娇娇掐指一算说：“今天是壬戌日，对方可能在天克地冲卦方位钉了坟头！龙儿到坟的上层去，用罗经量出履卦，翻开草找找里面有什么！”

安龙儿一步跳上洪公的坟顶，从身上拿出罗经，在坟中间量了一下，在东南巽卦宫用手给绿娇娇指出履卦的方位，然后开始从坟顶向下摸去。

绿娇娇也扑到坟上和安龙儿一起细细摸查，洪宣娇刚才一直忍住疼不叫出声，现在剧痛越来越强烈，忍不住在地上抱头尖叫起来，情况一片混乱。

坟上的草比较长，一眼看上去没什么异样，绿娇娇和安龙儿在洪宣娇的痛苦叫声中忙乱地又摸又挖，安龙儿突然在坟上方的三分之一位置，履卦的线度上摸到些东西，他手一边在那里挖一边说：“娇姐，这里有东西！”

绿娇娇也伸手去挖，摸到一块圆圆的小木头，木头上呈十字形打了两个可以穿绳子的小孔，绿娇娇一摸到这个就来火，破口骂道：“那帮人太嚣张了！龙儿拿绳子来，把这根东西拔出来！”

安龙儿在木头里的小孔穿上绳子，和绿娇娇一起用力向外拔，居然纹丝不动。林凤翔上前说：“你们让开，我试试。”

这里六个人数林凤翔的身材最为高大健硕，他站上坟头，双手缠好绳子，大喝一声，从坟里慢慢拔出一支三尺长的圆头尖尾手杖。手杖一被拔出，洪宣娇的头痛马上缓解下来，一脸泪水和汗水地躺在地上大口大口地喘着粗气。

从坟里抽出来的是风水师随身携带的寻龙倒杖，安龙儿背上也有一支。这支手杖上泥土干净而稍为湿润，可见是刚刚大家去看水井的时候插进坟头的。绿娇娇一手接过手杖，双目圆睁四处察看，但是除了自己和五个熟人，四周并没有任何动静。

这支风水手杖告诉绿娇娇，这是一场风水师之间的较量，如果她今天不接招，这支手杖随时可能钉在洪家坟头的任何地方。而且三尺长的手杖可以插入坟中深没到底，这一手硬功夫也是对方给绿娇娇的一个下马威。

芙蓉嶂下五道山岭潜入的湖面上，有一个圆形小孤岛。小岛只有方圆数十丈，岛上植满小树，无论从湖岸的任何位置看，小岛都呈半圆形，像一颗绿色的珍珠浮在湖面上。

在国师的安排下，五官正中的三位官正——肖检、陆友和金立德，已经分布在洪公墓的四周，国师则带着另外两位官正划小船上了湖心孤岛，正在用望远镜从密林中看着山头上的绿娇娇。

国师看到五蛇下洋穴时，和绿娇娇一样震惊。任何有真才实学的风水师都可以看出这不是一块只求荣华富贵的风水宝地，这个五蛇下洋穴足以成王立帝乱天下，颠覆大清王朝。

国师知道绿娇娇今天上山看穴，已经提前一步来到这里，看过金立德对五蛇下洋的处理——在蛇头后七里处开井泄出龙气，是当今世上各派风水都无法修补的破穴招数，只能让龙脉在长时间中自然恢复，而这个恢复过程快则十几年，慢则上千年。

他认可这种方法，因为破穴旨在稳定朝纲，不在多杀无辜。这个洪公墓的后人洪家兄妹，也只不过组织了一个宣扬行善积德、死后可以上天国的拜上帝会，经过探子调查，会中只有老弱妇孺，并无兵马。这种乡村拜神会，与洪门的根深蒂固、源自前朝又以反清复明为宗旨、有完整的军事编制、天天招兵买马和清廷明刀明枪对着干、隔三五年就来一次造反的做法相比，显得无足轻重。

对付洪门，必须防患于未然，宁杀错不放过；对于讲耶稣给阿婆听的拜上帝会，倒不妨留下来配合一下统治，只要把五蛇下洋穴的龙气泄去，让天下人多几天安乐也并无不可。再说，据乡绅的报告，拜上帝会发展很慢，信徒一直很少，乡间的农民宁可信土地也不信上帝，宁可烧香拜菩萨也不去唱歌做弥撒，现在主办人洪秀全更不知所踪，只留下一个妹妹洪宣娇在主持妇女宣道会，这更不可能对朝廷产生威胁，看来金立德的破穴是成功的。

国师对副使章秉涵一向有些看法，认为他做事的确认真可靠，在风水玄学上造诣也很深，但是为人有些好大喜功，做事激进，小事当成大事来办，往往会捅出大娄子。

章秉涵最近不知是急于立功升官还是为朝廷着急，破穴的手法一改过去国师要求的隐晦曲折，转而激烈快速，大有宁枉勿纵的苗头。几次恶性破穴，杀了没有叛逆证据的百姓却呈报邀功；一旦搞出乱子损兵折将，使官府和民间注意了风水之乱，呈上来的报告又说是下属出手太重……可是作为首领，他的言行倾向都会暗示下属采用某种手法，出事后又似乎在往下属身上推卸，这都使国师担心他继续跟进这件事的后果。

无奈天下神棍骗子多如牛毛，真才实学的玄学家却凤毛麟角，朝廷好不容易在民间发掘的各派高手中，章秉涵也算是一个人才，不用他的话暂时也没有更适合的人选。

正因为如此，在鸡啼岭上一个监正死去，前两天又逼反一个孙存真，都让国师心痛不已。

玄学人才不同壮汉勇夫，并非花重金就可以买到。要成就一个玄学家，除了勤学苦练、天资聪颖，还要有天份有缘分，并不是开个学堂就可以成批教育出来的。再死多几个的话，国师府再也不用指望能向各部借到真正的玄学家了。

人才永远不够，只有找到最强的王道风水才可以一劳永逸，保住大清江山万年永固。这次迫使绿娇娇出行江西寻找《龙诀》，国师本想迟一些再尾随到江西对付绿娇娇，没想到她杀个回马枪，一路奇兵打乱了国师的计划，这真是大出国师的意料。现在已经过了半个月，绿娇娇居然还在离广州城只有九十里地的花县，更活捉了探子，国师把心一横，干脆连夜赶来亲自督战。

他开始感觉到，自己面前的不只是一个二十岁的小姑娘，她可以牵制住整个国师府！他要试试绿娇娇到底有的是实力，还是运气？

更重要的是试探绿娇娇会不会用《龙诀》。如果绿娇娇会用《龙诀》的话，那么国师要找的目标就会变成绿娇娇，以绿娇娇的为人，捉回来后不用严刑拷打，只要花上大价钱，就有可能从她嘴里套出《龙诀》。

龙诀有三诀，分别是《寻龙诀》、《御龙诀》和《斩龙诀》，如果绿娇娇会《御龙诀》的话，她一定可以修补龙气，救活五蛇下洋穴，所以现在逼她出手是唯一做法。

绿娇娇刚刚去看过泄龙气的暗井却不出手相救，这让国师有点意外，难道绿娇娇真的不会龙诀？于是国师马上安排一个绿娇娇一定可以破解、也可以看懂的挑衅，把她引回了洪公墓前。

绿娇娇四周看过，并无任何异常，孟颉和洪宣娇都非常紧张地走到她身边。

孟颉说："绿小姐，现在怎么办？"

绿娇娇说："我不知道他们想干什么，这一招只是乡间风水师害人的平常招式，对方应该知道我随时可以破解……现在的问题是我们一走开，他们可能又来破坏，我们可就一辈子都得在这里耗了。真要命。"

真正头痛的人是洪宣娇，对方再破穴的话受害的还是她。她一把拉住绿娇娇的手说："娇娇，你要救我啊，你走了他们也不知道会把我父亲的墓搞成什么样！"

"我不知道他们想要什么！他们要是想要你的命，就算我们守在这里一辈子他们也照样可以杀你，根本不用动你父亲的坟！"绿娇娇也急了，一把甩开洪宣娇的手。

孟颉说："大家先不要乱，现在我们这样子正是对方最想要的，他们知道我们不敢走开，他们就是想留我们在这里，一定还有下文的，我们先做好戒备，看看情况再说。"

"不，他想我们留，我们偏偏走，我们一走，他们就必须要马上出手……"绿娇娇听了孟颉的话冷静下来，她不管孟颉洪宣娇和林凤翔，扭头道，"杰克、龙儿，我们走！"

孟颉他们三人一听也有道理，马上也跟着绿娇娇转身离开。

这一招果然有效，国师从湖心的孤岛上看到绿娇娇竟敢转身走人，真是又爱又恨。爱的是难得这个姑娘胆大心细，如遇知音；恨的是绿娇娇每一次出手都钉在他最想不到的地方，想逼她用《龙诀》她不用，想留她在坟头她偏偏走，这次真是棋逢敌手。

绿娇娇这一走，分明是逼自己先出手，头一步棋算是输了，出手吧。

国师马上带着两位官正上船，小船像离弦之箭一样飞快地从洪公墓看不到的角度离开孤岛。

孤岛上传出一声闷雷，绿娇娇和大家正走到马车旁边准备上车，听到奇怪的声音，都马上转头望去。孤岛顶上飘起一缕青烟，整个岛身似乎在微微震动，湖面上泛起涟漪，以孤岛为中心向四周圆形扩散。

大家转身正想看个仔细，从孤岛泛出的涟漪越来越激烈，一瞬间已经成为波浪向四周的山岭和湖岸拍去。

四方八面，从天上地下都传来低沉的轰鸣声，众人的脸上感到从孤岛的方向扑来一阵热风，而且热风还在源源不断地扑过来，连他脚下的地面都震动起来。

大家互相看看，林凤翔说："是不是地震？"

绿娇娇紧闭着嘴一言不发，心里却暗叫：糟糕，这不是地震，对方正在"震窍撼龙"。

原来天然形成的风水布局中，除了龙砂、水穴这几个主要原素，每一个大局都有一个龙窍，这个龙窍和龙穴不同，并不是福气的源泉，却是整个龙局的平衡点。龙窍的作用相当于一座大楼最重要的支点，龙窍一动，满盘皆动。

在五蛇下洋穴中，五道蛇形山岭都指向一个湖心孤岛，这个湖心孤岛就是五蛇守护的龙窍。国师在龙窍上安放了炸药，只要震动龙窍，五蛇就会出洞。要重新镇住五蛇，只有使用《龙诀》中的"紫辰御龙气"，绿娇娇越来越清楚对方的目的，对方就是想看看她会不会用《龙诀》。

这时的绿娇娇更加不会贸然出手，她对大家大声喊道："这里危险，大家上马快离开这里！"

杰克跳上马车头拉起缰绳，安龙儿和绿娇娇"嗖"一声钻入洋马车的车厢。

地下的震动越来越厉害，洪宣娇也骑上马，她突然大叫："快看，'蛇'向湖心爬去了！"

大家一看，湖心的五道蛇头形山岭正在以山崩地裂的势头挟着风雷之声和巨大的落石，向湖心孤岛缓缓爬去。湖水被震动得冒出朵朵浪花，整个湖简直像沸腾起来一样。

没有人见过这种场面，大家都被惊得目瞪口呆。

孟颉说："这里很危险！快走吧！"调转马头就走，却听到洪宣娇叫了一声："爹！"然后滚鞍下马扑向正在剧震中滑坡的斜坡。

众人不约而同大叫"危险"，但是向洪公墓看去，却看到在强烈的地震下，洪公墓已经倒塌，整副棺材从地里露出，正在震动中随着碎石流向坡下滑去。如果地震一直持续，这副棺材将会滑到湖里沉入水中。

没有看成风水可以另请明师，要是连先父的棺材尸身都弄不见了，叫洪宣娇如何向大哥和祖宗乡亲交代？难怪她舍身扑回险坡中的坟头。

孟颉和林凤翔首先下马跟着洪宣娇冲回斜坡，绿娇娇坐在车厢里气急败坏。这时是她逃跑的最好时机，但是武功高强、心性机巧又仗义热心的洪宣娇，在绿娇娇眼里无疑是女中丈夫，绿娇娇打心底里佩服这个姑娘，就这样跑掉的话，以后有何面目和洪宣娇在江湖上再见？

她用拳头一捶大腿说："死就死啦！下车帮忙！"说完和安龙儿开门下车，和杰克一齐也跟着洪宣娇冲下斜坡。

棺材在剧震之下，已开始尾部朝下向湖中滑去，洪宣娇和林凤翔轻功好脚程快，首先冲到棺材下面顶住棺材，孟颉随后赶到，叉开双脚卡住地面，双手死死抱住棺材的头部。

地面上的烟黑色芙蓉石，本来互相紧扣形成一座固若金汤的芙蓉山，现在每一块石头都像是活了过来，各有各的方向随意抖动着，顶着棺材的众人，脚下像是踩上了一个大算盘，完全使不上力。

杰克和安龙儿赶到洪宣娇身后，杰克一手顶住洪宣娇的腰，另一只手顶住林凤翔；安龙儿从背后抽出手杖，用力插入斜坡的地面，想用手杖卡停下滑的棺材，但是这时的地面已经像从粮仓里漏出来的白米，手杖插到地里竟然一瞬间滚入石缝之中，再也看不见。

绿娇娇身材娇小使不上大力气，在棺材的上方帮孟颉扯住棺材头，洪宣娇看到她也来帮忙，对她大声喊："娇娇！这里危险，你快走！"

绿娇娇真不知是好哭还是好笑，这种情况谁还走得了呀。

孟颉见绿娇娇在身边，急促说道："我们这样不可能拖住棺材，你快救穴吧！你有办法的！"

绿娇娇没打算下来救五蛇下洋穴，她只是下来帮洪宣娇打捞棺材，现在出手镇压龙脉，还不等于把自己当筹码给扔出去？坚决不能救！

“我的手好累啊！五百两干不干？！”孟颉一身大汗，凶狠地对绿娇娇说。

棺材还在下滑中，安龙儿失去手杖后马上加入到顶棺材的行列中。但是这样做只是徒然，六个人都紧把着棺材，和它一起向湖中滑下去。

一块大黑石顶在下滑的途中，把棺材下方的四个人撞散，一声惨叫几声惊叫之下，棺材也在大黑石上撞散，棺材板四散爆开，穿着一身清朝官服的洪国游老爷从棺材里飞出①。

“爹！”洪宣娇已经哭出声。

林凤翔大叫一声小心，三几下拳脚把砸到众人头上的棺材板打飞，绿娇娇和孟颉手里只剩下一块棺材头板。

杰克在棺材的最下方，洪国游老爷正好从他头顶上飞过，他见头上有个人影，右手一伸就捞住，谁知道洪老爷不是一个活人，被杰克捞到手臂后，软软地耷拉在众人的最下方。杰克一看是个不认识的死人，瞪着洪国游老爷的头顶狂叫着，声音都变了调：“Oh My God！我捉住你爸了！啊！啊！”

洪宣娇和林凤翔在杰克的上方，他俩一齐扯住杰克的左手，安龙儿从手腕上抖出绳镖，急速下坠到洪国游老爷的脚下把尸体的双脚套住就往横处滚。

孟颉一手甩开棺材头板，一边向下方冲去，一边转头对下滑中的绿娇娇声嘶力竭地喊：“一千两！一千两银子！”

天地在轰鸣着，不知是装傻还是真没听见，绿娇娇没有对孟颉的报价做出任何反应，只是努力在滑坡中平衡自己，想滑到洪宣娇身边帮她拉住杰克。

杰克还在大喊：“啊！你爸爸的手会不会断？！我怕他散！”

洪宣娇一听说爹的尸体要散开，顿时吓得尖叫起来：“不要放手！别

①：穿官服的洪国游老爷并不是官员。原来清代民间有点钱的人家，在亲人去世时，会为男性穿上官服作官员打扮，为女性戴上凤冠霞帔作嫔妃打扮，然后才入土为安。这和我们今天在殡仪馆见到的祖先多数会穿西装或中山装的道理一样。

放手！”

绿娇娇加快速度滑到杰克身边，也扯住他的手对他喊：“洪老爷脸色不错！不会散！”

绿娇娇可不是骗洪宣娇放心，她实在是在这方面有专业知识。脸色好的尸体是保存得非常好的荫尸，尸体里有血气，肌肉还有弹性，手当然不会这么容易被扯断。荫尸在风水中力量尤其强大，唯一不好之处就是可能会变成僵尸到处跑，所以有真功夫的风水师都会用化尸符，使年代太久远的尸体可以化为白骨，以免发生尸变。

这时天上浓云翻滚，已经分不清雷声是从天上传来还是从地下传出。五道山岭仍在剧烈地滑坡，沸腾的湖水却不再有白头浪拍向岸边，湖水开始旋转，从湖底现出五道白线，像五条活生生的白蛇，分别潜向五个蛇头山岭下，其中一道白线慢慢地游移到绿娇娇等人脚下的湖底。

不为世间风水师所知的天子龙穴出现了！天下风水秘籍从来没有提过这种情况，只有《龙诀》的上篇，专门记载寻找天子风水的《寻龙诀》中有详细记录——当地震发生时，地面会裂开吞下尸体进行天葬，尽管有不同的地形变化和名称，但是这种天葬的天子穴都统称为“生龙口”。

当年朱元璋双亲的尸体，就是在狂风暴雨中的一次大规模滑坡时被整座大山以生龙口吞下完成天葬，朱元璋才借此风水力量得以成就明朝霸业。

这时的湖底震出五个暗穴，正在把湖水缓缓吸入穴中，水里的白线原是水流卷入暗穴的水底漩涡。生龙口中的一种水中天子穴，“潜龙吞金”，正出现在绿娇娇和国师眼前。

不认得的人茫茫然不知所措，认得此穴的人顿时比龙脉地震还要震憾。绿娇娇和国师都不约而同地呆在原地，他们意识到自己正面临着一个创造历史的时刻！

国师刚才一直站在湖岸边，用望远镜看着绿娇娇他们在拼命抢救洪老爷的遗体，这时看到潜龙吞金突然出现，不禁浑身一震。他意识到自己可能犯了一个天大的错误，他不去震动龙窍，这个“生龙口”也许永远不会打开。

五蛇下洋穴还可以由世间的杨公风水术堪破，让风水师认出天子气的端倪，也可以用杨公风水破解，比如金立德在蛇头七里处开井泄气就是很好的方法。但眼前的潜龙吞金只有《寻龙诀》上有记载，同样只有《斩龙诀》才可以破解，如果绿娇娇马上使用“潜龙吞金”，如果身边的官正也认得这个“潜龙吞金”穴，知道是因为自己震龙窍打开了生龙口……

国师一身都是冷汗，他不敢擦去，怕被身后的官正看到，也不敢再想有多少种“如果”，这个错误犯得实在太大。

他开口问身后的两位官正：“两位穆大人……你们知道湖下的白线是什么吗？”

他的身后站着两个长得一模一样、都是一身贵族打扮的英俊年青人。他们是满族正蓝旗的双胞胎后裔，因为天资聪慧，从小就被送到钦天监和翰林院深造玄学，哥哥叫穆灵，弟弟叫穆拓。

他们走上前看前湖面，一齐说：“不知道，我们没见过。”

“书上也没见过吗？”国师极力让自己镇定着试探着他们，回头看了看他们的眼睛。

“没有。”穆灵和穆拓的回答简单明确，两个人不用对口供地马上同时撒谎，好像不太可能，国师点点头。

这样的话，应该没有人知道眼前发生了什么事，除了绿娇娇。

如果不是无可奈何，决不会有人把自己先人的遗体扔到湖水中，尤其是洪宣娇这种有情有义的人。如果他们投尸入湖，一定是绿娇娇的主意，那么马上可以证明她一定学过《龙诀》，至少学过《寻龙诀》。

不，不能这么想。国师发现自己已经被眼前的景象逼疯了。他要做的是全力阻止洪老爷的遗体入湖，而不是期待发现绿娇娇学过《寻龙诀》！

绿娇娇呆站在斜坡上，定睛看向湖里的白线，任由自己和山上的石头一齐往下滚。

杰克憋着气苦着脸把洪老爷的遗体往自己身上抱，洪宣娇几乎整个人扑到遗体上护着，林凤翔和安龙儿在外圈护着他们往下滑。

地面的震动越来越剧烈，他们根本无法止住下滑。湖中的浪被湖底的暗流漩涡吸得平静下来，看起来平静的湖面却发出呼啸的风声，恍如一条巨龙在无休止地吸着气，石头不断落入水中，却没有溅起多少水花。

孟颉一把捉住绿娇娇的手，在她耳边大声叫：“你还不出手相救！我们都快摔死啦！”

绿娇娇任由孟颉扯住她的手腕，双眼冒火似的盯着湖底不断扭动翻滚的白线。

难道这就是天意？破去一个五蛇下洋穴，却震出一个潜龙吞金穴，这是绝无仅有的机会，大清要亡了！

这时应该求自保还是顺天意？绿娇娇心里矛盾得想呕吐。

孟颉知道可以让绿娇娇出手的唯一方法就是钱，但绿娇娇始终一言不发，怕是嫌少了，他马上再加大银码：“二千两！二千两行了吧！”

洪宣娇听到这种十万火急的情况下，孟颉居然和绿娇娇在讲价钱，她几乎哀求似的狂叫着：“娇娇你别听孟师爷说了！赶快逃跑吧，这里马上就要塌啦！”

绿娇娇一直没有听到洪宣娇求过她，现在洪宣娇抱着自己父亲的遗体往山下摔，仍然在叫绿娇娇先逃跑，以这份仁心治理天下，也许会比清朝更好吧？

强烈震动的山头正在把全部人像倒垃圾一般往山下倒去，绿娇娇来不及细想太多，对洪宣娇大叫：

“你信不信我！”

“信！”

“我保你夺大清江山，收你黄金一万两！”

突然听到绿娇娇用一万两黄金就把大清江山给卖了，正在挣扎求存的全部人都张大嘴呆住，五双眼睛在飞沙走石中看着绿娇娇，绿娇娇马上加多一句：“先收白银一千两下订，余款分十年收！”

“成交！”洪宣娇脑子转得一点不比绿娇娇慢，能买下大清江山，别说一万两黄金，就是十万两黄金也值得！何况还是分期付款。

“湖里出现了千年难遇的天子龙穴！马上把你爸扔到湖里的白线位置！”绿娇娇大叫道。

“啊？！”所有人又是全部惊呆。

“我信绿娇娇！大家快按她说的做！”洪宣娇果然机智聪敏加上胆识过人，如果只是叫她找个地方再埋他爹一回，这种风水先生哪里值一万两黄金？绿娇娇能收这么贵，就一定会有这么特别的服务。

众人从力求顶起遗体不向下滑，改为送着遗体主动冲下山。顺着滑坡的方向而去，动作顺畅了许多，下滑速度马上加快。

国师从望远镜里看到洪宣娇等人不退反进，马上意识到绿娇娇果然要把洪老爷的遗体送入潜龙吞金穴，一旦这个天子龙穴被洪家所占，大清必亡无疑。

他对身旁的穆灵低沉而急促地说："发信号，炸尸……用任何方法。"

穆灵从身上摸出一支两寸长的碧玉短笛，放在嘴边急促地吹起来。

嘀——嘀嘀嘀。

嘀——嘀嘀。

嘀——嘀——嘀——

一长三短，一长二短，这是炸尸的信号；三声长笛，就是不顾一切完成任务的信号。

从碧玉短笛中吹出尖锐而凄厉的笛音，声音刺破隆隆不断的闷雷声，刺破整个芙蓉嶂的空气。

尽管不知道笛声的含义，但熟识兵法的洪宣娇马上肯定这是一个行动指令，她迅速作出安排："龙儿和杰克送我爸入湖里！林兄和我准备应战！娇娇和孟师爷配合杰克！"

绿娇娇马上拔出左轮枪跳到杰克身边，孟颉也加快脚步向下冲去。

"轰"的一声巨响，洪老爷的遗体上炸起一个响雷，杰克和安龙儿马上被震开，洪老爷的遗体脱手落地，和大家一起随石流向下滚去。

这一炸让绿娇娇顿时明白，无论对方是谁，这个人一定可以看懂潜龙吞金穴，他至少看过《寻龙诀》，现在为了不让洪老爷葬入天子龙穴，竟然意图把洪老爷的遗体炸得灰飞烟灭！

洪宣娇看到父亲的遗体被人用雷击打，激起发自本能的战意。但是她很清楚，刚才他们死保父亲遗体时，对方一直冷眼旁观，现在决定把遗体送入湖中，遗体却马上受到攻击，这只证明一件事，绿娇娇没有骗她，湖下一定是可以夺取大清江山的水中天子龙穴。

她圆睁凤眼大喝道："绿娇娇！你那一万两黄金值了！"

杰克和安龙儿一直提着洪老爷的遗体，那一个响雷产生了猛烈的气浪，把他们震得摔向两旁，全身皮肤生痛，两耳嗡嗡作响，一时间什么声音都听不见。

洪老爷遗体的下半身被炸得焦黑，一边冒着烟，一边在斜坡上随着隆隆作响的石流向下滚去。

雷声才落，空中就落下一个身形粗壮的蒙面黑衣人，他就是向孙存真放三尸勾命箭的符术高手肖检。没有人看见肖检从哪里跳出来，他像从天上直接出现，直扑到洪老爷的遗体上，一手按着遗体的胸口，再炸出一声响雷，洪老爷的遗体在雷爆之下被炸得肢体飞散。

“掌心符！”安龙儿冲口叫出来。安龙儿在陈家村见识过绿娇娇使用这一招，绿娇娇告诉他这叫掌心符，但是肖检发出的掌心符威力大很多。

洪宣娇眼尾余光看到坡下父亲的遗体已被黑衣人直接炸尸，大叫一声就要向下跳去，却见眼前白光一闪，分明一把长刀迎面砍来，她双手空空，赤手空拳总不能硬接钢刀，一仰头向后硬翻避过这一刀。

这时枪声也响起，在肖检不顾一切用掌心符雷击洪老爷遗体的时候，杰克的左轮枪也已经拔出，只要肖检不像孙存真那样不停地无规则运动，只要他有一刹那停顿，他一定逃不过杰克的子弹。

肖检身上中了一枪，发出一声惨叫后就向坡下摔去，人一落地马上炸出一团烟幕，随即从坡面上消失得无影无踪。这一招对杰克和安龙儿来说毫不陌生，他们不久前才见过孙存真使出这招五行遁形术。

洪老爷的遗体被炸得支离破碎，安龙儿手急眼快，在空中一把抱住洪老爷的人头，一边往湖下冲去，一边大声问绿娇娇：“娇姐！人头扔到湖里行不行！”

“行！剩下一根头发也要扔进去！”绿娇娇马上回答他。听到绿娇娇这么说，安龙儿更是加快速度，抱着人头跳在空中直接向坡下落去。

洪宣娇翻身避过一刀，林凤翔看得真切，出刀的是一个穿土黄色紧身衣的瘦削蒙面男人，他是国师属下五官正之一陆友。

陆友一刀拦下洪宣娇，并不和林凤翔接战，却向坡下抱着人头的安龙儿追去。空中飞过一件肢体，陆友手上钢刀一转，竟在空中快速无比地斩出十几刀，舞出一片银光，把那件原本成形的肢体在一瞬间削成碎屑。他们的目的非常明确——一切为了毁灭洪老爷的遗体。

林凤翔轻功决不比陆友差，差的只是手上少了兵器，但是这时也顾不了许多，蹲身发力纵身向陆友背后扑去。

洪宣娇从地上捡起两块石头同时飞向陆友脑后，陆友果然盘刀回身斩向飞来的石头，“叮当”两声刀响，石头刚刚挡开，林凤翔的脚已经狠狠踢中陆友的头。陆友顺坡势向下跄踉跌了几步，忍着剧痛再追向安龙儿。

这时绿娇娇和孟颉护着安龙儿向坡下冲去，杰克一回身向着陆友跳在空中的身影连发三枪。人在空中闪无可闪，运动的轨迹马上被杰克捕捉到，这时对杰克来说只不过是像打鸟一样轻而易举。

三颗子弹几乎同时打出，杰克眼前一花，空中却传来三下金属撞击声。杰克那三枪并没有打偏，只是陆友正面看着他开枪怎会没有防备，三招快刀把子弹全部挡开，不过手上的钢刀也被子弹的力量震得脱手飞出，双手空空地向杰克头顶落下。

杰克胸前被陆友双脚同时踏中，仰面朝天向坡下摔倒，陆友却借力再跳在空中向下追去。洪宣娇和林凤翔也随即从杰克身边掠过，带起两股劲风追向陆友。

杰克摔得鼻青脸肿，连滚带爬站起来一看，自己已经落在最后，在众人之中，他站的位置最高。这对拿枪的他并不是坏事。和这些武林高手近身接战，他从来没有占过便宜，老是被对手打中，但是从外围开枪狙击支持作战，却是他的强项。

他马上重新装好子弹，保持这个从高向下的狙击位置，紧追着大家滑下山坡，同时伺机开枪支援。

安龙儿抱着人头将要冲到湖边，陆友前方是绿娇娇和孟颉，身后是林凤翔和洪宣娇，看起来情况很不妙。

但陆友仗着自己轻功好身法快，只想从绿娇娇和孟颉之间闪过，从安龙儿手上夺回人头打成灰烬，并不在乎身后跟了多少人，他面前要过的障碍只是绿娇娇和孟颉。

绿娇娇看到陆友突破了杰克来到自己身后，右手里拿着左轮枪，一转身瞄准陆友，像杰克那样右手食指压紧勾发扳机，咬紧牙关用左手掌快速地拨动左轮枪后的撞针扳机。

“砰……砰砰……”绿娇娇不连贯地打出三枪，陆友左右几步躲闪避开子弹，绿娇娇开枪完全没有起到阻挡的效果，陆友还是像箭一样撞向绿娇娇，他认为从一个女孩子身边冲过去，总会比从孟颉身边冲过去更为安全。

到了绿娇娇面前，陆友顺势托起横掌向绿娇娇颈上劈去，他并不在意是否击倒绿娇娇，但能够顺手多打倒一个拿洋枪的对手决不是坏事。

可惜贪心总是没有好下场，陆友出招劈绿娇娇的瞬间，她脚踏三角马避开那一掌，左手飞快抽出袖里刀蹲身向陆友腰间挥去——陆友一掌劈空，却发现肚子上一冷，十几步之后才感到一阵剧痛。陆友从她身边掠过得越快，这一刀也割得越快，快得毫无痛感。

陆友眼前一黑，几乎昏倒，他摸一摸伤口好像有半尺长，幸好不是很深，于是忍痛再度追向安龙儿。

林凤翔和洪宣娇也追到绿娇娇身边，让绿娇娇留在身后，一起扑向受了伤了的陆友。

安龙儿抱着洪老爷的人头冲在最前面，在众人的掩护下顺利到了山脚，还有十丈就要冲到湖边，突然从地底下冒出一个手持长刀的灰白色人影，一个滑步闪到安龙儿身前挥刀就砍，安龙儿本能地蹲身斜滚到地上险险避开这一刀，却被这突然袭击吓得头皮发麻。

他正要翻身起来继续冲向湖边，这个灰白衣服的蒙面人又闪到面前，几刀砍在安龙儿下一个动作的位置上，把安龙儿逼得无法起身，只能不停在地上滚动躲闪。

可以说，安龙儿的一切动作都已经被这个灰白衣服的蒙面人封死，他就是设计破五蛇下洋穴的金立德。

金立德不仅风水造诣颇深，也练得一身好武功，安龙儿在他的刀锋下四处躲闪，一直无法突围，两人就这样混战成一团。

金立德一边追杀安龙儿，一边对他说："放下人头，饶你不死！"

安龙儿一言不发，只是更加抱紧洪老爷的人头，翻滚着快速后退，试图得到后面自己人的支持。

安龙儿不知道，他身后的不是自己人，而是负了伤仍努力追上来的陆友。他转身抬头看到的不是自己熟悉的朋友，而是一个穿土黄色紧身衣的蒙面人。

陆友腹部出着血，全身渗出冷汗，体力远不如刚才在山坡的时候，他一低头扑向安龙儿的腰，双手紧紧抱住安龙儿的双腿，把安龙儿重新扑倒在地。

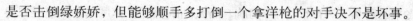

金立德不管眼下的是人还是人头，只管举刀向着安龙儿身上砍去，安龙儿滚又滚不动，手上也没有兵刃挡金立德那一刀，情急之下双手举起洪

老爷的人头一挡，刀正正砍在洪老爷的脸上。

远处洪宣娇发出惊叫，她刚刚才见到自己父亲的遗体被雷炸碎，现在又看到仅存的人头又中一刀，随即从手中发出三块石头，挟着劲风向金立德飞去。

金立德抽刀挡开一块石头，再闪开两块，正要出手抢夺人头，忽然听到绿娇娇大喊道："龙儿不要起来！"

然后"砰砰砰"三枪连发，三颗子弹飞向金立德，绿娇娇打过三枪连发之后，好像摸到了一些连发的窍门，现在一出枪就是一串子弹。

金立德当然知道洋枪的厉害，他鱼跃滚落在地上，抬头看到陆友已经被追上来的林凤翔踢开，再爬起来的陆友没有用五行遁形术逃跑，仍在艰难地招架着林凤翔的拳脚，可能是为了多牵制对方一个人，洪宣娇拦在自己面前，安龙儿抱着人头再次冲向湖边。

现在去救陆友不可能，拦住安龙儿也不可能，金立德眼下只能自保。洪宣娇瞬间已经来到他面前，闪过金立德三招，箭步入身，从刀间的空当中一记抛拳，自下而上插向金立德的中腹！

安龙儿只差几步就到湖边，这时从天空传来一声霹雳，一道闪电从地下蹿出，透过安龙儿的全身射向天空。安龙感到从脚底传来一阵麻痹，整个人被弹在空中又摔回到地上，而后晕倒过去。洪老爷的人头仍抱在他手中。

绿娇娇惊慌地看向四周，她知道这是神霄派的地祇雷法，施法的人一定已经在附近。果然，她看到刚才自己冲下来的山坡上站着两个穿深蓝色衣服的蒙面男人，正在一齐结印念咒，对，一定是他们两个。

这两个人就是一直站在国师身边的穆灵和穆拓。国师发出炸尸的信号后，马上带穆灵穆拓赶来助战，赶到山坡上马上先用雷法击倒安龙儿。他虽然不知道绿娇娇一行人的武功有多高，但他非常清楚那两支连发短洋枪有多可怕。

离这两个蓝衣服蒙面人最近的就是杰克，绿娇娇对杰克大喊："杰克！开枪打你身后的人！"

杰克听到后，马上回身六枪连发，穆灵和穆拓也不是妖怪，见子弹打来还是要闪开，这样一来就给绿娇娇缓出了时间。

杰克六枪打完，天空霹雳一响，脚下窜出一道闪电，炸得碎石飞溅。

他看过安龙儿中招后不再是傻子，他极力用很像是中国功夫的动作闪开，但是闪电还是刺中他的屁股，杰克痛得怪叫一声，跳得更快。

接着几道从地底蹿出来的电击再次袭向杰克，他像猴子一样到处乱跳，怪叫着躲闪电击，还抽空给左轮枪换上子弹，又给穆灵穆拓一阵压制。

穆灵和穆拓被杰克牵制住，无暇向安龙儿发出第二次雷击，否则安龙儿必死无疑，洪老爷的人头也会被炸为灰烬。

绿娇娇这时终于明白，昨天晚上安龙儿算的卦一点也没有错。

师卦为用兵之像，今天的问题注定不会按双方原有计划平静解决；六层的卦身居然有四层在变化，现出地动水动的卦像，这正应对方震动龙窍引发五蛇前爬撼动山水；而师卦最后变成的噬嗑之卦，卦像的原义就是开口咬嚼，这不正是“生龙口”天子穴的卦像吗；噬嗑卦由火卦离和雷卦震组成，又正应了对方反复布下的雷阵……但是师卦显示对方有六个人，现在出现了五个，还有一个呢？

绿娇娇有心理准备，对方还有一个人会出来突袭，但是现在当务之急是接上安龙儿的手，把洪老爷的人头送入湖中。

她向安龙儿跑去，却看到孟颉比她跑得更快，孟颉已经抱起洪老爷的人头冲到湖边，一纵身跳入湖中。

绿娇娇跑到安龙儿身边摇一摇他，安龙儿完全没有反应；孟颉抱着洪老爷的人头向湖底的漩涡潜去；林凤翔和洪宣娇分别抵住陆友和金立德；杰克这边最热闹，他连跳带跑且战且退，带着一道道闪电退去和林凤翔洪宣娇会合。

绿娇娇蹲在地上抱着昏迷的安龙儿，紧张地看着孟颉潜入湖底，嘴里念着：“快！快！”

一个霹雳从天空打向湖中，热浪扫得绿娇娇的脸一阵刺痛。在绿娇娇的惊叫声中，孟颉和洪老爷的人头像死鱼一样，慢慢浮上水面。

四周仍是无边无际的轰鸣声，虽然现在是正午时分，但云层越压越低，遮蔽得天色青黑。山在摇动，湖在暗涌，加上不时出现的枪声和霹雳声，还有闪电发出的白炽闪光，风景如画的芙蓉嶂此刻变得像地狱一样，充满莫名的恐怖。

洪宣娇在和金立德的战斗中占着上风，如果不是要赤手空拳对付金立德的钢刀，她有足够能力在短时间内击败对手，而即便是现在她仍可以分心关注着洪老爷的人头。

当孟颉抱着人头跳入湖中，又随即被雷击中，她看出对方阻止洪老爷遗体入湖的决心是何等大，这个湖底的潜龙吞金穴是何等让对方胆战心惊。这种情况下，没有任何理由放弃这个天子龙穴。她一腿踢翻金立德，马上回身冲到湖边，纵身跳入湖里。

同时林凤翔也和她一起纵身入湖，原来林凤翔已经把身负重伤的陆友打倒，刚要回防到绿娇娇身边，就发现孟颉被雷击中浮在湖面，于是马上跳入湖中救人。

绿娇娇蹲在昏迷的安龙儿身边，一边给左轮枪上子弹，一边回头喊道："杰克！快来护着我！"

绿娇娇知道这是最后时刻，如果对方再从天上打下霹雳击入水中，在水里的洪宣娇和林凤翔将马上会像孟颉一样，完全失去知觉，这样无疑会全军覆没。

杰克和穆灵穆拓的雷法对洋枪之战，只能起到拖延的作用，他虽然没有直接被雷击中，但也已经全身是伤，身上衣服破烂不堪，全身都是大大小小的伤口。现在听到绿娇娇叫自己，他一边跑向绿娇娇，一边开枪压制爬起来想跟上洪宣娇和冲向湖边的金立德。

金立德和洪宣娇一番苦战之后，也是一身伤痛，这时实在没有体力避开杰克的神枪。杰克向他开了两枪，他勉强闪开躲到一块石头后面，不敢轻易冒头。

绿娇娇把自己的左轮枪上满子弹扔到杰克手里，对杰克说："挡住我，我要施法结界！"

杰克一手在空中接过枪，滑步转身背湖面山，挡在绿娇娇前面，左手举枪指着金立德藏身的大石头，右手举枪指住穆灵和穆拓。

和穆灵穆拓两兄弟的短兵相接中，杰克很快就发现，他们发出雷击之前一定要双手扣成手印，双脚站定正面对着自己，这时正是开枪的最好时机——一看到他们有这个动作就马上开枪的话，他们一定要闪开，这样就可以制止住他们发出雷击。

但是这时穆灵穆拓从身后抽出钢刀，好像不再试图用雷击倒杰克，而是大有冲到湖边的势头，只是碍于杰克的枪法高超，才一步一闪地在巨石和树木的掩护下慢慢渗透前进。

冷枪不时响起，只要有人从树后和石头后冒出头，杰克决不会放过机会开枪。绿娇娇很清楚杰克有多少发子弹，在杰克的十二发子弹打完之前，她必须保证洪宣娇成功潜入湖中、放洪老爷的人头入龙穴，也要保证林凤翔把孟颉捞到岸上。

说时迟那时快，杰克一到她身边，她马上站起来背靠背贴着杰克，面向湖水双脚分开站定，双手飞快地指掌交错，结出九个手印，厉声喝道："临兵斗者皆阵列在前！"

一个泛着绿气的光球从绿娇娇的指尖跳出，一瞬间扩张成五六丈大小的半球形气罩，这是绿娇娇用镇喝九字印，催动自己的元神迸发出来的结界。

结界一半罩着湖岸上的杰克、安龙儿和绿娇娇，另一半罩住湖中的洪宣娇、林凤翔和昏迷溺水的孟颉。

九字印喝声未落，结界刚刚完成，空中就传来"噼噼啪啪"连续不断的霹雳声，紧接着一串闪电从天而降，打在淡绿色的结界上，在众人头顶炸成一片，白光闪耀，晃得人睁不开眼睛。虽然闪电没有击破结界，但气浪仍然剧烈地撞入结界之中。

强烈到这种程度的连环雷法，根本不是穆氏兄弟刚才使出的神霄派地祇雷法，绿娇娇知道，第六个高手出招了。

绿娇娇手结不动根本印，从丹田逼出一道真气，在一片电击狂炸中厉声呐喊，竟然把结界再向外扩张，淡绿色的气罩又涨大一丈。

这时林凤翔拖着孟颉刚爬到岸上，听到头顶传来如同百雷击落的声音，马上扑在孟颉身上伏身护头，但觉气浪猛烈地袭入，却没有觉得有电击的痛感。

他抬起头看看四周，只见绿娇娇昂然如铁塔一般站立在自己面前，双手结印，在气浪乱撞的结界中念念有词。平时总是媚态迷离的双眼，这时虎目圆睁盯着湖面；平时像风吹摆柳一样的柔弱身躯，这时有如金刚下凡巍然不动。

每一个霹雳击落，绿娇娇都会全身一震，娇小的身躯分明承受了全部雷电猛击，林凤翔不禁在心里赞叹：见过洪宣娇和绿娇娇，哪个男儿敢看不起女人？

洪宣娇一跳入水中，管不得林凤翔救人，自己一手抱住洪老爷的人头就往湖里潜去。

潜入三尺深，开始感觉到湖底有一股吸力。她沿着湖里的白线潜去，再往下十四五尺的深度，四周一片墨绿，已经看不到天空的光线，却看到身下一道车轮一般粗细的白色水柱，像白蛇般缓缓扭动，发出震耳欲聋的龙吟声；前方有一个洞穴，从水缸大小的洞口透出幽暗的黄光，洞前一左一右立着两根天然生成的石柱，分明就是一张长着獠牙的龙口，白蛇扭动着腰身，蛇头一直指向洞口，这正是天子龙穴潜龙吞金。

在芙蓉嶂从小长大，来这里游玩过无数次的洪宣娇，从来没有听说过芙蓉嶂的湖底有这种奇特的地形，现在看到这般景象，不得不佩服绿娇娇那双入地眼，果然是英雄出少年，不愧为一代风水大师。

洪宣娇不及细想便向生龙口潜去，龙口的吸引力越来越大，洪宣娇却希望尽可能地送父亲的人头更接近生龙口，双脚蹬水加速潜下去。

这时只听得水中一声霹雳，洪宣娇竟然在十几尺深的水底被闪电击中！

原来绿娇娇体力急剧消耗，已经无法维持结界的威力，结界的绿气在闪电的猛攻下越来越淡，光球笼罩的范围迅速缩小。

闪电击破结界打入湖中，电流传向洪宣娇全身，她眼前一黑，双眼看不见任何景象，全身麻痹就昏迷过去，双手一松放开洪老爷的人头，随着水流被吸向生龙口。

从天而降的闪电，不只打向湖里，也打向岸边。又一记猛雷轰的击下，绿娇娇的结界被完全打破，她和杰克背靠着背双双被击中，瘫倒在地上奄奄一息，林凤翔和孟颉也被炸得飞出一丈多远。

孟颉一摔之下，居然"哎呀"叫了一声痛醒过来，他睁开眼睛甩甩头，发现自己已经在岸上，不过除了自己只有林凤翔是可以站起来的人，立刻明白他晕过去的期间，情况变得有多糟糕。

贪生怕死不是洪门的作派，能和清廷作战而战死沙场才是洪门兄弟的光荣。

他从嘴里吐出一口湖水，摇摇晃晃地站起来，和林凤翔一起挡在昏倒的杰克、绿娇娇和安龙儿面前，拉开拳架，准备和三个从石头后面站出来的蒙面人做最后的较量。

穆灵穆拓和金立德看到开洋枪的杰克被雷击倒，这个最大的威胁已经消除，绿娇娇的结界也消失了，除了孟颉和林凤翔再没有其他对手。

孟颉不像武功高超的人，两个人抵住林凤翔的话还可以腾出一个人去毁灭洪老爷的人头，三位官正看清形势，不约而同地拔刀扑向湖边。

林凤翔和孟颉鼓起精神准备再次接战，却见在穆灵身后现出一条瘦小的身影，出现得和那些蒙面人一样神出鬼没。

穆灵正在向前冲杀，浑然不觉身后有人。这条人影在穆灵身后挥出长棍，向穆灵的头扫去。

穆灵只觉脑后风紧，便知有人偷袭，即时低头避过滚身落地。持棍的人影把棍顺势运到自己身后，旋即跃起变招，身形有如猴王显灵，在空中扯棍向穆灵的天灵盖斜劈下去。

这是猴子天门棍，穆灵认得这身功夫，他急忙举刀挡棍，只听得"咣当"一声，穆灵手上的钢刀被震得几乎脱手飞出。

"孙参！你真是敢反了！"穆拓一直在穆灵身边，一见有人偷袭穆灵，马上转过来救哥哥，他一边喝住孙存真，一边挺刀刺过去。

"反你条毛！你们什么时候正过了，呸！"孙存真口里不停，手上更快，一条齐眉棍抵住穆氏兄弟两把钢刀，林凤翔和孟颉面前顿时一片刀光棍影。

林凤翔是练武之人，一眼看出孙存真出招凌厉准确，棍势身法都老辣精练，招招攻守兼备，一棍对双刀毫不落于下风。看情势，这个使齐眉棍的高手是帮自己一方的人，他对孟颉说："你留在这里照顾他们。"自己纵身扑向金立德。

这时从山上传来急促的短笛声，正向湖边冲去的金立德听到笛声马上向后退。正在和孙存真混战的穆氏兄弟也抽个空当跳出圈子，快速地退回山上。

林凤翔看看刚才他打倒的土黄色衣服蒙面人，已经不知什么时候被对方带走。孙存真提棍挡在众人的最前面，看着穆氏兄弟退走并不追赶，毕竟他只是来救人而不是杀人，对方不打下去，再恋战也是无益。

孟颉说："地震停了？地震停了！"

"对呀，洪宣娇呢？她还在湖底！"林凤翔一想起洪宣娇，转身就往湖里跳。

原来洪宣娇被湖面上的闪电击昏之后，和洪老爷的人头一齐被吸向潜龙吞金穴。洪老爷的人头比洪宣娇轻很多，首先被吸入生龙口，人头一进去，洞穴便开始震动倒塌，当洪宣娇撞向生龙口时，生龙口已经完全封死，把洪宣娇挡在外面，湖底漩涡形成的白色蛇形水柱也自然消失。

同时，整个芙蓉嶂的五道山岭都平静下来，风速减弱，天上的乌云慢慢散开，似乎生龙口完成了天命而心安理得地休息了。

国师一见这等景象，知道洪老爷已经葬入天子风水龙穴，之前一切努力已是徒然，最后还杀出一个生力军孙存真，再混战下去毫无益处，不如趁五官正还未有人战死，及早收兵保存战斗力，再设法尽快找到《斩龙诀》，重新回来芙蓉嶂斩断龙脉方为上策。

众人回到国师身边，金立德帮浑身伤痕、奄奄一息的陆友包扎着腹部的刀伤，穆灵和穆拓忙着为右胸中枪的肖检止血包扎。国师蹲下来看看陆友和肖检的伤势，抬头环视众人说："各位大人辛苦了，刚才出生入死忠烈可鉴，各位实乃朝廷栋梁，我可以和各位共事一朝，此生无憾啊。"

穆灵说："国师言重，所谓食君之禄担君之忧，这些都是下官的本份。"

国师点点头说："好了，大家快撤吧……穆拓，下山后你通知广州府，全省通缉绿娇娇，罪名是刺杀朝廷命官。"

"是。"

要把绿娇娇尽快赶回江西，只有在广东通缉她，国师远远看着山下的绿娇娇，愁眉深锁。

林凤翔从湖底捞起洪宣娇送上岸边，马上给她急救，排出腹中湖水。孟颉也打来湿布，给绿娇娇和杰克擦脸提神。因为绿娇娇最后的结界削弱了雷击的威力，体质最好的杰克很快醒过来；安龙儿直接被地祇雷法从下而上击中，伤势最重，一直昏迷；绿娇娇刚刚睁开眼，迷迷糊糊地看到大家都在身边，叫了一声"龙儿……烟"，然后又昏了过去。

孙存真赶到的时候，为免马匹在地震中四处逃走，已经帮众人拉好马匹集中在一起。此刻他从山上拉下马，把受伤的人轮流驮到山上的马车。

护送众人回芙蓉镇的下榻院落，林凤翔和孟颉忙里忙外张罗护理，孙存真便告辞离开。

当绿娇娇醒来时，已经是第二天下午。

她睁开眼看清自己在什么地方，然后闭上眼细细回忆了一下最后一眼看到的景象，确定洪老爷已经成功葬入潜龙吞金生龙口。再睁开眼睛，听到孟颉在窗外和林凤翔说话，她有气无力地叫道："孟师爷……"

孟颉一听到绿娇娇醒来，马上跑进房间。绿娇娇问他："大家怎么样了？都平安吗？"

孟颉说："全部人都平安回来了，放心吧。"

"嗯……给我拿块镜子。"

绿娇娇记得最后一个雷从天而降，雷电轰击最直接的伤害就是灼伤，要是把脸蛋烧坏了，可比死掉还难受。

孟颉应了一声，转身走出房外，回来时拿一面着镜子和一个大碗："怎么一醒就要镜子？呵呵，镜子在这里……"

绿娇娇靠在床上接过镜子，一脸紧张地左照右照，看到自己的脸蛋还完好无损，长长嘘了一口气。

"呼……还好。哎呀好香，是什么好吃的？"

孟颉看着绿娇娇笑起来："来，尝尝我煮的鱼蓉粥，放了葱花。"

"孟师爷你真是好男人，我都快想嫁给你了……"绿娇娇像撒娇一样，发自内心地感激着孟颉。

孟颉捻着三绺长须哈哈大笑说："我有妻室孩儿啦，我禀告过内人再谈纳妾的事吧。你慢慢吃粥，我去告诉他们你醒了。"

不一会儿，杰克首先敲门进来。他在混战中多次摔摔碰碰，被穆氏兄弟的地祇雷法炸得满身刮伤和青肿，身上的洋服在战斗中烂得无法缝补，现在穿着一件孟颉找给他的蓝布长衫。因为人长得太高，长衫的下摆只吊到膝盖高度，露出金毛茸茸的小腿。

绿娇娇还在吃粥，一看到杰克的样子，笑得连碗都拿不稳。

"哈哈哈哈……呛死我了……你还没死呀……哈哈哈哈……"

杰克看到绿娇娇开心的样子，脸上也泛出孩子般的笑容，他耸耸肩说："大家都很好，你醒得最迟，现在感觉好吗？"

绿娇娇一看杰克就忍不住笑，她说："没什么事了，就是全身的肉都有点疼……哈哈哈……龙儿和洪宣娇怎么样？"

"洪小姐很快就醒了，现在又去了芙蓉嶂检查湖里的情况。龙儿伤势最重，脚掌和小腿都有烫伤，孟师爷已经为他敷药包扎了，现在双脚被包成两根柱子……"

“跛了？他不能走路啦？”绿娇娇焦急地问。

“嗯，现在不能走路，孟师爷说过几天就会好转……这里距离广州只有九十里地，我想回一趟广州看看生意情况，补充一下马车上的东西，也准备些衣服……”杰克说完双手提起不合身的教书先生长衫做了个无奈的怪脸，惹得绿娇娇又是一阵花枝乱颤的大笑。

她一边摆手一边说：“去吧去吧，我洗洗脸就去看龙儿，出去的时候记得关门。”

“对了……孙存真来过。孟师爷说，是他突然出现挡住了蒙面人的最后冲杀，还把走散的马匹都拉回来，救了大家回芙蓉镇。”杰克出门时想起这件事，也和绿娇娇提一下。

“他现在人呢？”绿娇娇问。

“昨天把大家都带回来后，他就走了。”

“这丑八怪还是神出鬼没……这回他能来帮忙，也算像个人样……”绿娇娇点着头，突然她想起什么，“不对呀，这混蛋还不是跟着我们嘛……他……他……”

绿娇娇瞪眼叉腰，一时不知该说什么好。

这次轮到杰克看着绿娇娇笑起来了。

绿娇娇走出大厅，安龙儿正坐在高凳子上吃鱼蓉粥，洪宣娇已经去过芙蓉嶂回来，孟颉、林凤翔和杰克也都来到大厅。

洪宣娇是练武之人，身体明显恢复得比其他人快，今天已经回复平常风采。她给大家讲着刚才去芙蓉嶂的情况。

“五道山岭向湖中心爬了不少路，形状都改变了，山头也低了一些，但是我刚才潜下湖底，想看看昨天的洞穴，那个洞已经不见了，娇娇居然可以看出湖下出现了龙穴，真是神奇啊！”

林凤翔问绿娇娇：“绿小姐，湖底的龙穴是地震后才出现的吗？”

“对，本来芙蓉嶂只有五蛇下洋局，对方搞出地震后才出现了湖底龙穴，这种龙穴一旦出现，没有葬下洪老爷的话，地震不会停，所以姐姐放心吧，洪老爷一定已经葬入穴中。”

大家听到绿娇娇这样说大为放心，孟颉说：“这就好了，大家的功夫没有白费。说起来也是，地震一停下那些蒙面人就撤退了，真奇怪……”

他说完看着绿娇娇，猜想绿娇娇一定了解背后的原因。

绿娇娇笑一笑说："他们也认得这是天子龙穴，所以拼命阻拦洪老爷下葬，当下葬完成后，他们却不懂得怎么破解这个龙穴，哼哼……不撤退还能干什么？不过姐姐以后就要小心了，他们会借机对你们兄妹不利，反正要多加小心。"

孟颉却问道："以绿小姐这么高的风水造诣，理应是他们最大的对手，他们为什么不极力追杀你呢？"

绿娇娇听到这一问，顿时觉得师爷才是天下最危险的动物，不过这回倒不难打发，她沿着在清城温风村洪门泰安堂对温家堂主撒过的谎顺着说下去："谁说他们不追杀我？我就是被他们从湖南一路追到广东，幸好有你们这些武林高手在这里，他们也消耗不少才不再追赶……不过说起来，我们也要尽快离开了，以免连累你们。"

孟颉连忙摆着手说："绿小姐千万不要误会，我们绝没有这个意思，只是想听听你的看法……对了，绿小姐不是说要先收订金一千两银子吗？呵呵呵……"他马上用绿娇娇最喜欢的话题岔开话头。

"是啊，我早就给娇娇准备好银票了，这次顺利葬好父亲，还得了个清廷垂涎三尺又恨之入骨的天子龙穴，我要尽快把这个好消息告诉大哥……娇娇，收下姐姐的银票。"洪宣娇取出两张五百两的银票，工工整整地递到绿娇娇手上。

绿娇娇接过银票放在桌上，含笑不语地喝了一口茶。

洪宣娇看到绿娇娇的反应，知道她的意思就是对一千两白银根本不屑一顾，马上接着说："至于那一万两黄金……"

"姐姐不用急，你可以分十年给我，其实……五年后你已经可以给我了。"绿娇娇的话分明是告诉洪宣娇在哪一年可以成就反清大业，否则何来万两黄金啊。

洪宣娇听得懂话里的话，她点点头握着绿娇娇的手，把一千两银票塞到她手里说："谢谢娇娇……来，先收下姐姐一点心意。只要姐姐有能力，一定不会亏待娇娇。"

"那就先多谢姐姐了。"绿娇娇听了洪宣娇把那一万两黄金认下来，才道谢收下一千两白银的银票。

洪宣娇转头对杰克一脸媚笑地说："杰克先生，什么时候有空教教我打洋枪？”

“我有空，你想的话今天也可以！”杰克很乐意做洪宣娇的射击教练，马上一口答应下来。

绿娇娇冷笑着看出窗外：“杰克少爷，你不是要回广州换裤子吗？”

“对，我明天回一趟广州，但是今天下午有空，娇娇你也一起来练枪吧，我看到你会打快枪了，再练习一下一定能成为神枪手。”杰克听不出中国女孩子的冷嘲热讽，没心没肺地同时邀请绿娇娇参加射击课。

绿娇娇一脸严肃地看着杰克说：“真好，我也有机会学打枪。”然后又转头看着洪宣娇说：“杰克先生教打洋枪，要出枪支弹药和人工，收费也比较贵，姐姐要准备一下……”

三天后，安龙儿脚上的伤势好转了很多，绿娇娇也整理好各类行李。

在傍晚时分，杰克赶着马车从广州回到芙蓉镇。他已经换上一身干净的新衬衫牛仔裤，皮靴左轮枪擦得闪闪发亮，斜斜带一顶油淹牛皮的牛仔帽，显得非常帅气。车上的各种用品也补充齐全，绿娇娇一见马车跑进院子，就跑到马车旁往车厢里看。

杰克说：“嗨！看什么？什么事？”

“我看车厢里有没有女孩子……”

“没有女孩子！别看了，我带给你一份街上的张贴！”杰克从车厢里拿出一张很大的纸。

绿娇娇接过那卷纸嘟囔着说：“上次去几天就带个女孩子回来，这次怎么没有了……这是谁呀，这么丑！”她看着纸上画着的女人说。

杰克说：“这是通缉你的皇榜！你杀了朝廷命官，现在被全省通缉！”

“哦？是我吗，画成这样谁认得呀？我去给大家看看。”绿娇娇像没事儿人似的转身就走入大厅。

她知道这张通缉令是什么意思，这是国师府对芙蓉嶂一战失利后的报复性安排。这张通缉令告诉绿娇娇：你要马上回江西了，要是还在广东绕圈子的话可对你不客气。

她也知道画中的女人为什么不太像自己，也没有同时通缉同伙的安龙儿和杰克，这就是国师府给她留的一条生路。要是画得太像了，一出清城就给官差逮住押回广州府，谁去找《龙诀》？

现在最重要的是把这份通缉令给孟颉和洪宣娇看，因为被清廷通缉后她在洪门可就变成了红人，以后江湖上什么事都好办。再说有了通缉令在手，她就有了名正言顺的理由离开花县，不用再绞尽脑汁去想怎么和洪宣娇说再见。

孟颉、洪宣娇看到绿娇娇的通缉令，都对绿娇娇敬佩不已，看神情是恨不得自己也被清廷通缉一把。林凤翔和绿娇娇现在都是杀过满清狗官的通缉犯，自然惺惺相惜，觉得亲近了许多。

这天晚上，洪宣娇以地主身份给绿娇娇等三人饯行，大家都喝了很多酒，说了很多仗义话。

天亮后，告别洪宣娇、孟颉和林凤翔，谎称南下广州的绿娇娇揣着清廷发给自己的通缉令，和杰克一起坐在马车前座，让双脚还在养伤的安龙儿坐到车厢里，赶起洋马车晃晃悠悠地离开了芙蓉镇。

走到狮岭的三岔口，向左南下广州，向右北上江西。

绿娇娇抬头挺胸站在车头，一脚踏着座前的护栏，用烟枪使劲挥向北方喊道——

"北上！北上——"